2011年3月11日東日本大震災後、福島第一原子力発電所の爆発により大量の放射性物質が放出され、福島原発周辺の人びとは強制避難・自主避難を問わず、「できるだけ遠くに」と避難して行った。「さいたまスーパーアリーナ」は、その避難先のひとつとなった。

さいたまスーパーアリーナ：朝食の配給に並ぶ避難者。
（2011 年 3 月 22 日撮影）

さいたまスーパーアリーナ：疲れ果てて通路で眠る避難者。
（2011 年 3 月 22 日撮影）

南相馬市：津波と放射性物質に襲われた県道 74 号線（浜街道）の風景。
煙突は東北電力原町火力発電所。（2011 年 6 月 7 日撮影）

通行止め
福島第1原発事故による
災害対策基本法により
この先 1・2 Km
通り抜けできません。
南相馬市

南相馬市：原発事故によって「通行止め」の看板が立てられた。
（2011 年 6 月 7 日撮影）

南相馬市：津波によって、田畑に打ち上げられた 22 隻の漁船。
（2011 年 6 月 7 日撮影）

飯舘村：村立臼石小学校の体育館に3 月14 日避難所が開設、しかし高濃度の放射性物質が検出され、19 日に閉鎖。6 月の撮影時 9.0 マイクロシーベルトを検知。（2011 年 6 月 8 日撮影）

福島市：福島市立渡利中学校校庭の除染作業。地表では 4.07 マイクロシーベルトを検知。
（2011 年 6 月 7 日撮影）

福島市：福島市立渡利幼稚園の除染作業。すべり台のそばで 2.114 マクロシーペルトを検知。
（2011 年 6 月 7 日撮影）

フクシマ原発棄民　歴史の証人

終わりなき原発事故

樋口健二
編著

八月書館

フクシマ原発棄民　歴史の証人——終わりなき原発事故◉目次

本書掲載の写真はすべて樋口健二撮影
＊表紙、カバーの写真は南相馬市の海岸（２０１１年６月７日撮影）

証言●1

松本徳子さん

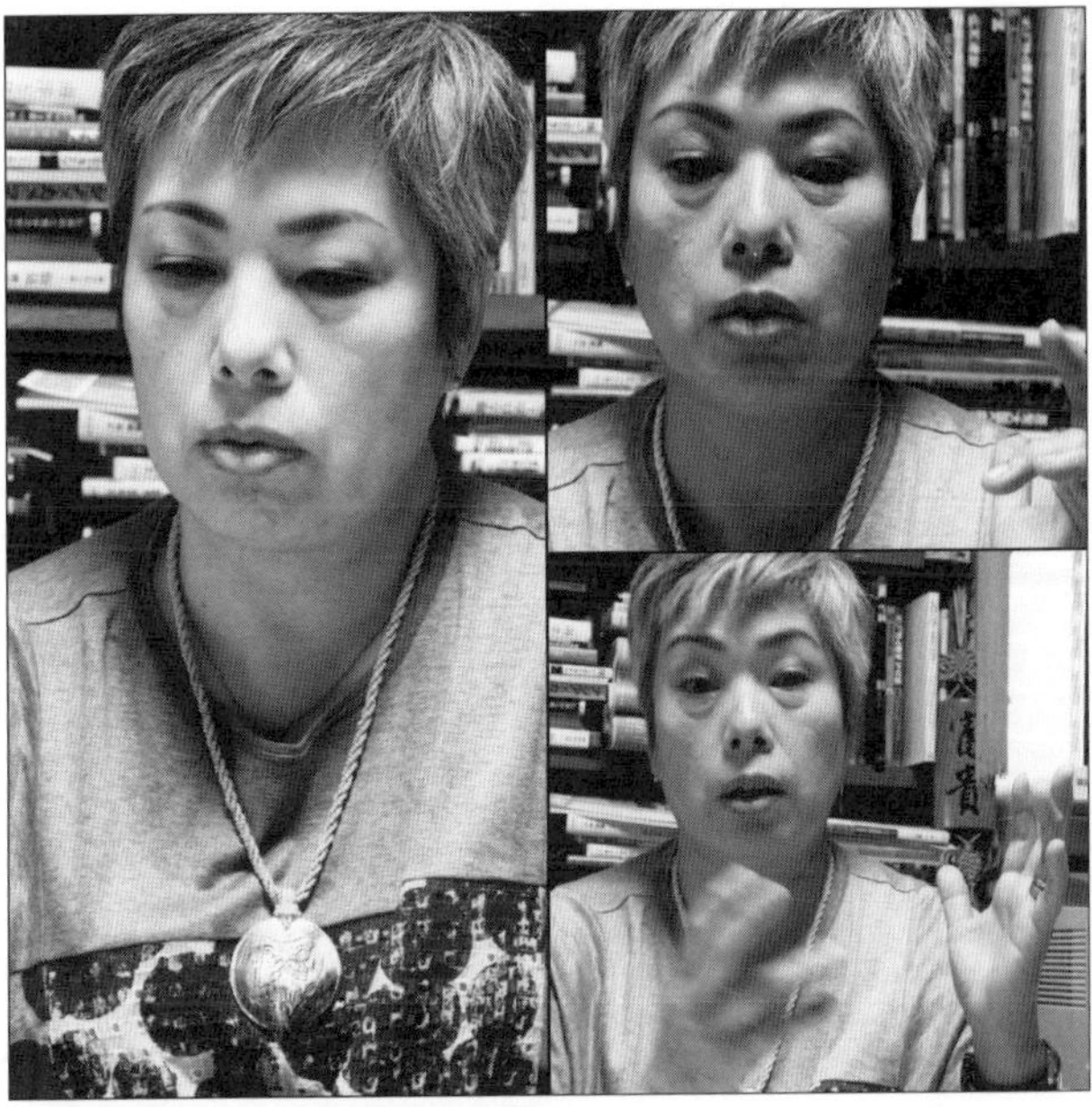
福島県郡山市より神奈川県川崎市に避難。

松本徳子さん――インタビュー：2018年10月4日

3月11日、大震災、原発爆発

2011年3月11日、私は郡山《こおりやま》市に住んでいました。当時、福島市の百貨店に勤めておりましたので、その百貨店で震災に遭いました。ちょうどお昼の休憩時間で7階におりましたので、この世のものとは思えない揺れに驚きました。その時、とにかく上着も着ずに外に出たんですが、ちょうど雪がすごく降ってきて、そこで待機の指示が出たのでビルの下で待っておりました。2時間くらいしましたら、「解散しましょう」ということになりました。しかし、福島駅はすでにシャットアウト、高速バスも新幹線も停まっておりまして、私たちは「避難先はどこなのか」と言っているうちに、警察の方が「小学校が避難先だからそこへ行って下さい」ということで、そこに行ったのですが、とても古い小学校なので震度5、4、というように余震が続いていて、そこに入っている人が「ここではまずい」、「高校の方へ避難先を変えますよ」ということで移動しました。

避難先は福島県立橘《たちばな》高等学校でした。ところが体育館にはホテルに泊まっていた人たちが追い出され、全員が集まって来たような感じでした。2～300人は収容できるような大きな体育館で、夜を過ごしました。11日は郡山市には帰れず、電話も通じず、家族の安否も取れずでしたが、夜になってやっとメールで連絡がとれ、娘から「こっちは安全だから心配ないよ」と連絡がとれました。

12日の朝方は、体育館の中とはいえ寒かったです。ある営業の人がパソコンを持っていて、そのパソコンの映像で岩手、宮城の海岸地帯では車も家も流されていくのを見ました。津波のひどい映像を見たものですから、朝には、〝これはどうしても明日は郡山の自宅に帰らなくてはいけない〟と思って駅まで友人と行き、タクシーに乗り合わせて郡山に向かいました。郡山市に行く途中では、道路に土砂が崩れていたり、瓦が崩れ落ちていたり、福島市より郡山へ向かっていくほど、ひどい状態でした。

そんな光景を見ながら、通常なら1時間くらいのところを3時間もかかり郡山にやっと着いたのですが、郡山も水もガスも止まっていました。家に帰る途中で物を売っているところを見つけて2時間ほど並び、食料を手に入れてから帰りました。家に帰り着いたら、電気は付いておりましたので、テレビを観ることができました。そのときテレビでは福島第一原発の爆発〔注：午後3時36分、1号機原子炉建屋、水素爆発〕の瞬間の映像が映し出されていました。

最初は何だかわかりませんでしたね。「メルトダウンを起こしたら大変なことになる」とテレビでは盛んに言っていましたが、同時に「メルトダウンは起こさないだろう」と、「今のところは大丈夫だ」ということを繰り返していました。私には、その〝メルトダウン〟という意味がわかりませんでした。

私たちは水が出ないので、水の確保やガソリン、灯油の確保で精一杯。3月12日、13日、14日とも水の確保のために外に出ておりました。

14日には福島第一原発の3号機の爆発〔注：午前11時1分〕があったのに、メディアではその時、1号機の爆発の映像しか流していませんでした。私はパソコンで〝どういうことになっているのか〟とネットで調べると、ちょうどアメリカ人の映した3号機の映像が見えて、〝えらいことになっている〟ことに気づきました。それからいろいろなことを検索しているうちに、小出裕章《こいでひろあき》さんが発信している情報にぶつかり、その先生が40年以上も前から原発に反対している活動家だと気づきました。

その方がユーチューブで配信していた映像を見ているうちに、たまたま東京にいた妹から、「福島はこれからどうなるかわからないので、娘だけでも避難させるべきだ」と言われ、二人の娘のうち、当時12歳だった小学校6年生の次女だけでも〝避難させるべきか〟と思ったのですが、高速道路は駄目だし、新幹線も走っていませんし、ガソリンもないので待機状態でした。それでも下の子は、家の外には出さないようにしておりました。

待機しているうちに、今度は4号機が爆発〔注：15日午前6時14分〕し、3月23日には高速バスが走るということがわかり、次女を連れて東京に行きました。妹のところに次女を預けて、私は仕事があったものですから郡山に戻って、それから福島市へ高速バスで通うということが一カ月ほど続きました。

避難させていた娘を東京から郡山へ、そしてまた避難

4月になって学校から、「中学校もはじまる」という連絡があったものですから、せっかく避難していた次女を東京から郡山に戻してしまったんです。戻して、中学校に通わせるうちに状況が変化してきたんです。

5月頃から、「福島市にいる子どもたちの中で、鼻血を出すという子がかなりいる」という話を聞くうちに、〝何で鼻血を出すんだろう〟と思いました。「4歳と7歳の男の子が毎日鼻血を出す」と職場のスタッフの方からも聞きました。その彼女が購入してきた『週刊金曜日』という雑誌に「三人の福島のお母さんたちが訴える」と出ていて、その福島のお母さんたち3人が東京で何か話をするということだったので、〝これは聞きに行かなければ〟と思い、東京に向かいました。これは落合恵子《おちあいけいこ》さんが主催で、〝福島の女性3人が今の現状を語る〟というので行きましたら、そこで福島第一原発が爆発したことによって、3月15日あたりに浜通り、中通り、会津地方の3つにまたがって放射性物質が飛んできたことを知りました。私たちの住んでいた中通《なかどお》りは原発から60キロメートルも離れているのですが、その時、〝あっ、これで子どもたちが放射線被曝《ひばく》をしたんだ〟と思いました。

6月頃に自分の娘が大量の鼻血を出したんです。その鼻血も普通の鼻血ではなく、吐血《とけつ》するようにガーッというようにすごく出したんです。それが鮮血ではなくて、黒っぽい塊《かたまり》のようでした。〝あっ〟と思いましたが、1時間ほどで鼻血は止まったので、娘は「学校へ行く」と言って行ったんです。ところが、学校でも鼻血を出したんです。

〝これは大変だ、まったなしだ〟と思い、夏休みになる7月に次女を妹のところへとにかく避難させせました。そのころ父母たちが立ち上げた「子どもたちを放射能から守る福島ネットワーク」〔注：代表・中手聖一、2011年5月発足〕でメーリングリストがあるというのを知り、そのメーリングリストに登録したところ、いろいろな情報が入ってくるようになりました。

その情報の中で、「8月から神奈川県が福島の人たちに災害救助法を適用し、2年間無償で家を貸してくれる」ということを知りました。私は仕事の残務整理があったので、8月に妹の住む東京に来たんです。住宅無償提供の申し込みはしてあったのですが、なかなか申請が受理されず、3カ月かかって、やっと川崎市に6畳一間のアパートを借りることができました。

そこから避難生活がはじまりましたね。娘の学校の件ですが、私は学校の義務教育を十分理解してなかったので、〝夏休み中に決めれば良い〟と高をくくっていたのですが、「7月中に次の場所を決めて下さい」と中学校から言われてしまい、妹の住所で学校を申請しなくてはならず、娘は東京、私は川崎ということで2年間も離れ離れの生活を余儀なくされました。実の妹とはいえ、妹にも家族がありますので、長くお世話になるということは、けっこう心苦しいことでした。

中学3年生の夏休みまでは何とか妹のところでお世話になったのですが、「川崎から通学できないものか」、「一緒に生活できないものか」と学校に相談しました。そうしたら「あと半年だから、いいですよ！」と言っていただき、娘と一緒の生活がやっと可能になりました。

そうしているうちに応急仮設住宅の住居期間は2年以内で、私たちは、警戒区域外の中通りからの避難者でしたが、〝合理性もあり、汚染された〟ということで避難者としての合理性が認められました。一時的なお金は結局、郡山市、福島市、いわき市他ですが、子ども40万円、大人8万円の一時金がもらえました。その後、12万円、私の家は子ども2人と私ら夫婦で80万円をもらえましたね。赤十字からは冷蔵庫や電化製品をいただきましたが、それ以上に中学校入学用の服や引っ越し費用など、かかったものが沢山ありました。福島市へ行ったり来たりで一時金はすぐ底をついてしまいました。

私たちの住んでいた郡山市は、警戒区域外で避難指示は出ませんでしたけど、自宅の放射線量を計測したところ、家の玄関を開けたところで2・7マイクロシーベルト、1階のリビングで0・4、2階は高くて1・2ありました。

この数字については当時はまだ理解できなくて、調べていくうちに今までは〝一般公衆被曝線量は年間1ミリシーベルトと決まっていた〟ということがわかってきました。原発事故前までは、毎時0・03〜0・05くらいしかなかったのが、2・7マイクロシーベルトあることで、〝避難指示は出なかったけど、ここも子どもたちにとっては危ない場所だ〟ということが私にもわかってきて、小出先生の講演を聴きに行ったり、いろいろなことをしながら先生とも話をさせていただいたのです。だから、私たちが避難したのは間違いではなかったということがわかりました。

自主避難者の住宅無償提供の打ち切り

国は、私たちのような60キロ離れた場所の者にはかなり厳しくて、〝勝手に避難した〟という形で、〝一時金も出したので、それで良いだろう〟というような判断でしたね。

でも私たちは〝それは違うだろう〟という思いでした。原因を作ったのは東京電力だし、国がそれを国策としてやってきたのだから、きちっとした政策を出すべきだということで、私たち避難者は、議員さんも含めて政府交渉を重ねたりして、2012年の6月に、「原発事故子ども・被災者支援法」〔注：正式名称：東京電力原子力事故により被災した子どもをはじめとする住民等の生活を守り支えるための被災者の生活支援等に関する施策の推進に関する法律、2012年6月27日施行〕ができたんです。その時の政権は民主党だったんですが、自民党・公明党も含め全員一致で決まった法令でしたのに、その後、民主党から自公政権に変わって改正されて、今は、なし崩しなんです。その法令が生きていれば、「避難する人も、とどまる人も、どちらの選択をした場合も、国が支援することを定めた重要な法律」ですし、「一定の線量以上の放射線被ばくが予想される『支援対象地域』からの避難、居住、帰還といった選択を、被災者が自らの意思によって行うことができるよう、国が責任をもって支援しなければならないと定めている」という画期的な法令でした。この法令が生きていれば、原発事故被災者の分断はなかったと思います。

郡山市、福島市は人口密度が高いのです。40万人都市なので、たぶん私たちのようなところが〝危ない〟となったら〝福島県全体が駄目になってしまう〟のでしょう。だから私たちのようなところを切り捨ててしまったのでしょう。年を追うごとに〝棄民扱いにしたんだな〟とわかってきました。

去年（2017年）、4月4日の大臣会見で記者から「自主避難者」に対する住宅支援の打ち切りについて問われた今村雅弘《いまむらまさひろ》復興大臣は、自主避難は「自己責任」であり、不服であれば「裁判でもなんでもやればいい」と暴言を吐いています。

政府交渉を重ねて住宅無償提供の件は、1年延びたんですが、2017年3月に打ち切りとなったんです。

それでもなおかつアンケート調査では、7割もの人が「戻らない」という意識があります。子どもたちを抱えて避難したお母さんたちは、〝子どもを守るために被曝をできるだけさせたくない、でも被曝させてしまった〟ということが頭にあって、〝これ以上は被曝させたくない、遠くへ避難した方がよい〟という感覚があるので、結局は帰れません。

さらに、原発によって離婚した家族がかなり多いんです。具体的には、被曝の考え方の違いです。行政は、私たちのような〝60キロ離れた人間は避難指示が出なかったのに避難した〟、つまり〝勝手に避難したんだ〟と言い、女性の方は〝子どもたちに被曝をさせたくない〟という強い思いでも、旦那さんの方は二重生活が続いていて、「自分の生活がある、行政は大丈夫だと言っているんだから帰ってこい！」と言うんです。そこで夫婦でも考え方の違いが……すれ違いですね。結局は離婚ということになったケースがあります。具体的な例ですが、今もいったようにご主人との考え方の違いですね。ある人は家に戻ってみたら、変な話、すでに別の女性が家に入っていたというケースなど、いろいろなパターンがありました。

私たち女性は、帰りたくても〝子どもに何か異変があったら〟という場合を考えて、苦慮しています。疫学的には実証されていないのですが、でも3・11以前の状態ではないところへは戻れません。中通りでさえ汚染されてしまったことは事実ですから、〝食べるものも安心できない、校庭で遊ばせることもできない場所に母親としては子どもを戻せない〟という思いで今まできているんです。

私は神奈川に来ていますが、住宅無償提供が打ち切りとなった時に、〝絶対、母子避難者は路頭に迷うに違いない〟と思いました。実際、そうなってきたんです。明日の食べ物がないとか……。

避難の協同センター

瀬戸《せと》大作《だいさく》さん（パルシステム生協勤務）という方がおります。その方が〝それでは何かをしなくてはいけない〟ということで、「避難の協同センター」（https://hinan-kyodo.org/）というのを2016年7月に立ち上げたのです。皆さんからカンパ金を募りながら、〝何とか住宅無償提供の打ち切りを撤回して欲しい〟とか、〝神奈川県にいる人には、神奈川県独自の補助金を出してもらえないか〟などの市民団体の活動を行ないました。

住宅無償提供は打ち切られてしまったけど、去年（2017年）は、収入要件はあるものの3万円の補助金を福島県が出しました。でも、「今年（2018年）は、2万円を出しましょう。来年（2019年）は終了だ」と。収入要件は、最初は月額収入15万8000円でした。15万8000円に誰も反対しないのです。女性が生活するために仕事を2つしていたらすぐに上限を上回っちゃいますよね。「15万8000円の収入要件を外してください！」と交渉した結果、福島県は、「21万4000円にしましょう」ということで、これ以下の収入の人が対象者となったんです。

私は2012年から看護師の仕事をしていましたが、2015年に病院の院長がお亡くなりになって退職し、自分も発病して無収入だったために、補助金の対象者になりました。ラッキーなことでした。神奈川県も「福島県の補助金をもらっている人にも1万円を出しましょう」と。したがって私は、昨年（2017年）は、3万円と1万円で4万円の補助金をいただきました。六畳一間で7万5000円の家賃だったのですごく助かったんですが、双葉《ふたば》郡の葛尾村《かつらおむら》や富岡町《とみおかまち》などの帰還がはじまりだしたから、〝区域外の避難者のことなど蚊帳の外だろう〟ということで、〝私は帰れない〟し、いまの家賃7万5000円の住居ではとても生活できません。

娘も可哀想なんですが、長女は子どもを産んだ機会に東京に避難してきたんです。その子たちと合流して、今年郊外に引っ越しをしたんです。引っ越しをすると補助金は得られないんです、それは覚悟の上で……。

来年（2019年）3月、補助金がなくなればどうなることでしょうか！

去年、私と同じ立場で避難した女性の方が自殺をしてしまいました。旦那さんに理解してもらえなくて、こっちにきて避難生活していたんです。自分が病気になってしまい、働けず、しかも住宅の無償提供がなくなるということで、ダブルパンチをくらった形となってしまったんです。先が見えなくなってしまったんです。不安と絶望で、〝子どもにも迷惑を掛けてしまう〟、〝自分さえいなくなれば〟という形で自害されてしまったのです。私はお会いしたことはなかったけど、同じ立場なので、メールでやり取りをしておりました。

またある方から、「避難の協同センター」に「住宅無償がなくなると困る」と言って、SOSがきたんです。そこで、初めてお会いして、7年間のつらさを語ったのです。そういう方に福島県は生活保護を勧めるんです。帰れないならそうしなさいと。でも生活保護では生活していけません。実際にそうした方もいますが、その方は病気で働けなくて、大学生になる息子さんがいて、大学に行くにもむずかしく、貯金があれば生活保護を受けられないばかりか、「車は持ってはいけない」という規制にしばられる。でも病院に行くにも、車は必要です。そこを会の事務局長が「病院に行くには車を必要だ」と交渉しました。

福島県だけではなく、この国の体質がなっていないと思います。生活保護だってもともと金額的には低いのに、さらに下げるという国ですからね。生活保護の受給条件だってあれやこれや厳しく条件をつけてくる。子どもが大学に行きたいといっても、行かせられません。本当に、子どもを被曝から避けるために避難してきているのに、学校すら行けないような方策なんです。

とにかくいま、行政の人たちに〝警戒区域外からの避難者に対して、住宅の確保だけはして欲しい〞と言いたい。個人個人の条件が違いますから、乳呑み児を抱えた人もおりますし、またやっと小学校に上がったお子さんもおり、個々人違いますから、それだけに、見合った住宅は取り上げないで欲しいと思います。そんな活動を「避難の協同センター」はしています〔注：現在の「避難の協同センター」の代表世話人は松本徳子さんご本人〕。

被曝と棄民

私が行政や国と交渉をしているうちにわかってきたことは、産業公害と同じで、かならず都合の悪いところは隠すんですね。国も同じで隠すんです。医者も同じで、頭の良い人たちがみんな情報を隠してしまい、私たちには教えないんです。それというのも私が避難したきっかけは、長崎大学医学部から放射線のアドバイザー〔注：福島県放射線健康リスク管理アドバイザー〕としてきた山下俊一《やましたしゅんいち》という医者が、私たちに盛んに「安全なんだ」と、「全然マスクなどする必要もない」し、「布団を干しても、子どもを外に出しても大丈夫」と言っていたのです。ほんとうに〝大丈夫〞という言葉にすがりたいと思っていたのに、彼が最後に「放射能はニコニコしている人には被曝はない」と言ったので、〝あっ！　この人はいくら長崎大の先生でも駄目だ〞と思ったのです。

福島県は健康調査をやっています。2年に1回、18歳未満の子どもたちを対象にしていますが、私たちにその情報を渡さないんです。医者にかかればかならず結果を教えてもらえるのに、「教えて欲しい」と言わない限り、教えてくれません。映像ももらえません。

今の内堀雅雄《うちぼりまさお》知事が〝2020年には避難者はゼロ〟と公言しておりますので、今後私たちは〝原発棄民〟となります。まさに捨てられてしまった。私たちのように賠償金をもらってない人たちは避難者扱いもされていないのです。東電の賠償金の対象者は原発から20キロ圏内と20キロ超～30キロ圏内の住民だけ。30キロラインからわずかでも外に出れば自主避難区域となり一切、支払われないのです。現実に避難者はいるのに、避難者としては扱ってもらえない。メディアが流す〝避難者〟は、どんどん数が少なくなっているのが現実です。現実には〝多くの棄民がいるのに〟です。

最終的には帰還困難区域になっている浪江町《なみえまち》・双葉町《ふたばまち》・大熊町《おおくままち》の一部の人たちだけが、避難民になっている。被曝のことはどうしても可視化していかないと、この国は駄目だと思います。う～ん、福島の中でもだんだん8年目に向けて、こと被曝に関しては忘れられていくのが現実です。

モニタリングポストというものがあります。モニタリングポストは、除染した0・23マクロシーベルトより低いところに、遮蔽されて置かれているので、値の小さいのは当然です。一般市民はあの数値を信じてしまいます。でも、そこにガイガーカウンターを持ってきて測ってみれば、実際の放射線量は高いわけですよ。そうしたことは理解していないのです。一般市民はね！　だから安倍さんが、2013年9月7日のブエノスアイレスのオリンピック招致演説で、世界に向けて「フクシマについて……アンダーコントロールできている」なんて平気で言うんです。福島はもう復興に向けて動き出しているので、私たちのような〝まだ危険なんだ〟という人間は、〝復興のさまたげになる〟と言われています。棄民化しておいて、言うことを聞く人以外は邪魔者扱いです。これで平然としている。

この国の体質は〝弱者を切り捨てたい〟というしかありません。日本は先進国だなんて笑っちゃいますね。こんなにもひどい国だとは思いもよりませんでした。〝やっぱり騙《だま》されていたんだなと！〟知ろうともしなかった私たちも悪いのかも知れませんが、この事故によってあらゆることが見えてきました。政治も御用学者もメディアもね。内堀福島県知事は、２０１１年の地震の時は副知事だったのです。ヨウ素剤の配布を止めたのもあの方でした。危ないとわかっていたので、自分のお嬢さんは避難させたんです。各自治体の長の人たちはみんな家族を避難させています。やり方がほんとうに汚いと思いますよ。

私たちの郡山の家は小さいながらもマイホームでした。去年（２０１７）の7月までは除染物があったんですね。それは持っていきました。やっと片付いて、今年（２０１８）に神奈川県に来る方向でいましたが、仕事の関係もありますので、行ったり来たりだったんです。主人は私たちに、郡山に帰れとは言いません。娘たちは友人が郡山にいますのでたまに帰ると、体調が悪くなるんです。精神的なものなのか、何なのか、身体にできものが出たりするんです。おそらく、ストレスだと思います。現在は鼻血も止まり、下痢などの一時的な症状はなくなり、今は落ち着いています。

私は原発事故の2年後に「ライター症候群」（反応性関節炎）という病気にかかったんです。これは膠原《こうげん》病の枝わかれしたものだそうです。当時、私は病院に勤めておりましたので、関節がすごく痛み、熱も出て、関節リュウマチのように夜は高熱が出て、朝は下がるんです。皮膚にも紅斑《こうはん》がいっぱい出てきたので、専門医に診てもらうと「ライター症候群」という病気だと言われました。この病気の原因は3つあり、1つは、血液の感染、溶連菌《ようれんきん》の感染、サルモネラ感染の3つによって発症する病気なんですが、検査したけれども何も引っかかりませんでした。何でこの病気になったかもわからないけど、間違いなく今でいう反応性感染症だという。原因はわからないのですが、リュウマチの薬は飲んでいます。

関節の痛みは治ったんですが、先月（２０１８年９月）、痺《しび》れがはじまったんです。医者に行ったら「また薬を増やしましょうか？」と言ってくれました。ひどくはなりませんが、一般の人が私を見たら、そんな病気を持っているなんて思えません。でも、朝は指をグッと握れないんです。もう一つは橋本《はしもと》病（甲状腺機能低下症）です。この病気は女性が中年になればなる病気と聞いています。これは甲状腺の病気ですね。これも何らかの原因があるはずですね。自分なりに思っています。風邪一つ引かない身体だっただけにとても違和感があります。健康な人は、放射線被曝のことには関心が薄いと思います。

私の場合は主人が支援してくれているのが、唯一の救いです。こと被曝に関しては賛否両論があります。〝すぐにガンになって死亡する〟ということではありませんので、郡山に住んでいる人たちは、被曝の認識が薄れてしまっています。

娘は体調を崩したことは認識していますけど、「はたして本当に避難した意味ってどうなんだろう？」と娘に言われた時に、家族がバラバラに生活しなくはならなかった点を、批難されているんじゃないかと思ったのです。私だって何も知らなければ郡山市に住んでおりましたよ！　でも、知ってしまった以上、避難するしかありませんでした。家族はバラバラになって、避難すれば貧困になる。でも留まればいろいろ病気で苦しむ。どっちも苦しむことを考えるとね……、う〜ん。

空気も土壌も海も汚染された福島

貧しい場所に原発は作られたんですが、知らなかった私たちにも責任はありますけど、自民党（70年代）が「安全だ、クリーンだ、平和利用だ」と宣伝して設置した。大都会に作れない理由を無知な私たちに上手に嘘をついて、電力は東京に送る。私たちはバカでした。

せめていま、政治に関してももっともっと学ばなければと思ってます。でも私たちのように行動を起こし、活動をする人がどんどん少なくなっています。ものを言うべき人が少数派となってしまいました。小出裕章《こいでひろあき》先生や樋口健二《ひぐちけんじ》先生たちが、原発の実態を伝え続けてこられてきたこと、何十年掛けてもやり続けてこられてきたことに感謝します。

原子力規制委員会が言うことにしてもそうですが、〝防護は何重にもなっているから事故は起きないんだ〟と言っていたにもかかわらず、事故は起きてしまった。子どものころから〝福島は地盤が固い〟と言われていましたので安心していたのです。でも事故は起きてしまいました。原発事故を津波のせいにしていますが、事故は想定内だったと確信しています。そして〝想定外だとうそぶく〟ことを止めてほしいですね。

土壌汚染を除染した土も「8000ベクレル／キログラム以下は大丈夫だ」といって、「それを再利用しましょう」などと言っています〔注：8000／キログラムベクレル基準は、環境省が2016年6月に「キログラム当り8000ベクレル以下であれば、公共事業で道路工事や堤防などの盛り土に利用可」だと決めたセシウムの土壌汚染に関するもの〕。

原発から出る汚染水に含まれるトリチウム〔注：三重水素、半減期12・32年〕問題にも関心があります。私と主人は、「どんどん溜まり続ける汚染水は、そのうち海に流すだろう」とよく話していました。案の定、オリンピックが近くなってくるにつれて、「トリチウム水は、他の放射性物質を取り除いたから大丈夫だ」、「まったく心配ないんだ」と、「どこでも薄めて流しているから大丈夫だ」と、とんでもないことを言いはじめました。「トリチウム水は害はないんだ」と公言してはばからないのです。うまい言葉で、すべてを覆《くつがえ》して言っている。汚染土壌も今までは「放射線が100ベクレル以上あるものはその場から動かしてはならない」と言って、原子力行政で決まっていたわけですから呆《あき》れています。なんで〝8000ベクレル以下はいいのか〟まったくわかりません。頭がおかしくなってしまいますね！

安倍晋三さんのことは、私、はじめのころは信用しておりました。あのような方だとは思ってもみませんでした。ここにきていろいろな問題が山積みしており、森友学園、加計学園じゃないけれども、籠池泰典《かごいけやすのり》〔注：森友学園前理事長〕さんなんかも悪いところはありますが、普通の一般市民を牢獄に入れてしまうなんてことのやり方に困惑します。でも国民は安倍さんを総理にしてしまうんですよ！　組閣をみてあきれました。この国民の馬鹿性というかね！　大臣になった面々をみるとほとんど最悪のメンバーばかりですよ。根本匠《ねもとたくみ》〔注：1951年福島県郡山市生まれ、福島2区選出の衆議院議員、2018年10月の第4次安倍内閣で厚生労働大臣〕という方は、復興大臣〔注：2012年第二次安倍内閣で復興大臣〕になった方ですね。その方なんか何一つ福島の復興などやっていないんです。そういう人を安倍さんは大臣に選んでいる。ドイツのヒットラーのような独裁者ですね。

安倍さんが福島に行った時、仮設住宅で生活をしている人たちを訪ねた。そこの人たちが喜んで安倍さんと握手なんかしている。私だったら絶対に苦しんでいることを言ってやりますよ。何であそこで手を握っている姿を写真まで撮らせたりして喜んでいるんだろう。惨《みじ》めな思いをたくさんしているのにね。あの場面をメディアに流させ、福島の人たちはもう困っている人はいないんだと印象づけ、情報操作をしているんです。あんなみすぼらしい仮説住宅に居るにもかかわらず、「おかげさまで」って言うんですから、悲しくなりました。ことなかれ主義者が多いんだとつくづく思いました。

水俣《みなまた》は海の汚染で大変な目にあったのですけど、福島は空気も土壌も海も全部、汚染されてしまったんです。近隣諸国は、東北地方の食物を輸入してくれません。私たちのような避難民が集まって話をするとわかってくれますが、まったく無理解の人たちからは「頭がいかれているんじゃないか」とも言われています。

補記：福島原発事故から10年

２０１１年の福島原発事故から当時12歳の娘と母子避難をして、
もう10年、まだ10年。
福島第一原発事故の教訓は生かされたのか？
実害を風評被害と名前を変え、
止めたはずの原発を未解決のまま再稼働させる我が日本は狂っています。
生業を返して欲しい。
真実を誤魔化す国、東京電力を決して許さない。

（２０２１年3月13日　まつもと　のりこ）

証言●2

武藤類子さん

福島県三春町より山形県天童市に一時避難。現在、三春町に在住。

武藤類子さん――――インタビュー：2018年10月15日

3・11の時

福島県の三春町《みはるまち》から来ました。

私は、福島の三春町の隣にある船引町《ふねひきまち》の山の中で2003年から「燦《きらら》」という小さな喫茶店を開いておりました。そこでどうして喫茶店をはじめたかと言いますと、私は1986年のチェルノブイリ原発事故の時にはじめて、〝原発が怖い〟ということを知ったのです。それまでは全く無知だったんですけれども、その時に自分が住んでいる福島に10基もの原発があることを知りました。それはとても怖いものなんだということがわかりました。

それで、細々と原発反対運動をはじめていたんですけど、長いことやっているうちに、盛り上がった時もあり、また低迷することもありますね、運動というのは。そういうときに一方では原発がどんどん増えて、〝なんでなかなか無くならないのか〟と思った時に自分でどうしたらよいかと考えたんです。

まず、自分の暮らし方で〝エネルギーを大事に使う暮らし〟をしてみたいと思いました。それで山を開墾《かいこん》して、そこに小さなお店を創ったんです。そこでは、自分で組み立てた太陽光のシステムで家の半分くらいの電気をまかない、それから畑を作り、野菜などを育てたり、山の中から山菜やキノコ、ドングリを採ってくる、草を採ってくる……そうしたものをお店で料理してお客さんに食べてもらう。とにかく、〝エネルギーを必要以上に使わないで暮らしたい〟、〝無駄なものをはぶくことが一番〟かと思っておりました。そういうお店をやっておりました。

3月11日は、お店におりました。そして、その前に地震が何回もありました。けっこう大きな地震も感じていました。その度に原発のことは頭にありました。でもあの3月11日は、今までに経験したことのないものすごい揺れだったんです。私は連れ合いと、母との3人暮らしなんです。それと年老いた犬がいました。あの日は連れ合いと私が店におりました。犬もいました。揺れがひどいのでびっくりして、テーブルの下に隠れたり、外に出たり、ある程度おさまった時にすぐラジオをつけました。すると、「福島原発は制御棒が入った」ということが報道されました。〝あらっ！　制御棒が入ってよかった〟と思いました。ところが夕方になってからラジオのニュースで「冷却系の電源が一部入らなくなった」というので、〝えっ！〟と思いました。そのすぐ後に「冷却系の電源が全部失われた」というニュースでした。〝あらっ！　これは大変だ！〟と思いました。

それはなぜかというと、約1年前の２０１０年6月17日に、「福島第一原発2号機で電源全喪失による水位低下」という事故があったんです。その時は約15分～30分くらい電源が切れたんです。非常用ディーゼル発電設備によって、大事にはいたらなかったんですが、その時に〝炉心冷却系の電源が切れるといったい何が起きるのか〟ということを学んだんです。

ですから3・11当日、「もしかしたらメルトダウン……」〔注：メルトダウンは炉心溶融とも呼ばれる原子炉の重大事故の一つ。冷却系統の故障により炉心の温度が異常に上昇し、核燃料が融解すること〕ということが頭に浮かんだんです。〝これは大変なことになるぞ！〟と。

そうしているうちに夕方になり、薄暗くなりはじめていました。その日、お天気は良い日でしたが、大地震のあと天気が急変して雪が降ってきた。〝原発が危ない！〟と思ったので、うちに来ているお客さんの中には小さい子どもがいる人もいたので、「もしよかったら避難した方が良いんじゃないか」と言ってまわったんです。その中で「じゃあ避難する」と言って、2家族が車にいろんな物を積み込んで避難しました。私たちも〝避難した方が良い〟ということになって、〝どこに逃げるか〟ということを考えました。原発のことを学んでいましたので、〝風下に逃げてはいけない〟と思いました。私のところは冬、西から東へ風が吹くんです。だから〝西へ逃げよう〟と思いました。

その日（11日）は、母を迎えに行き、連れ合いと犬とで、軽自動車でしたが「何でも積んで行きましょう」と出発しました。もうその時は暗くなっていましたね。吹雪《ふぶき》となっていました。猪苗代湖《いなわしろこ》を通って、会津方面に向かっている時に、また大きな地震がきました。時間は正確にはわかりません。その時の地震は長野県の栄村《さかえむら》と新潟県の津南町《つなんまち》との県境付近で起きた地震〔注：最大震度6強〕でした。〝新潟まで行こう〟と思っておりましたが、新潟には柏崎刈羽《かしざきかりわ》原発があることに気づき、〝新潟も危ないなぁ！〟と思い、どこに行ったら良いのかわからなくなっておりました。寒いし、もう夜が明けはじめておりました。会津若松《あいづわかまつ》市内に入って、ちょうど避難所を見つけました。地震のための避難所でした。

そこで、おにぎりなどをいただいて、ホッとしてるうちに、テレビが映っているのに気づきました。その時はまだ原発は爆発しておりませんでしたが、「原発に電源が入っていない」ということが伝えられていました。その時に私はあっ！　と気づいたんです。私たちだけで避難してきて、〝あの人にも、この人にも知らせていない〟ことに気がつきました。私はものすごい罪悪感にさいなまれました。それで、電話をしたり、メールをしたりしたんですが、どちらも通じませんでした。私は連れ合いに「いったん戻りたい」と言ったんです。彼は「バカじゃないの」という返事でした。彼は「本気か？」と言うんです。「ここまでやっと逃げて来て、何を言っているんだ」と大げんかになりました。それでも〝子どもがいる人たちにも、何の情報も入っていないはずだ〟と思い、帰る決心をしたんです。

会津若松ではまだガソリンスタンドが開いており、ガソリンを満タンにしていた時です。東の方からいっぱい人を乗せたバスが何台も来るんです。3月12日の朝です。その逆に空のバスが西から東へとどんどん行くんですよ！　〝避難者を乗せたバスだろう〟とあとから気づきました。私はいったん三春に戻りました。そうしてしばらくしているうちに原発が爆発〔注：午後3時36分第一原発1号機爆発〕しました。2日間は三春にいて、少し電話が通じるようになりました。どうしたらよいかという相談があり、「子どもさんがいるなら避難した方がいいですよ！」と伝えました。何人かは避難しました。

私たちも〝どうしようか〟と思いながら、連れ合いの携帯電話は小さい画面ですがテレビが映るんです。ニュースをくいいるように見て、夜もまだ地震がくるので、服を着たまま寝たんですが、寝付かれませんでした。それでも連れ合いにあとで、「疲れたのかグーグー寝ていたよ」と言われました。

やっぱり避難しよう

3月14日に3号機が爆発〔注：午前11時1分〕しましたね。3号機はプルサーマル燃料〔注：原子炉で使用した後の使用済燃料を再処理して取り出したプルトニウムとウランを混ぜた燃料（ＭＯＸ燃料）を、原発（軽水炉）で使うことをプルサーマルという〕が入っていていました。プルサーマル運転がはじまったのは、２０１０年でした！

２００9年ころに私たちは反対運動を強めていました。県にも東電にも行きました。その秋でした。東電に行き、ダイイン〔注：死亡している状態を模倣することにより行なう抗議の一形態〕やいろいろな抗議行動をやりました。50人ぐらいでした。それが５０００人ぐらいでできていたら、きっと違った方向へと動いたのではないかと思います。

そのプルサーマル燃料が入った原発が爆発したというのです。プルトニウムが入っていることがわかっておりましたので、〝これは大変なことが起きてしまうだろう〟と思いました。〝一般の原子炉の爆発よりさらにひどい被害が広まるだろう〟と思いました。それで〝やっぱり避難しよう〟と決めました。近くにいた高校の先生が、放射能を測定する計器で測定したら10マイクロシーベルト測定されたということでした。これは私の住んでいた三春です。避難したあとの3月15日のことです。私たちは、〝どにかく逃げよう！〟と、14日に避難したわけです。奥羽《おうう》山脈は山形県と福島県にまたがっています。高い山脈なんで、〝あれを越して放射能は行かないだろうと〟と考えました。2家族で避難しました。山形県の天童《てんどう》市というところにに3月14日の夜に着きました。そこには誰も知っている人はおりませんでしたが、一緒に避難した友達が「1回だけ会ったことがある人がいる」ということで、友達がその方のお宅に電話をして、「ちょっとだけの間、避難させてもらえませんか」とお願いしたところ、そのお宅は大きな家だったので「いいですよ」というお返事をいただいたのです。そうして受け入れてくださったんです。

大人が7人、子どもが2人に犬1匹でしたが、何の文句もいわずにほんとうに親切に受け入れてくださいました。そこで1カ月間も置いてくださったんです。ほんとうに心から感謝しました。そのお宅の近くに温泉があり、よく入りにも行きました。その温泉に行くと、双葉町《ふたばまち》からも、浪江町《なみえまち》からも〝避難してきた〟という人たちがおりました。たくさんおりました。私たちは1カ月間置いてもらったのですが、たとえばテレビとか新聞とかラジオで情報を得ようと思っても、なかなか真実は伝わらなかったですね。メルトダウンということが明らかになったのは、2カ月後のことでした。その時はまだ、はっきりとメルトダウンしているかどうかはわかりませんでした。

3月11日直後のころは、みんな何もわからなかった。スーパーに行列を作ったり、水を求めて集まりました。でも〝放射性物質が降ってくるんではないか〟という危機意識が高まっていたんです。三春町では、私たちが避難していた間に「家から出ないでください」と言っていたそうです。三春町は、富岡町《とみおかまち》や他のところの人たちが避難しに来るので、受け入れるという町でした。ですから、女性はみんな炊き出しに出ていたんです。私たちは避難していたので、何もしなかったんです。三春町ではヨウ素剤を飲ませておりました。それもあとから聞きました。

　私が天童市に1カ月避難していた3月の終わりころですが、いったん三春町に荷物を取りに戻ったんですよ。その時に、「日本の中でこういうところに避難すれば受け入れてくれるところがあるよ、たとえば比叡山《ひえいざん》とか、山形ではこういうところ、ああいうところ」という情報を全部一覧表にして、印刷して、それを持って三春に帰り、役場に持って行きました。「こういう場所に避難できるので、町のホームページにぜひ載せてください」とお願いしたのですが、町は、「避難区域になっていないので載せられない」と言われました。「でも、避難したいという人が相談に来るかも知れない。それではせめてその時には渡してください」と言って置いてきましたが、どれだけ役に立ったかわかりません。

2011年4月23日福島市政だより

そのころ、福島県に放射線リスク、健康管理アドバイザーという人たちが3人来たんですよ。3月の末だったですね。その人たちが福島をまわって「放射線は大丈夫だ」ということを言いはじめたんです。長崎大学の山下俊一《やましたしゅんいち》という人を中心にして、いわき市からはじまって、福島市や飯舘《いいたて》村とかを講演して歩くんです。「大丈夫だ、大丈夫だ」と言ってですね！　福島市では市政だよりに「山下俊一さんは放射能は大丈夫だ」と言っていることを掲載するんです。そうすると、みんなはそれをそれを読むんで、〝放射線は危なくないんだ〟と思いはじめるんです。

当時、テレビは毎日同じようなニュースと爆発した写真と、「ただちに影響はない」ということばかり繰り返すんです。ちゃんとした情報が欲しいのに権力側の情報ばかりだったんです。そんな時、原子力資料情報室の方が正確な情報を伝えてくれたり、後藤政志《ごとうまさし》さん〔注：元東芝・原子炉格納容器設計者〕とか、藤田祐幸《ふじたゆうこう》さん〔注：慶應義塾大学慶助教授〕、広瀬隆《ひろせたかし》さん〔注：作家、『危険な話――チェルノブイリと日本の運命』他〕とかの情報を必死になって収集しました。それで、〝福島は危ないんだ〟と自覚しました。

三春に戻り

86歳の母を連れた避難生活が1カ月経ったころ、母は足も悪く、自分の生活ではない環境にだんだん体調を崩して、「帰りたい！　帰りたい！」と言うようになりました。避難する前に「鍋に豆を煮て置いてきた」とか変なことを言いはじめました。1カ月もお世話になっている家にこれ以上お世話をかけるわけにもいかず、〝そろそろ帰ろうか〟と思いました。連れ合いは私より25歳も若いんですよ。放射線被曝《ひばく》は若い人の方が危ないものですから、「あなたは避難をつづけたら」と言いました。彼は独立型のソーラーパネルを組み立てる技術があるので、一緒に避難した友達の一家と共に津波でやられた三陸の方まで行って、〝電気が来なくなったところにパネルを調達して、組み立てては電気を作って歩く旅をする〟ということになりました。

私が母を連れて三春に帰った翌日に、いわき市の方でまた大きな地震が起きました。死者の出るような！　〝ここも危ないな〟と思いました。それから〝食べるものをどうやって確保するか〟ということを考えました。〝とにかく測定をしなければ〟と思いました。チェルノブイリ原発事故以降、食品の放射能検査のことがありましたので、町に測定器を入れてくれるようにお願いしました。三春町はわりと早くに入れてくれました。

5月ごろ、フランスにある市民測定所・クリラッド〔注：1986年に設立され、ガンマ・スペクトロメータ、液体シンチレーション分析器、ポータブル放射線測定装置を保有し、食品の汚染、原子力施設の排水や放射性廃棄物、環境の監視活動をしているNGO〕から測定器をいくつも借りて持ってきてくれた人たちがおりました。それで、〝みんなで測定をはじめましょう〟と動きはじめました。食品の測定デモンストレーションをはじめ、〝どれくらいの放射能が出るか〟の調査をはじめました。

また一方では、子どもたちを守らねばというグループができたりとか、いろいろな方を呼んで放射線の勉強会をするグループができたりとか、そういう運動が5月ごろからスタートしたんです。

ところが例の山下俊一さんたちが、どんどん「安全だ、安全だ」と県内をまわって言いはじめました。彼は「大丈夫だ、大丈夫だ」と言っておりましたが、それに対して疑問をもつ人たちが何人かおり、メールで「ちょっと疑問に思う方は、黄色いものを身につけてきてください」と呼びかけられました。そんなメールを受け、私も黄色いものをつけて5月3日の山下さんの講演を二本松《にほんまつ》市で直接聞きました。

講演会に行くと黄色いものを身につけた方が、会場にちらほら見うけられました。その中のひとりが「それでは山下さん、お孫さんを二本松の砂場で遊ばせられますか？」と問うと、彼は「できます」と答えました。それでもいろんな人たちが「線量が高いのに安全だというのはおかしい！」と言いだしました。そうしたら最後に山下さんはキレて、「私は日本人だ、日本国が決めたことには従うんだ！」と捨てゼリフのような言い草でした。そうして、会場をパタパタと去って行ったんです。ひどい人だと思いました。ところが何人いたかわかりませんが、会場にいた人たちが拍手をしたんです。それを見て私は怖ろしくなりました。〝いったい何なんだ〟と思いました。みんな不安なのに、〝国が大丈夫だと言っているから〟と自分に言い聞かせたかったのではないでしょうか！　そのように解釈するしかありませんでした。とても怖ろしい気持ちでしたね。

私は、〝お店はこれ以上続けられない〟と思いました。安全な食べ物は確保できないし、自分たちは遠いところのスーパーのものを買い求め、食料を送ってくれる人たちもおりましたが、お米は家に置いておきましたのでそれを食べ、洗濯物は全部家の中で干すという生活。窓は開けなかったので、だんだん暑くなりますと家中カビだらけになりました。それでも外に干すことはできませんでした。

「ハイロアクション」直前の原発事故

福島原発はとても古いですね。第一原発1号機は2011年3月11日の時点で、すでに40年を迎えていました。私は原発の寿命は20年ときいておりましたが、そのうち30年になり、さらに40年に、その上さらに10年延ばすことに決まったんです。

事故が起こったのは、そんな1号機を廃炉にする運動をはじめようとした時でした。3月26日、27日をオープニングイベントとして、その日から1年間かけて廃炉にする「ハイロアクション」というのを立ち上げていたんです。私たち世代や、子どもを抱えた若いお母さん世代とか、若者たちがたくさん参加してくれて、オープニングイベントの準備をしておりました。〝電気を送っている送電線を逆にたどって、東京から若者たちが歩いてくる〟ということを企画したり、〝廃炉コンサートを開こう〟とか、〝講演会やシンポジウムをやろう〟とか、〝フラダンスを習ってアロハで廃炉フラワーズというグループを作ってそれをしよう〟とか、いろいろ考えておりました。そんな準備を進めている最中に起きたのが、あの3・11だったのです。

震災の前日の3月10日は、私の店でフラダンスの練習をやっていました。練習が終わったあと友人に本を返してもらいました。２０１０年８月に広瀬隆さんを呼んで講演をしてもらったところに広瀬さんが出された『原子炉時限爆弾――大地震におびえる日本列島』（ダイヤモンド社、２０１０年）という本です。〝津波がきて、原発がやられる〟ことが書いてあり、「こんな風になったらいやだね！」と友人と言っておりました。まさか自分のところで起きるなんて想像もしなかったのです。甘かったことに気づきました。その本を友人に返してもらった直後がまさに３・11だったのです。

３月に予定していた「ハイロアクション」ができませんでしたから、〝もう一度７月に規模を小さくして、放射線量の低いところでやろう〟と、いわき市の小名浜《おなはま》というところでシンポジウムを開きました。プルサーマル計画了承を撤回した元福島県知事（１９８８～２００６年）で、２００６年に汚職疑惑で知事を辞任した佐藤栄佐久《さとうえいさく》さん〔注：疑惑については、自著『知事抹殺――つくられた福島県汚職事件』（平凡社、２００９年発行）できっぱりと否定している〕たちを招いてシンポジウムをやったわけです。

その時、散り散りに避難していた人たちがみんな集まってきたんです。子育て世代のほとんどの人たちは、遠くに逃げておりました。その人たちが〝これから何かしなければいけないだろう〟と、〝右往左往ばかりしていては何もはじまらない〟ということを話し合ったんです。〝それぞれの場所で何かやるのは重要だ〟、〝何か自分たちでやろう〟と話し合ったんです。

それで９月に入って〝合宿しよう〟ということになり、放射線量の低い猪苗代で行なうことになりました。そこで合宿をして、〝では何をしたらよいのか〟と話し合いました。その時、

「原爆被害者援護法」みたいな、〝被害者救済の法律が必要だろう〟ということと、もう一つはこの〝原発事故の責任をちゃんと問わなければいけない〟ということの2つを考えたんです。

冬になって、福井県の大飯《おおい》原発再稼働という話が出てくるんです〔注：大飯原発が立地している若狭湾は、天正地震（1586年1月）の津波で大きな被害が出たことが明らかになったにもかかわらず、全原発を停止させた3・11以降、2012年7月に大飯原発3、4号機をはじめて再稼働した。1、2号機は2017年12月に廃炉、3、4号機は現在も稼働中〕。〝この国は事故の反省をする〟と思ったけど、〝エネルギー政策も原発ではなくて、クリーンなエネルギーにしていく方向になる〟と思ったんですけど、それは〝幻想であったな！〟と思いました。

2011年9月19日、東京の明治公園で開催された「さようなら原発　5万人集会」の集会にたまたま出席する機会があったので、ずーっと整理してみると、何が福島で起きているかということが見えてきました。

まず、〝国というのは国民を助けないんだ〟ということが明確になりました。9月の時点で〝放射能の事故はまだ終了していない〟ということがわかりました。〝放射能のゴミも大変だな〟とは思っていたんです。その放射能のゴミは福島に山積みしていて、〝それが永い期間になる〟と気がつきました。〝私たちはこの福島にいる限り核の実験材料にされてしまうんだ〟ということもわかりました。〝原発事故の後始末をするためには、おびただしい被曝労働がこれから行なわれる〟ことにも気づきました。そうしたことが徐々に自分の中でわかってきましたね。8年経った今も「原子力緊急事態宣言」も解除されていませんからね。

東電と国を告訴する

私たちがすべてを解決できませんが、私たちにできることをやろうとグループをつくり、動き出しました。一つは「子ども支援法」を作ろうという動き〔注：「原発事故子ども・被災者支援法」（正式名称「東京電力原子力事故により被災した子どもをはじめとする住民等の生活を守り支えるための被災者の生活支援等に関する施策の推進に関する法律」）が2012年6月21日に衆議院本会議で全会一致で可決・成立〕と、もう一つは東電と国の責任を追及する動きで、私は後者にまわりました。東電と国を相手に刑事告訴をしようと考えたわけです。ちょうどそのころ、広瀬隆さんと明石《あかし》昇二郎《しょうじろう》さんが告発をしておりました。その時の本〔広瀬隆・明石昇二郎・保田行雄著『福島原発事故の「犯罪」を裁く――東京電力＆役人＆御用学者の刑事告発と賠償金請求の仕方！』2011年11月、宝島社〕を見せてもらい、勉強会を開きました。

2012年3月16日に福島県いわき市で「福島原発告訴団」結成集会を開きました。その時、〝どうやって告訴人を集めたらよいのか〟と思ったんです。保田行雄《やすだゆくお》弁護士さんに相談しました。薬害エイズの時の弁護士さんです。そして、4月～6月福島県内の20カ所で第一次告訴説明会を開きました。のちに河合弘之《かわいひろゆき》弁護士さんや、海渡雄一《かいとゆういち》弁護士さんも名を連ねてくださいました。今は5人の弁護士さんの体制となっています。

この方たちが福島県内を一緒にまわってくださいました。そのおかげで少しずつ告訴人が集まってきました。これはやはり、〝一刻も早くやらねばと〟思いました。それは解決のためです。2012年6月11日でしたが、1324人の福島県民だけで告訴をしました。福島地方検察庁にです。

そのあと、〝じゃあ宮城はどうなんだ〟〝栃木はどうなんだ〟と。みんな放射能が降っていますよね!! では、〝全国に広げよう〟と、〝全国から告訴、告発をまとめよう〟ということになりました。私は全国150カ所以上、第二次説明会を開くために歩きました。そして7月〜9月には、全国に10カ所ほどの事務局が立ち上がりました。

そして、2012年11月15日、全国・海外の1万3262人が、福島地検に第二次告訴を行ないました。みんな告訴人、告発人ということで委任状を送って下さいました。弁護士さんたちが、告訴状を書いてくれました。それでいよいよ告訴がはじまるんです。

ところがその翌年の2013年9月、福島地検がなぜか、東京地検に移しちゃうんです。9月9日東京に移して、1時間後に全員が不起訴となりました。

私たちは33人を告訴しました。東電幹部、それから経産省・保安院・原子力安全委員とか、御用学者、文科省とか、33人を告訴したのにもかかわらず、全員不起訴となってしまったのです。

それで私たちは10月16日に、検察審査会〔注：検察審査会制度とは、国民の中から選ばれた11人の検察審査員が検察官の不起訴処分の当否を審査するもので、検察官の職務の上に一般国民の良識を反映させ、その適正な運営を図ろうとする目的から設けられたもの〕というところに申し立てをしました。

2014年7月31日に検察審査会が、審査を認めたのは4人で、東京電力の勝俣恒久《かつまたつねひさ》元会長、武黒一郎《たけくろいちろう》元副社長、武藤栄《むとうさかえ》元副社長の3人は、「起訴相当」となり、1人は「不起訴相当」になりました。2015年1月に検察が再度「不起訴」としましたが、同年7月、検察審査会は2度目の「起訴議決」を出しました。2回出ると「強制起訴」となるんだそうです。そうしてはじめて裁判が開かれるということです。

ようするに、日本国の行政機関である検察は、このものすごい何十万人という人たちの人生を根底からくつがえすような被害を与えた事故、家をなくし、仕事をなくし、地域社会をなくし、楽しみをなくし、家族をなくし、健康も、その上に命までもなくしてしまった人たちたちに被害を与えた事故に対して、「裁判を開いて責任を追及する必要がない」ということを決めたのです。

で、それに反して市民から選ばれた検察審査会が「きちんと裁判を開きましょう」と議決を出してくれたのです。それは東京第五検察審査会というところです。相手が3人になってしまったけど、とてもうれしかったですね。ようやく裁判が開かれるということでしたから……。長い道のりでした。私たちは毎月東京地裁、東京地検の前へ行き、集会を開き、「早く起訴して下さい、強制捜査をしてください！」と訴え続けてきました。しかし、強制捜査はしてくれませんでした。今でもしておりません。

裁判が決まって、それからがまた長いんですが、実際に裁判がはじまったのは2017年6月30日が初公判でした。ついに被疑者、勝俣恒久、武黒一郎、武藤栄の3人は「強制起訴」となり、福島第一原発事故の責任を問う「業務上過失致死傷事件」がスタートしました。

私はすべての公判を傍聴しておりますが、刑事裁判なので3人の被告人は必ず出廷しなければなりませんので、出てきたんですね。

はじめて被告人席にいる3人を見て、〝罪状認否で何を言うのかな〟と思っておりました。彼らは一人ひとり立って、勝俣さんは「私は会長職にあったので業務に口出しする立場になかった。だから責任はありません」、武黒副社長は「フェロー〔特別研究員〕のような立場で、助言者みたいな立場だったから責任はないから無罪だ」と、武藤栄さんは原子力の専門家ですよね、一番重要な立場の人ですね、彼は「大きな津波は来るという計算はやってみたけど、それはあくまで試しにやってみたもの。ほんとうに来ることではなかった。それは想定外だった。自分には責任はない」と言いました。

全員無罪を主張しました。〝裁判というものは必ず無罪を主張するものなのか〟と思ったほどです。ほんとうに被害を受けた人たちの被害の実態と、今も続く被害、事故当時だけが大変であっただけではなく、それどころか被害は広がって行くわけです。〝深刻になってゆくのに彼らは何も感じないのか〟と思い、愕然《がくぜん》として膝《ひざ》の力が抜けてしまいました。多くの人たちが泣いておりました。そんなことで、初公判がはじまりました。

裁判で聴いた証言

現在（2018年10月）29回まで終わり、証人尋問がずっと行なわれ、主に東電社員とか、東電子会社、一方では津波や地震に対する学者の人たちですが、きれいに学者も別れておりますね。島崎邦彦《しまざきくにひこ》先生〔注：地震学者。東京大学地震研究所教授、日本地震学会会長、地震予知連絡会会長を経て、東京大学名誉教授。元原子力規制委員会委員長代理〕が、「東北沿岸に襲来する津波が内陸まで達する可能性があるとする長期評価の改訂版を公表する予定だったが、政府の中央防災会議が発表することをじゃました」、「発表の延期を了承しなければ、〔津波への注意喚起につながり〕多くの人が助かったかもしれない。なぜ延期したのかと、自分を責めた」などとおっしゃっておりました。一方で、東電側の学者さんたちの証言もありました。

一番最後にあったのは「双葉病院」のお話でした。原発から4・5キロメートルしか離れていないところです。ほとんど寝たきりの高齢者の方々〔注：双葉病院の入院患者338人と系列の介護老人施設ドーヴィル双葉の入所者98人の計436人〕が避難しようとした話です。

彼らにも避難指示は出たんだけれども、第一陣で3月12日に、患者209人と医師らがバス5台で避難していく。そして、残った人たちを少数の職員たちで世話していたんです。大熊町《おおくままち》に避難を要請するんだけど、なかなか次のバスがやって来ない。そのうちに自衛隊の幌付トラックが来たけれども、そこに寝たきりの病人を乗せるわけにもいかず、またつづけて避難要請をするんだけれども、なかなか救援が来ない。残った人たちは、〝やがて合流できる〟と思って送り出したんですよ。

3月14日、第二陣で「ドーヴィル双葉」の入所者98人全員と患者34人が避難。残っていた双葉病院の院長が14日の夜、救援要請に出かけていくんですが、途中で原発が爆発〔注：14日午前11時に3号機、15日午前6時に4号機爆発〕したりして戻って来られなくなり、それでも15日にようやく第三陣以降のバスが来たんです。寝たきりの人たちを起こしてバスに乗せるわけです。何台もで避難し、グループに別れていくんですが、職員がそんなにおりませんでした。

第一陣で避難した人たちには充分に職員がおりましたが、数カ所の避難所をたらい回しされ、三春町の体育館で1泊したのち、遠回りをしていわき市の「いわき開成病院」に避難。

第二陣で避難した患者34人は、北上して南相馬市の保健所でスクリーニングを受け、2人が市内に入院、残りの32人は出発してから10時間以上かかって、福島、郡山を経由して230キロ先の「いわき光洋高校」の体育館に避難。でも高校に着いた時に、バスを開けたらすごい異臭がして、バス内で亡くなった人が3人いた。さらに、寒くて医療施設もない体育館で、翌日までに11人が死亡。

第三陣で避難した入院患者90人は、福島市や二本松市に搬送され、避難先で7人が死亡。結局その避難で、避難所から他の病院へ移動させたわけですが、そこでも何人かが死亡するわけです。「双葉病院」と「ドーヴィル双葉」の入院・入所者を合わせて50人の方が亡くなっているのです。

今度の裁判で被害者として認定された患者は49人なんですけれども、その方たちが〝なぜ亡くなっていったのか〟と問いました。病院のお医者さん、ケアマネージャーや看護師さんたち、遺族の方たちみんなが、〝高齢者ではあったが、避難の前までは元気でいらした〟ということを言っておりました。〝原発事故さえなかったら亡くなるようなこともなかった〟ということを口にしておりましたね！　尋問の時に生々しいショッキングな証言がいくつもありました。私はどの証言も聞いていてつらいものでした。

原発事故が起きてしまえば、避難なんて不可能なことですよ！　安全な避難なんてまったくできないと思います。事故の時は道路はひどい渋滞となったり、通行止めになったりで、大混乱だったんですよ！　他の原発立地地域で安全避難計画などをうたっていますが、現実には避難訓練など何の役にも立たないということを学びました。

〝原発は停めるのがやっぱり一番だ〟と、私はつくづく思いました。被害者の証言を3人の被告人はずっと聞いているんですよね。でもなんとも思っていないように実感しました。明日（２０１８年10月16日）の30回目の公判では、被告人質問がなされます。長い長い裁判ですよね。被告席で聞いていた彼らはどんなことを言うのか、どこまで彼らは責任を感じて証言するのかわかりませんね。

福島原発に15メートルくらいの大きな津波が来ることは、２００８年の時点で東電はみんなわかっていたんです。会社内にも対策を立てなければいけないという人はいたんです。防潮堤を建てたらとか、いろいろな意見が出たようですが、何もやらなかったわけです。何もやらずにそのまま3・11を迎えてしまったんですね。やろうと思えばできたのに、やらずにこんなにも多くの人たちに取り返しのできない被害を与えてしまった。これが原発事故の真相ですよね！　それは対策を考えていたとか、たとえば常務会とか御前会議ですよね。勝俣社長のいる会議でいろいろ報告されていたことは証言の中にいっぱい出てきたんですよ。メールとか議事録とか、これもいっぱい出てきて、どんなやり取りを原子力安全・保安院とやっていたかとか

		団体合同で開催する（福島市公会堂）
	12月9日	東京地検に新証拠に基づく上申書を提出
	12月12日	院内集会「起訴を！」対談「検察は、起訴すべきである」
		東京地検包囲行動・東電前抗議行動、東電に申入書提出
	12月25日	「不起訴は許さないぞ！」東京地検前緊急行動
2015年	1月13日	新たな告訴・告発「2015年告訴」を東京地検に行う
	1月22日	東京地検が勝俣元会長ら4人を再度不起訴にする
		東京第五検察審査会が二度目の審査を開始する
	2月15日	「あきれ果ててもあきらめない！福島県集会」を開催（郡山市ビッグパレットふくしま）
	3月24日	「がんばれ検察審査会！」検察審査会激励行動＆院内集会を開催
	4月3日	東京地検が「2015年告訴」の不起訴処分を決定
	4月6日	検察審査会に添田孝史さんの意見書を提出
	4月13日	東京地検抗議・検察審査会激励の緊急行動
	4月21日	新証拠「津波浸水予測図」についての上申書提出
	4月30日	「2015年告訴」の検察審査会申し立てと激励行動
	5月12日	「これでも罪を問えないのですか！」英訳版電子書籍発行
	5月21日	検察審査会激励行動＆院内集会
	5月24日	原発事故被害者団体連絡会（ひだんれん）を設立、告訴団も参加する
		設立集会を二本松市の福島県男女共生センターで開催する
	6月18日	検察審査会激励行動、東京第五検審に上申書提出
	6月26日	東京第一検審と第五検審にそれぞれ上申書提出
	6月27日	第4回告訴団総会、神田香織さん記念講演（いわき市労働福祉会館）
	7月17日	検察審査会激励行動＆院内集会
	7月27日	ひだんれん福島県民集会＆県申入れ行動に参加（福島市）
	7月31日	東京第五検察審査会が起訴議決を発表、勝俣元会長ら3名の強制起訴が決定
	8月19日	東京第一検察審査会激励行動＆院内集会
	8月21日	東京地裁が指定弁護士を3名を選任（のち2名追加される）
	9月5日	福島県郡山市で「福島県集会」開催
	9月25日	東京第一検察審査会激励行動、上申書提出
	10月2日	福島県警が汚染水告発の被疑者らを福島地検に書類送検
	10月30日	東京第一検察審査会激励行動＆院内集会
	12月10日	東京第一検察審査会激励行動
	12月17日	福島地検前行動＆県内集会、上申書提出
2016年	1月30日	福島原発刑事訴訟支援団発足「発足のつどい」開催
	2月1日	福島地検前行動＆県内集会、上申書提出
	2月29日	指定弁護士が起訴状を提出（強制起訴）、公判請求する
	3月14日	指定弁護士が証拠の一覧を被告人側に交付、請求されれば交付すると通知
		東京地裁には早急に裁判を開くよう要請
	4月27日	東京地裁が、公判前整理手続を行うと決定
	11月27日	第5回告訴団総会、福島原発刑事訴訟支援団集会
2017年	3月21日	「1日も早く早く裁判を！東京地裁前行動」
	3月29日	第1回東京地裁前要請行動
	4月28日	第2回東京地裁前要請行動
	5月18日	第3回東京地裁前要請行動
	6月6日	第4回東京地裁前要請行動
2017年	6月30日	第一回公判期日（初公判）

福島原告告訴団ホームページより作成
http://kokuso-fukusimagenpatu.blogspot.com/p/blog-page_10.html

◆参考：福島原発告訴団の歩み

2012年	3月16日	福島県いわき市にて結成集会
	4月～6月	福島県内外の20カ所で第一次告訴説明会を開催
	6月11日	1,324人の福島県民で、福島地検に第一次告訴を行う（2012年告訴）
	7月～9月	第二次告訴に向けて、全国事務局10カ所の立ち上げ（北海道、東北、北陸、甲信越、関東、中部、静岡、関西、中四国、九州・沖縄）
	7月～11月	全国150カ所以上で第二次告訴説明会開催
	9月22日	全国集会（いわき市文化センター）
	11月15日	全国・海外から、13，262人が福島地検に第二次告訴を行う
2013年	1月	告訴団から、福島地検へ3人の事情聴取を要請し、調書が作成された 「厳正な捜査と起訴を求める緊急署名」の呼びかけを行う
	2月22日	東京地検前行動、東電前行動 東京地検へ第一次署名40，265筆を提出
	2月25日	福島地検へ第一次署名の控えを提出
	3月13日	東京地検へ第二次署名63，501筆を提出
	3月19日	福島地検への要請行動、第二次署名の追加提出
	3月25日 ～29日	福島地検前でランチタイム「激励」アピール行動、署名提出 署名総合計　109，061筆
	4月27日	第二回総会・全国集会（郡山市労働福祉会館）
	5月31日	日比谷野音全国集会、東京地検前行動、東電前行動
	6月12日	日隅一雄・情報流通促進基金奨励賞を受賞
	8月31日	ブックレット「これでも罪を問えないのですか！」発行
	9月3日	汚染水海洋放出事件で福島県警に刑事告発
	9月9日	東京地検が不起訴処分を決定
	9月13日	「不起訴」処分に対する緊急集会（東京都弁護士会館）
	9月25日	「不起訴」理由説明会＆記者会見（福島市市民会館）
	10月11日	福島県警が汚染水海洋放出事件告発を受理
	10月16日	東京検察審査会に申し立て
	11月22日	東京検察審査会に第二次申し立て
	12月17日	日本外国特派員協会にて記者会見
	12月18日	福島県警に汚染水海洋放出事件で第二次告発
2014年	1月20日	福島県警が第二次告発を受理
	2月18日	ブックレット出版記念メディア懇談会（東京都弁護士会館）
	3月1日	被害者証言集会（東京都豊島公会堂）
	4月28日	ふくしま集会「深刻化する汚染水問題！」福島市内デモ行進、福島県警本部に上申書提出
	6月1日	『被害者証言集』発刊
	6月2日	脱原発原告団全国連絡会呼びかけ記者会見（東京都）
	6月4日	地裁前「人間の鎖」＆集会「東京検察審査会は被害者の声を聞け！」
	6月5日	「政府事故調ヒアリング記録・資料の情報公開請求について」記者会見、内閣府へ情報公開請求を行う
	6月28日	第3回告訴団総会、石丸小四郎副団長記念講演（郡山市文化センター）
	7月15日	検察審査会事務局からの質問に回答する上申書など提出
	7月31日	東京第五検察審査会が、勝俣元会長など3人に「起訴相当」、1人に「不起訴不当」の議決を出す 東京地検が再捜査を開始する
	8月8日	東京地検要請行動・上申書提出、東電前打ち水行動
	8月27日	福島県警激励行動・デモ、上申書提出
	9月30日	「起訴へ！」院内集会＆東京地検包囲行動、上申書提出
	10月24日	東京地検が捜査期限を最大3か月延長すると発表
	11月16日	「もう我慢はしない！立ち上がる　原発事故被害者集会」を県内外30

が明確に出てきてしまったんです。この裁判がなければ、すべて闇の中に葬られたままだったと思います。この裁判を起こしてほんとうによかったと思います。

事故後8年経ったいま

いま、8年経ちますが、福島の被害は、見えにくいけど実はものすごく広がりを見せています。

原発の中は人間が近づくことすらできない状態ですし、作業員が入って作業する場所は600マイクロシーベルトという放射線量があるということです。もちろん、人が入れないところもいっぱいあるはずです〔注：東京電力は、福島第一原発2号機の格納容器内部の放射線量が、毎時530シーベルトと推定されると発表、これは人間が被曝すれば数十秒で死に至るほどの高線量――2017年2月2日発表〕。そんなところでたくさんの作業員が働いているようです。1日に5000人ほどだそうです。彼らは下請会社で充分な報酬もなく、労災認定だってほんの一部しか認定されません。作業員の健康調査もされていないんじゃないかと心配です。〝原発の中の危険って、そのまま私たちの生活も危険になる〟ということではないでしょうか！

安倍さんがオリンピックを招致する時に世界に向かって、福島について「アンダーコントロールはできている」と平然と言って、汚染しているところだらけなのに、「聖火ランナーを走らせたい」と言っています。オリンピックを利用して原発事故は無かったかのように言い、〝避難者はいないんだ〟というように力が働いていることを感じます。除染時に放射性物質を詰め込んだ袋、フレコンバッグが、いまだに2200万個も現実にはあるんです。今だって学校の校庭にありますよ。県内には山のように黒い袋がです。家の庭にもです。放射能と共存している生活の中で何も原発事故は終了していません。

それなのに避難地域がどんどん解除されていくんですよね。避難解除されるとどういうことになるかといえば、賠償が打ち切られてしまうことです。私たち30キロ圏外の人たちは、8万円と4万円をもらったのが賠償金なんだそうです。それすらももらえなかった会津の人たちや白河の人たちがいるんです。どんどん分断していって、しかも納得するような賠償ってありませんよ。ADR〔注：裁判外紛争解決手続——あっせん、調停、仲裁〕とか裁判をやりくりしてやっている。

いずれにしても「安全になったので帰還して下さい」ということでは絶対にありません。〝20ミリシーベルトを下回ったから、放射性物質はあるにはあるけれど、我慢して暮らしてね〟という意味なんです。それにしても事故前の20倍にもなっているわけですから、ほんとうにとんでもない人権侵害が起きていると思います。賠償も支援策もどんどん無くなっていき、一方で〝イノベーション（技術革新）構想だ〟といって大きな箱物とか、新しいロボット技術とか、そうゆうものにばかりにお金を掛けて、実際に困っている人は切り捨て、助けようとしません。それは国も県も同じです。沖縄の人たちもどれほど大変だったか、あらためて自分の中で理解できたように思います。同じようなことが、福島で起きていることが、いずれ日本中で起こると思っています。

メディアには目覚めてきた記者もたくさんおります。フリーの方もです。ですが、全体的にみると国や県に迎合する姿勢がみられます。たとえば双葉郡楢葉町《ならはまち》にJビレッジというサッカー場があります。これは東電がお金を出して作ったものです。最初は東電に働きに行く作業員の中継地点になっていました。事故後は、原発事故収束のための中継基地としていました。でも、もう一度除染してサッカー場として使おうとし、人工芝を植えることになりました。それをメディアは「こんなに復興しました。子どもたちが一生懸命にやっています」というニュースとして扱いました。また、放射能にまみれた飯舘村《いいたてむら》では、小学生たちが田植えをしました。喜ばしいニュースだと取り上げましたね。

コウタケ（香茸）というキノコですが、そう簡単に見つからないものです。通常は1本なんですが、巨大で3本一緒になっているコウタケ

◆参考：キノコ報道

「福島民友」2016年10月29日――斎藤さんは、伊達市の山林へキノコ採りに入り、ササをかき分けていたところ、通常では考えられない大きさのコウタケを発見した。約40年間キノコ採りを続けているという斎藤さんは「普通は1本ずつしか生えていないのに、9本もかたまりになって出てくるのは珍しい」と驚いた様子で語った。

「河北新報」2018年10月2日――宮城県は1日、東京電力福島第1原発事故の影響で国が出荷制限を指示している同県村田町産の野生キノコが、インターネットオークションに出品されていたと発表した。県は出品した角田市の女性に廃棄を求め、口頭で注意した。女性は9月24日、家族が同町の山中で採取したコウタケ約1・5キロを出品した。出荷制限中と知らなかったという。500グラム落札した横浜市の男性から同28日、「国の基準値を超える放射性物質が検出された」との情報が県に寄せられた。角田市が女性宅にあったコウタケを検査したところ、国の基準値（1キログラム当たり100ベクレル）を超える2000ベクレルの放射性セシウムが検出された。女性は残りの出品を取り下げている。県は近く落札した男性からコウタケの提供を受けて検査する予定。村田町産の野生キノコは2016年9月から出荷制限が継続している。

が見つかったんです。それは珍しいキノコだというだけのニュースですが、放射線の影響などのことは一切報道されません。少しは疑ってみてもよいと思いますがね。キノコには相当な放射能があるはずで、食べてはいけないのに、やっぱり安全だということで食べるんですよ！　奇形のキノコについてはいっさい報道しませんからね！　深刻なことではあるのにね。

2016年7月に私の住んでいる三春町で「環境創造センター」というのが、開館しました。福島県・JAEA（日本原子力開発機構）・NIES（国立環境研究所）が主体となって、IAEA（国際原子力機関）もかかわっている施設です。研究棟と交流棟（コミュタン福島）があります。交流棟の方では、放射線教育をする。どんな教育かですが、たとえばその1つの中にゲームがあります。スクリーンいっぱいに放射線のアルファー線、ベータ線、ガンマ線というのが出てくるわけです。それを子どもがグー・チョキ・パーでブロックする。子どもたちは喜んでやっている。それ一つとってみても「現存している放射線が危険だと感じて身を守る教育になっているかな？」と疑問ですよね。

そこに子どもたちの感想文がありました。60枚ほど、全部読みました。そうしたら、ほとんどが、〝放射線というものは怖いと思っていた〟と。〝福島は汚染されているけど、ここで勉強したら放射線は自然界にも、食べ物にも、飛行機に乗っても被曝する。科学にも役立っている、医学にも役立っている、だから安心しました〟と、ほとんどのお子さんが書いておりました。原発の安全神話を植え付け、今度は放射能の安全神話を植え付けようとしている。

その他に高校生が原発見学に来るようになっています。最近ベラルーシ〔注：1986年、ソ連時代のチェルノブイリ原発事故で広範囲に放射能汚染された国）の高校生が入って来ています。バスの中から見学させて、〝高校生が入れるほど安全なんだ〟と宣伝に使われるんです。

私はいまも強い怒りを感じております。それは、〝原発事故による被害がどれほどひどいかを見せまいとしている〟ことです。

福島はいま、ものを言えない状況が作られておりますね。お金がジャブジャブ入ってくるから、〝利益優先で多少の被害は目をつぶれ〟というやり方が悔しいです。

私はそれでも誇りを持ち続けていたい!!

補記：2019年9月19日判決

〝旧経営陣3人無罪判決〟で、裁判所は間違った判断をしました。

原発事故の被害者はだれ一人納得していない。

74年前の敗戦のときのように、

この国の司法は最も責任を問うべき人の罪を問わなかった。

この暗黒社会を変える道を阻んだのです！

（2021年3月20日　むとう　るいこ）

証言●3

今野寿美雄さん

福島県浪江町から福島市飯坂町に避難。

今野寿美雄さん――――――――――インタビュー：2018年11月9日

女川原発で仕事をしていた3月11日

地震が起きた時、宮城県の女川《おながわ》原発の事務建屋にいました。出張していました。1月の終わりごろから、福島県浪江町《なみえまち》の自宅から女川に行き、平日は宿舎に泊まり、週末は自宅へ帰るという生活をしていました。仕事は、原発の自動制御関係の機器のメンテナンスや、試験や、検査です。あの日は金曜日でしたから、いつも3時ごろには仕事を終えるので、事務建屋で帰る準備をしていた2時46分、机の上の片付けなどをしていた時です。現場には持ち込めない携帯電話が、事務建屋の机の上で一斉に鳴り出しました。それで〝地震がくるな！〟と。

実は、前々日の9日にも震度5ぐらいの地震があって、50センチぐらいの津波があった。それが前震だったんだね。〝またか！〟と思った。女川で3回、地震をくらっているからね。宮城県の地震は3回だった〔注：仙台管区気象台によれば、2011年3月9日11時45分に三陸沖でM7・3の地震が発生し、最大震度5弱を観測した。翌10日6時23分にもM6・8の地震が発生し、最大震度4を観測。それぞれ津波を観測した〕。だから最初は、〝またか〟という感覚だったんだね。ところが今度のは違うんだよ。揺れが長いんだもの。〝これはおかしい〟、〝これはやばい〟と思って、とにかく逃げ出せるようにしているうちに、天井からホコリが落ちてきたので外に出ました。みんな出たね。すぐ車のラジオをつけたんです。そうしたら「津波が来ます」と「6メートルの大津波が来る」と放送があった。みんなで水平線を見ていたら、はるか遠くから白波が襲ってくるのが見えました。その時、ラジオは「10メートル以上の津波が押し寄せて来る」と言い直したんです。

第一波が来るのを見ていたんだが、発電所の方が見えんのです。建物に隠れていたんですね。発電所の脇に重油タンクや軽油タンクがあるんです。非常用の燃料として使用するものです。補助ボイラー用などがひっくり返ったんです。〝これはただ事ではないな〟と気づいたんですよ。道路にも20センチほどの亀裂が入っていたんです。

現場に行った人たちはバスに乗って逃げてきました。みんな防護服のままですよ。事務建屋は高台にあるので〝津波はここまでは来ないだろう〟と思っているうちにバァーッと雪が降り出してね、周りは見えなくなるし、寒くなったので室内に入って、〝これは困ったことになった〟、〝あそこまで波が来たということは宿舎にしている旅館などは流されただろう〟と思いました。〝働いているおばさんたちは大丈夫か〟と思い、あちこち聞いて歩いたんです。そこま

◆参考：女川原発運転状況

1号機	1984年（昭和59年）6月1日運転開始
	2011年3月11日〜：東日本大震災により停止
	2011年9月10日〜：定期点検
	2018年12月21日付で廃炉。
2号機	1995年（平成7年）7月28日運転開始
	2010年11月6日〜：定期点検により停止
3号機	2002年（平成14年）1月30日運転開始
	2011年3月11日〜：東日本大震災により停止
	2011年9月10日〜：定期点検

「ウィキペディア」より

で見に行った人がいて、「もう集落は流されてしまい、建物の上に車が乗っかっている」、「コンクリートの建物は残っているけど」と言う。みんなどうしているのかと思っていたら、集会所に集まった人たちの中にいて、生きているということがわかり、ホッとしたね。翌日、おばさんたちが会いに来てくれたんです。原発が高台にあるので集落の避難所になったんです。

津波は何回も来ましたね。第二波、第三波がすごかった。〝もっと波が押し寄せてきたら大変だ〟とは思いました。でも、原発が高台だったので助かったんです。もし帰る時に海岸に近いところを車で走っていたら、助からなかったな。きっと亀裂した場所にはさまったりするだろうからさ、きっと津波にさらわれていただろうと思うね。実際、うちの家族も親戚、兄弟も私が女川原発に行っていたので、〝津波でやられてしまった〟と思ったようでした。携帯電話も何もいっさい連絡がつかないわけだからね。すべて流されてしまったので。

発電所内には非常用発電機があるので、電気も水もある。テレビの地上波は、アンテナが流されて映りませんでしたが、NHKのBS放送は24時間放送されていたので、それで情報を得ました。発電所にはホットラインというのがあり、それが無線電話ですよ。それを使って、「ひとり5分使って、家族の安否確認をしてよい」と。だから、夜中に何回も連絡をしたんですが、全然繋がりません。それで女房の実家にも入れてみましたが、だれも出なかった。

帰宅への道のり

自宅は福島県の浪江町川添《かわぞえ》というところ、常磐線浪江駅から西へ2キロメートル離れた場所です。海からだと7~8キロメートル離れた場所だね。高台でしたから水害はなかったのですが、道路が寸断されてしまって、3月15日までは帰れませんでした。

道路上には、家が流されて来ていたのが残っているわけさ。それに仏様が入っているから、ブルドーザーで片付けられんのですよ。ですから、いちいち検視するわけですよ。それをしない限り、道が通れないんだ。流された家といっても、それは財産だから丁寧に扱わなければならないしね。まだ、海に浮いているのだから、家も瓦礫もね。やっと通れるようになったのは3月14日の夕方なんです。ところがまた津波警報が出て、でもそれは誤報だったんだけれども、「今日はこれ以上外出禁止」となりました。

発電所の非常用発電機を動かすには軽油が必要なんですが、それがあと半日で尽きてしまうという時に外部電源が復旧したんです。

15日の朝、「放射線量が上がっているから外に出ら

◆参考：避難所になった女川原発

地震と津波で道路が寸断された女川町飯子浜地区や小屋取・塚浜地区の住民は、町の中心部に行けないため、それとは逆の原発方面に移動していく。そして、原発まで1キロほど手前にある「女川原子力PRセンター」周辺に集まりはじめた。PRセンターは電源が落ち、照明も暖房もない。あたりは暗くなり、雪も降ってきた。PRセンター周辺の状況について報告を受けた渡部孝男所長は、その場で被災者の受け入れを決断したという。すぐに原発のバスがPRセンターに向かい、集まっていた人々を乗せ、発電所内の体育館に収容した。体育館には暖房も照明もあり、被災した住民は飲み物や非常食などを与えられた。

私たちに配られた説明書の第6項目「発電所周辺からの避難状況」。そこには、「津波により孤立した周辺の被災者を人道上の措置として発電所内に受け入れた。現在の発電所内の避難者数：約150名（最大：約360名）」とある。

早稲田大学水島朝穂教授のホームページ「平和憲法のメッセージ」2011年「5/16:大震災の現場を行く (2) ——「避難所」になった女川原発」より
http://www.asaho.com/jpn/bkno/2011/0516.html

れない」と言われたが、もう限界が来て、家族のことも気がかりで、「自己責任で帰ります」と言っているうちに許可をもらって、8時半くらいかな、会社のワンボックスカーに8人で乗り合わせて、帰ることにしました。海側の道路は通れないのはわかっているので、通れるところをキッチリとネットで調べないと、よけいなところへは行けませんでしたからね。燃料も充分ではないからね。車は軽油（ディーゼル）のおかげでよかった。ガソリン車は、どこもずーっとガソリンスタンドで並んでいました。石巻《いしのまき》までは約30～40キロはあるんですが、そこまで行って、やっと携帯電話がつながったね。

その石巻は前線基地になっていた。まるで野戦病院みたいな感じだった。そこからヘリが牡鹿《おしか》半島へ行ったり来たりですよ。病人が最優先でね。そんな光景を見ながら通れる道を探しながら行ったんだが、海側の道は冠水《かんすい》していて通れない。仕方がないので内陸の道路を通り、やっと国道4号線に出たが、道はデコボコですよ。ジェットコースターのようでしたよ。やっとのことで福島市までたどり着きました。

そこから国道114号線に入り浪江に向かう予定でした。ところが「福島第一原発の4号機が爆発した」〔15日6時14分〕ということで、「隣の川俣町《かわまたまち》から出てくる車しか通さない、警察が封鎖している」と、「これ以上行けない」と。一緒に行った後輩が家族に電話をすると、その家族は、「浪江から郡山《こおりやま》市へ逃げている途中で、郡山の親戚に行く」ということでした。

車に同乗していたのは、一緒に働いていた浪江町と南相馬《みなみそうま》市といわき市と東京の人たちでした。燃料が限られているので、福島市→南相馬市原町区→浪江町→いわき市というコースで行く予定でした。私の会社の所長は浪江の人だったのですが、奥さんが南相馬に避難していたので、所長も浪江に戻らず、最終的に南相馬に向かいました。結局、郡山に行き、東京に帰る同僚と私を残して解散し、いわきの人たちは、車1台でいわきへ帰って行きました。

なぜ私が郡山まで行ったかというと、メールで女房が茨城《いばらき》県の古河《こが》のおばさん宅に行ったことがわかったからです。その当時、女房のお姉ちゃんがドイツに行っていた。メールは日本国内では繋がらなかったが、海外とは繋がったんですよ。それで古河にいることがわかり、東京に行く同僚と東京方面に向かって行くことにしました。東北新幹線がやっと開通〔注：大震災後の東北新幹線――3月15日東京駅―那須塩原駅間が再開、22日盛岡駅―新青森駅間再開、4月7日一ノ関駅―盛岡駅間再開、しかし同日の余震で一ノ関駅以北は再び不通、4月12日那須塩原駅―福島駅間が再開〕したので、那須塩原《なすしおばら》まで行けば東京方面に行けることがわかり、ほかはバスも電車も走らず、交通手段はなにもないんですからね。

ところが郡山から那須塩原までは、100キロ以上あるわけですよ。〝どうやって行くか！〟〝郡山からタクシーで行こう〟ということになり、それでタクシーに交渉したら2万5千円から3万円はかかるという。それでも、「貸し切りで行ってほしい、ルートはもう近道は通れないだろうけど、夜までに新幹線に乗りたい」とお願いした。郡山では、私らの他にも同じように行きたいという人がいたので、見知らぬ人と2台のタクシーで、山道やたんぼ道を迂回していきました。ところが私の乗っている先導車が山道で故障し、動けなくなった。それで、もう1台に乗せてもらい、先導車にはそこで1万5千円払い、後ろの車にはまた5千円払ったような気がします。

そうしてようやく那須塩原発午後7時10分の新幹線に乗れた。小山《おやま》駅から在来線で古河まで行き、古河駅まで迎えに来てもらい、家族と会えたのは3月15日夜の8時半ごろでした。

車に乗ったらウチのチビが抱きついてきてさ、5歳の男の子が「パパ生きていた！」と喜んだ。家族は女房と子ども2人です。上の長男は、いま渋谷にいて大きくなっています。当時は3人で住んでいたが、女房の家族と親戚が一緒に避難したわけさね。古河のおばさんの家は建て直したばかりだった。正月に新築祝いに行ったばかりだったんだね。まさか2カ月くらいでそこに行こうとは思わなかったね。

女房たちに後から聞いた話だと、浪江では、電話は止まらなかったけど初日に水は止まり、公民館に避難しておったそうです。浪江駅の裏です。最初はそこに集まったけど、その日のうちの夜中に「3キロ圏だ、5キロ圏だ、10キロ圏だ」だのと言われて、おじさんの車（ディーゼル車）で福島県立浪江高等学校津島校へ3月12日の未明に移動し、そのあと親戚と相乗りして古河まで行ったそうです。

◆参考：3月12日7時15分43秒浪江町防災行政無線の記録

「総理大臣の指示により、原子力発電所から10㎞以内の地域に避難指示が出ました。町内のほぼ全域が対象と なります。自主的に避難できる方は114号線をとおり津島小学校、津島中学校、つしま活性化センター、浪江高校津島校へあわてずに避難してください。また、具合が悪い方は、津島診療所で受診できます。また、自主的に避難できない方は、役場でピストン輸送しますので役場にお集まりください。」

『浪江町震災記録誌——あの日からの記憶』より　https://www.town.namie.fukushima.jp

避難生活

押しかけられた方は気の毒だったよ。1日、2日くらいはいいけど、お盆や正月気分で3日も4日もいられたら邪魔になるし、相手だって通常の仕事はあるしね。春の彼岸（3月20日）ぐらいまでおりましたが、とてももうしわけないので〝男だけでも出よう〟と。ただ、女房と小さい子ども（5歳）と女房のおふくろを置いて、〝その3人だけは面倒を見てほしい〟とお願いして古河を出たけど、4日間、福島県の二本松《にほんまつ》市まで通った。高速道路は使えませんでした。

二本松の市役所に行くと、「浪江町の役所は東和《とうわ》の支所へ行った」〔注：3月15日、浪江町は、二本松市役所東和支所に災害対策本部設置、東和地区に8カ所、岩代地区に1カ所、二本松地区に6カ所の避難所を開設――『浪江町震災記録誌』より〕という。山の中ですよ。そこへ行くと、体育館とか老人ホームとかいろいろな施設のかたまったところの役所あとのようなフロアを借りて、浪江町の役所が移っていた。

町長室に行くと、私の仲人さんだった女性の町会議員さんが娘と一緒に避難していた。娘は診療カウンセラーで病院に勤めていて、子どもたちのカウンセラーをやっていました。その娘が毛布にくるまって寝ていたんだよ。議員さんたちは町長室みたいなところを貸してもらって、そこに布団を敷いて寝ているわけよ。

まず、二本松市の東和〔注：東和町は、2005年12月1日に、二本松市、安達町、岩代町と合併し二本松市となった〕で安否確認をして、避難所を探さなければならなかった。自分の親戚を探しながらも、どこか避難所に空きがないかも探してみるんだ。いろいろな建物があり、ゴチャゴチャしているもんだからね。やっとスペースも見つけて、その時に浪江に置いてきたガソリン車を取りに行った。7人乗りのワゴン車に積めるだけ物を積んで、酒や毛布、貯金通帳などもね。どうせもう帰れないことはわかっていたからね。ただ、着るものは女川の方で流されてしまっていた。女川原発で働いているときは、女川の宿舎にいたからね。

4月11日にちょうど事故後1カ月ということで、町は二次避難として、旅館を借り切ったわけです。福島県内のね、ペンションも含めてね。「そこに移りなさい」ということで、やっと〝畳の上で寝られる〟と、〝ご飯もお風呂も入れる〟と。それまでは、車で寝泊まりして、毎日避難所に行ってボランティアをやっていました。朝は役場の案内、昼からは炊き出しをやっていました。夕食の仕度さね、給食ですよ。

そうこうしているうちに「特別に旅館さえ空いておれば、そこに移ってもいい」と許可が来ました。「6畳一間空いているよ、それでもよかったら」というので、ありがたかった。それまで車の中で寝ていたんだからさ。それに比べればテレビも電気も暖房も温泉も食事もうまいし、みんな付いているわけだからさ。猪苗代町《いなわしろ》の「沼尻《ぬまじり》温泉のんびり館」といったね。私たち親子3人は一緒だったけど、女房の親たちは別の旅館、斡旋《あっせん》されたところが違ったわけ。沼尻

◆参考：二次避難所開設

4月5日から磐梯山周辺、岳温泉、土湯温泉などを中心に二次避難所が開設され、ピーク時（7月6日）には212の施設に5500人の町民が避難した。この数は仮設住宅、借上げ住宅の入居が進むにつれ減少し、11月末には完全閉鎖となった。

『浪江町震災記録誌――あの日からの記憶』より　https://www.town.namie.fukushima.jp

温泉はスキー場もあって、いいところでした。雪もあって、子どもはソリを借りて滑ったりして楽しんだ。私は温泉の風呂を洗ったり、手伝いをしましたね。30数人が入っていました。それほど大きな旅館ではなかったけど、ここには8月いっぱいまでお世話になりましたね。旅館に「自治会長と副会長を置きなさい」という通達があった。それは町と連絡を取るのに必要だってことで、私もやりました。

その後また、縁がありまして温泉なんですよ。福島市の飯坂《いいざか》温泉の「ホテル聚楽《じゅらく》」というところの社宅を借りることになりましてね。その時にね、「県の借上げに入るか、仮設住宅に入るか」を選択させられたんです。それで仮設住宅を見に行くと部屋の中は音がひどくてね、冬は寒いし、夏は暑いですから、子どもは入れられないと。次は6畳二間だがボロいアパートで、住めないと。1回だけは住み替えが可能だと。1回も住んでいなかったが、住み替えということにしてもらった。それなりに理由があったんです。聚楽の社宅の隣には、小学校、幼稚園、歯科医院もあり、歩いて行けました。子どもにとってはコンクリートの4階建てできれいにリフォームもされていて、そこの3階を借りましたね。そのおかげで放射線もよけられるシェルターのようで、これで安心でした。いくつも空いているということで、女房の親族をまとめて連れてくることもできましたね。離れるのがみんなイヤダということでね。6世帯でした。それぞれ部屋を借りていた。部屋は6畳、8畳プラス1畳でした。

復興住宅と補償金の打ち切り

いま（2018年）から3年前に復興住宅ができたんです。飯坂町内です。学校まで10分ほどかかり、少し離れてしまいましたが、子どもにとっては歩くのも良いことだし、駅も近いし、公園も除染してあり、きれいに整備されていました。環境もよくなってきました。スーパーもあり、生活には困らない良いところだった。58世帯あったけど、子どもがいるのはウチだけでしたね。子ども優先のはずだったのに、入ってみたら実は子どもがいるのはウチだけさ。子どもいる家庭優先のはずが、それでも抽選するというふざけた方法だったので、私は怒って言ってやったのさ、「くじ引きとは何なんだ」と、もしそのくじに外れていたらウチは入れなかったんですよ。県がやっていたんですからさ、復興住宅という名前だけで県営住宅だったんだよ！ たまたまテレビ取材があったので「ウチのように子どもがいる家族が一番優先のはずなのに、抽選はおかしい」と言ってやりましたよ。いまも1号棟に入居しています。子どもも、もう中学生になりました。

俺たちは居住制限地域で補償対象地域でした。月10万円を6年間もらって暮らしていたんですが、2017年に打ち切りになったんです。避難生活者にとっては死活問題ですね。そうでしょう、仕事があるわけでもないしね。一番悩んでいるところですよ。生活再建などというけど、50歳過ぎた人間においそれと仕事はありません。原発に行って被曝《ひばく》労働など、やりたくありませんよ。家の補償だってローンを返したら手元に何も残りません。終わりですよ。ローンは1700万円ほど残っておりましたから、払えないから3年間据え置きしていましたので、払う時は70万円も利息を取られて途方に暮れましたよ。それで終了でしたが、今度は家の解体ですよ。だから何もないですよ！　財産も何もすべて無くなってしまいました。家はまだそのままですよ！

　避難民に年間80億円を与えたら住宅供給できたんですよ。オリンピックどころではなかったはずなのにね、それを打ち切ったんですよ。浪江《なみえ》・双葉《ふたば》・富岡《とみおか》・大熊《おおくま》に関しては少し延長（3月まで）になるかもといわれています。俺たちがさわいでいるからね。帰還困難区域が入っているからね。4町以外はしょうがないと言っています。〝自立すべきだ〟という国の政策を受け入れてしまった。他の市町村は箱物《はこもの》をバンバン作っているわけさ。お金にダマされてしまっているのが現実さね。浪江町長が頑張っていたんだけど死亡してしまったのでね。

　いま、私たちのところは帰還区域ということになっているので、住んで良いということになっているが、とんでもないことですよ〔注：原子力対策本部は、浪江町に対しては2017（H29）年3月31日午前0時、富岡町に対しては4月1日午前0時に、「町内の居住制限区域及び避難指示解除準備区域を解除する」と決定した〕。家の放射能を測ったら4万ベクレルで、放射線管理区域指定で258万ベクレルも出ているんですよ、住めませんよ。2年ほど前に住宅を除染したところですよ。

　今年（2018年）の夏前も道路にどこからか集まってきた砂を測定したら、250万ベクレルも検出されたんですよ。しかも99パーセントは、〝不溶性の放射性微粒子のもの〟だそうです。〝体内に入ったら「おしまい」〟の物質だそうです。金属製の物質は体内に入ったら出ない、水溶性の物質は体外へ出るけどもね。浪江町の場合は、なみえ創成小学校・中学校〔2018（H30）年4月1日開校〕がある区域に復興住宅があり、そこに子どもがおるんです。元は「浪江東中学校」だったんだけど、何十億円もかけて作ったものです。小中合わせて10人くらいいます〔注：中学生4人、小学生1年＝3人、2年＝2人、3年＝0人、4年＝2人、5年＝1人、6年＝0人――2018年5月現在〕。となりに仕事に来ている、それが13人、合わせて23人いる。そこは放射線量は低いのでね、だからそこに建てたわけです。今では0・1マイクロシーベルトくらい。グラウンドは人工芝ですよ、ピッカピカですよ。そのエリアだけですけどね。ほんとうはチェルノブイリのように、他に移住するのがほんとうなんですよ。それを国の政策でうまくやっているだけです。

私は帰還する気なんてまったくありません。帰りたくても帰れない、現実ですよ。それでもその土地で死にたいと考えている人はいます。そういう人たちがいるものだから、それを利用して帰還政策を進めるんです。帰らない人たちを攻撃するようになります。

一時金は、一家で10万円、補償は家族構成で変わります。どんなに宝物を持っていても1人当り150万円です。タンスであろうが、植木であろうが、です。

8年経ったいま

当時（2011年3月）、女川原発にいた時は、たとえ震災による倒壊や津波の被害はあっても、〝福島は大丈夫だ〟と思っていました。テレビ映像を見るまではね。でもよく考えたらそんなに変わらないんです。女川原発から福島まで直線にしたら、そんなに遠くありません。回り回らなければ福島に帰れないだけのことだと思っていました。でも、「原発の水位が低下した」というニュースを聞いて、〝これで終わりだ〟と思いました。原子炉の一番重大事故です。ＬＯＣＡ（Loss-of-coolant Accident）事故といって、冷却材喪失事故です。炉心溶融のメルトダウン、途方も無い何十万シーベルトという放射線をまき散らすわけです。

私は、東海原発の仕事もしていたんです。燃料棒の装置の点検などの仕事もしていたし、主蒸気の制御などの指導員もしていました。指導員と監督も兼ねてやっていました。私は大学は出ていませんが、技術が好きだったのでね。

原発の爆発は予想できました。〝1号機がいったら、2号、3号、4号機がつづけていくぞ！〟と、〝連鎖反応的にいく〟と。特に〝4号機は使用中の燃料が入っていたからヤバい〟と。これは秘密保護法で語る前に話していたわけさね。みんな〝使用済み、使用済み〟と思っていたが、違うんだよ。1回でも中性子を浴びて臨界させたら、燃料棒は使用済みとなって、使用中新燃料が使用済みとなって、2つのくくりになって、使わなくてもそれは長い間冷やしておかなければならない。何をやっても危ないんだよね。

再稼働は狂気の沙汰ですね。原因も追及しないでね。ここだから言いますよ、〝3号機は核爆発だ〟と思っていますよ。自分の目で確認したわけではないから、公式の場では言いません。それはね、「あいつはウソを言っている」と言われますのでね。個人的に見てあの爆発の状況は、光り方などを見て臨界による爆発だと思っています。3号機にはＭＯＸ燃料〔注：原子炉で使用した後の使用済燃料を再処理して取り出したプルトニウムとウランを混ぜた燃料（ＭＯＸ燃料）を、原子力発電所（軽水炉）で使うことをプルサーマルという」が入っていたんです。だから、燃料プールから噴き出した。そこで臨界を起こして、吹っ飛んだと思っています。マスコミがこの点に触れなかったのは、パニックになるからでしょうね。

原子力規制委員会ですが、原電（日本原子力発電（株））の存続にかかわるためのものでしょう。原子力規制委員会と漢字で書いて、原子力推進委員会ということで閣議決定しているんです。

安倍政権のエネルギー政策はしっちゃかめっちゃかですね。支離滅裂ですよ。原発が主力電力になってはいけません。大事故のあとだから自然エネルギーが主力になるのが当然。それなのに九州電力は「太陽光を止めろ！」と言っているんだ。〝バカか！〟と言っていい。原発は動かせば動かすほど核のゴミは増え、お金がかかります。それに処分に2兆円、3兆円かかるといわれる。

事故が起きた当時、東電の小森明生常務さんが旅館に謝罪に来たんです。私は、自治会長でもあるし、元技師でもあり、原発で働いていたんです。その時に私が「50兆円以上かかりますよ！」と言うと、彼は「それ以上かかります」と言いました。公式には言えなかったが、そのように正直に言いました。廃炉の問題と賠償の問題だけでも100兆円はいく、それくらいないと収まりがつかないとも。

8年経ったが、何一つ解決どころか廃炉にさえ手つかずだからね。廃炉の「は」すらないんです。8年間でただ一つできたのは、4号機の燃料棒を出しただけですよ！　3号機の燃料プールのモノを出そうとしているけど、いったいどうなっているのか、はっきり言って、吹っ飛んでいるわけで、ほどんどないのではないかと俺は思う。原型をとどめてないでしょう。鉄板を貼ったりした映像をみましたけど、いったいどうなっているのかもわかりません。ただ残っている分は出さなければなりませんからね。まあ！　1号機も2号機も手つかずですからね。

下の子どもは、浪江から離れて8年になり、13歳になりました。もう飯坂から離れんでしょう。浪江の記憶も薄れ、小さかった（5歳）から思い出も無くなっているでしょう。子どもが当時、避難した浪江高校津島校というところで「雪の玉を食った」と言っています。その半年後にカゼをひくようになったんですよ。一度治ったと思ったのに、またすぐにひくんですね。免疫がなくなったのではないかと思っています。鼻水が出たり、喉が腫れたりでね、病院通いが続きました。それが2年ぐらい続きましたよ。

私の場合はちょうど杉花粉と一緒になり、二本松市の東和で被曝したんです。当時は車中生活をしており、もろに花粉を吸ったからね。車の上は花粉で真っ黄色になるぐらいだったからね。ところが、秋ごろから鼻血が出るようになったね。月2、3回ね。寝ている間にも布団が真っ赤になるくらいだった。鏡を見ると鼻からダァーッと出たりね。はじめは血圧の関係かとも思ったが、続くわけだから、思い返してみると、あの時、放射能をたっぷり含んだ花粉を吸ったことを思いましたよ。また、旅館にいる時、フキノトウも食べたしね。いろいろなことが重なったかな！　と。避難先だって放射能がないわけじゃないのに、ワラビや他の山菜を採っては食べていたんだから。まさか、当時は避難先まで飛んでくるとは思わなかったね。天プラにして食ったんだ。おかずを1つでも増やせればと考えてね。

裁判について

「子ども脱被ばく裁判」の原告団代表を私がやっております。60世帯近くかな、180人～200人くらいです。子どもと親でね。2014年8月29日からはじめて、3次提訴までやってね。「子ども人権裁判」と「親子裁判」の2つです。「子ども人権裁判」は、義務教育を受けて

◆参考：子ども脱被ばく裁判とは？

2011年3月11日、東京電力福島第一原子力発電所事故は、4年が経過する今も放射性物質を放出し続け、収束の目途すら立っていません。
「低線量の放射線に長期間にわたり継続的に曝されることによって、その生命・身体・健康に対する被害の発生が危惧される」（2013年4月24日仙台高等裁判所判決文抜粋）と司法も認めているように、子どもたちの健やかな成長が脅かされています。
福島で子育てをする私たちは、「子どもたちに被ばくの心配のない環境で教育を受ける権利が保障されていることの確認」（子ども人権裁判）をそれぞれが居住する自治体（福島市、川俣町、伊達市、田村市、郡山市、いわき市、会津若松市）に求めるとともに、事故後、県外に避難した人たちとも力を合わせて、国と福島県に対し、「原発事故後、子どもたちに被ばくを避ける措置を怠り、無用な被ばくをさせた責任」（親子裁判）を追及するために、2014年8月29日福島地方裁判所に提訴しました。

原告（延べ人数）（2015年1月14日現在）
子ども人権裁判　35名
　第一次提訴　23名
　第二次提訴　12名
親子裁判　166名
　第一次提訴　84名
　第二次提訴　82名

「子ども脱被ばく裁判のブログ」より http://datsuhibaku.blogspot.com/

いる子どもが原告です。中学を卒業すると資格を喪失してしまいます。資格がなくなる最後の1人まで人権裁判は続けていきます。新たに募集してもよいと思っています。

「子ども人権裁判」は、〝安全な環境で教育を受けさせろ〟と、だから、〝避難の権利があるんだ〟と主張しています。それを認めさせるようにと。〝安全な環境とは年間何ミリシーベルトか〟ということですよ。安全な放射線の件ですね。大人のものを子どもに当てはめるのは決して安全とはいえない。1ミリシーベルトが安全かといえば、決してそうではないかも知れない。子どもに適用していいかということです。

うちの原告になった子どもさんの中には、甲状腺ガンになった子はいまのところいません。ただ甲状腺疾患になった子どもはおります。もちろん、子どもばかりではなく親もおります。橋本病とかバセドー氏病とかいわれている病気です。すでに16回の公判があり、次回で17回です。

◆参考：子ども脱被ばく裁判Q＆A

Q1 子ども脱被ばく裁判とは？
A1 子ども脱被ばく裁判には、子ども人権裁判と親子裁判の2つが含まれています。
子ども人権裁判は、安全な環境下で義務教育を受ける権利を確認するもので、原告は、現に福島県内で義務教育を受けている子ども（小中学生）とその保護者、被告は小中学校の設置者である福島県内の市町村です。ただし、特別支援学校は設置者が県であり、その場合は、県が被告となります。
親子裁判は、福島原発事故により、国や県が適切な被ばく回避措置を講じなかったため、無用な被ばくを強いられたとして、国や県に損害賠償を求めるものです。そのため、原告は、福島原発事故当時、福島県内に居住していた子どもやその保護者、被告は国や福島県です。賠償請求金額については、損害賠償が主たる目的でないことから、一律10万円としています。

「子ども脱被ばく裁判のブログ」Q＆Aより http://datsuhibaku.blogspot.com/

裁判長が交代しちゃったんです。2～3年で替わります。今度新たに遠藤という裁判長がどう判断するかわかりませんけどね。まあ、雰囲気はいいんですよ。どう見るかはわかりませんが、静かな方です。拍手などするとすぐに「出て行きなさい！」とは言いませんから……。

東電の刑事訴訟は東京、あとは福島地裁です。全国30数カ所で裁判が起きています。私は、京都の方までは行けません。私は、せめて東京、神奈川です。ここは結審しました。私は、「子ども脱被ばく裁判原告団」の代表をやり、「福島原発刑事訴訟支援団」、「原発事故被害者団体連絡会」、「原発事故関連各裁判支援者」の幹事もやっておりますので、応援にも行ったり、集会にも参加し、あいさつもします。

実はね、「子ども脱被ばく裁判」の争点にしているんですが、あの時、「笑っていれば放射能はこわくない」などと言っていた山下発言の件については、第17回の12月11日の法廷で上映するんです、証拠とし

◆参考：第17回子ども脱被ばく裁判期日報告

午後からは福島地裁前に、支援の旗がはためき、各地参加者から力強い取り組みの報告や支援の熱い思いを交流し合ったのちに、傍聴に臨みました。法廷のやり取りの詳細については弁護団報告に譲るとして、法廷で１時間余に及ぶDVD上映が実現したことは私自身にとっても初体験でした。それは事故直後の３月21日に福島県放射線健康リスク管理アドバイザーの資格で山下俊一氏が福島市で行った講演を録画したもので、画面の中で繰り返し語られていたのは毎時100μSvでも心配ないという耳を疑うような内容でした。山下医師の冗談を交えた優しい語り口に、張りつめた思いで会場に詰めかけてきている聴衆からは、ホッとしたような笑い声さえ漏れる画面。こうやって、人びとから警戒心を解き、マスクを外させ、子どもを外出させ、被ばくを推進する結果を生み出したのかと思うと、怒りを抑えることができません。８年近くの時が流れ、子どもの健康被害が顕在化する中で、山下発言の醜悪性が法の裁きを受ける時が遂にやってきたのです。(子ども脱被ばく裁判の会共同代表　水戸喜世子)

「子ども脱被ばく裁判のブログ」『道しるべ』より
http://datsuhibaku.blogspot.com/

て。前回10月に裁判があった時に法廷でやる予定だったのに県からストップがかかり、上映は次回にするように言われた。それは〝中身が確認できていないから〟という理由。裁判所で受け取り、次回にまわされました。山下の発言を全部出したが、映像が出なくて、それをやることになって、次の次あたりで証人尋問で呼ぶことになっています。弁護士や他の専門家にも意見書を書いてもらってもいます。低線量被曝についての影響なども含めて、うちの弁護士の中に放射線取扱い主任者の資格を取った人がおりましてね。

裁判のない時は、被災地のガイドをしています。生活の糧にはなりませんけどね。ほとんどボランティアですよ。たまに謝礼をもらいますすけど、生活費は貯金の切り崩しですよ！　だから奥様に怒られるんですよ、「いつまで働かないでいるの！」と言ってね。韓国と北朝鮮のように国境線を引いてあるんです、家は！　まあ、女房にはわからんと思いますよ。子どもはね、いろんな人に会って、話を聞くんでしょう。「パパはこんな凄《すご》いことをやっているんだよ！」と、なかなかの理解者ですよ。

子どもを守らない国に未来など絶対にありません。子どもたちを守るのは大人たちの責任です。それが義務なのです。これだけはどんなに時代が変わっても要《かなめ》となるべきです。そういう覚悟で裁判もやっております。

補記：10年の思い

あれから、10年が経ちました。
もう10年？　否、まだ10年！
原発事故は過去のこと？　否、現在進行中！
廃炉は進んでいるの？
廃炉工程30年なんて、「絵に描いた餅」だよね?!
今尚、生身の人間が近づけない。
高線量が阻む蓋が開いた地獄の釜。
これが現実。
原子力緊急事態宣言発令中！

（2021年3月8日　こんの　すみお）

証言●4

岡田めぐみさん

福島県福島市から東京都武蔵野市に避難。

岡田めぐみさん――――インタビュー：2018年11月14日

3・11当時のこと

私は当時、福島市飯坂町平野《いいざかまちひらの》という、実家から100メートルくらいのところに住んでいました。私と子ども2人の3人で生活しておりました。ごはんは実家で食べたりもしておりました。主人は東京で働いていていて、単身赴任の生活でした。

地震が起きた時は、上の子が3歳、下の子が1歳でした。それに妊娠3カ月でした。揺れがすごかったので、子どもを連れて外に逃げ出して、実家に向かいました。実家には母と妹たちがいて、母はテレビを押さえ、妹は外に飛び出していました。父は仕事でおりませんでした。女だけでした。小学校6年生と高校1年生の妹がおりました。家の中は怖いので、車の中で待機をしていた状況でした。

その時、電気、水道が止まっていました。母はコンビニで仕事をしており、店に手伝いに行ったんですが、なかなか戻ってこなくて、下の妹と子どもで車の中で待機していました。それがしばらく続きました。まず、〝安否確認をしなければいけない〟ということで、父母も祖父母も福島なんですね。祖父母といとこたちもみんな福島市にいるもんだから、〝みんな大丈夫〟ということをメールで知りました。

守れる範囲というのは、ほんとうに自分の家族だけでした。安否確認のあとは、〝今度は食糧確保だな〟と思いましたね。それでコンビニで買えたかな、レジは電卓でやる状況でした。スーパーもありましたが、そこは長蛇の列でした。当日の夕方のことです。

夕方に雪が降ってきたので、寒いけど家の中は怖いしで、しばらくは車の中におりました。母が6時ごろに戻ってきて、〝とりあえず、家に入ろう〟ということで入りました。木造の一軒家だったのでキッチンの方は食器が散乱しており、料理ができない状況でした。たまたまプロパンガスだったので、ガスだけは活きていました。そのおかげで、水を沸かせられたのがよかった。そのお湯でカップラーメンが食べられました。ローソクでその日は暮らせたんです。母がドシンと構えてくれていたので、みんな慌《あわ》てず、過ごせたんですよ。とにかく、当時は電気が止まっているので、何もわからない状況でした。地震だけはわかりましたけどね。テレビではなく携帯の映像で知ったのです。ところが充電ができませんので〝無駄に使用しない〟ということにしました。

翌日も電気が点きませんでした。私の住んでいるマンションは鉄筋なので、「そこに集まろう」と言い、集まりました。3月12日の午後くらいには、マンションの電気が点いたんです。実家の方では食器が割れたり、物が倒れたりと被害がありましたから、私のマンションに集まったわけです。そこで水の確保などをしたんです。水を節約するためにナベとポリ袋で、ご飯を炊きました。母の知恵ですけどね。

祖母の実家が浪江《なみえ》なんですよ。大堀相馬焼《おおぼりそうまやき》〔注：福島県双葉郡浪江町大字大堀一円で生産される焼物の総称〕という陶芸の窯元の娘なんですよ。福島第一原発からそれほど離れていない場所です。そこには親戚がたくさんいたんです。12日か13日かは、覚えておりませんけどみんな福島市内へ避難してきました。私の祖父母の家が飯坂《いいざか》温泉の旅館だったので、寝る場所は確保できました。いったんここに来ました。でも、ここに避難して来られたのは、ガソリンを持っていた人たちだけです。「来られなかった人たちは？」と聞くと、「富岡街道の津島に向かっている」ということでした。〝そこにガソリンを持っていってあげたい〟と思いましたけど、こちらも充分ではありませんでした。いま思えば、行かなくて良かったんです。行けば入れ違いになっていました。おばあちゃんの妹が新潟にいたので、その親戚は、新潟に行っていたんです。たぶん3月15日くらいでした。

水道やガスが止まっても簡単に料理ができる！「パッククッキング」
パッククッキングとは、ポリ袋（高密度ポリエチレン製）を利用した簡単調理法のこと。

「ポリ袋に食材を入れて袋ごと湯に入れて加熱するだけで、簡単にご飯が炊けるし、おかずやデザートも作れます。熱源はカセットコンロや、電気が使えれば電気ポットでもOK。1つの鍋で数種類の料理を同時に作れるし、洗い物が減って水を汚さないこともメリットです。覚えておけば、非常時でも温かくておいしい食事をとれるので、ぜひ試してみてください」（防災アドバイザー・岡部梨恵子さん）

ご飯の炊き方

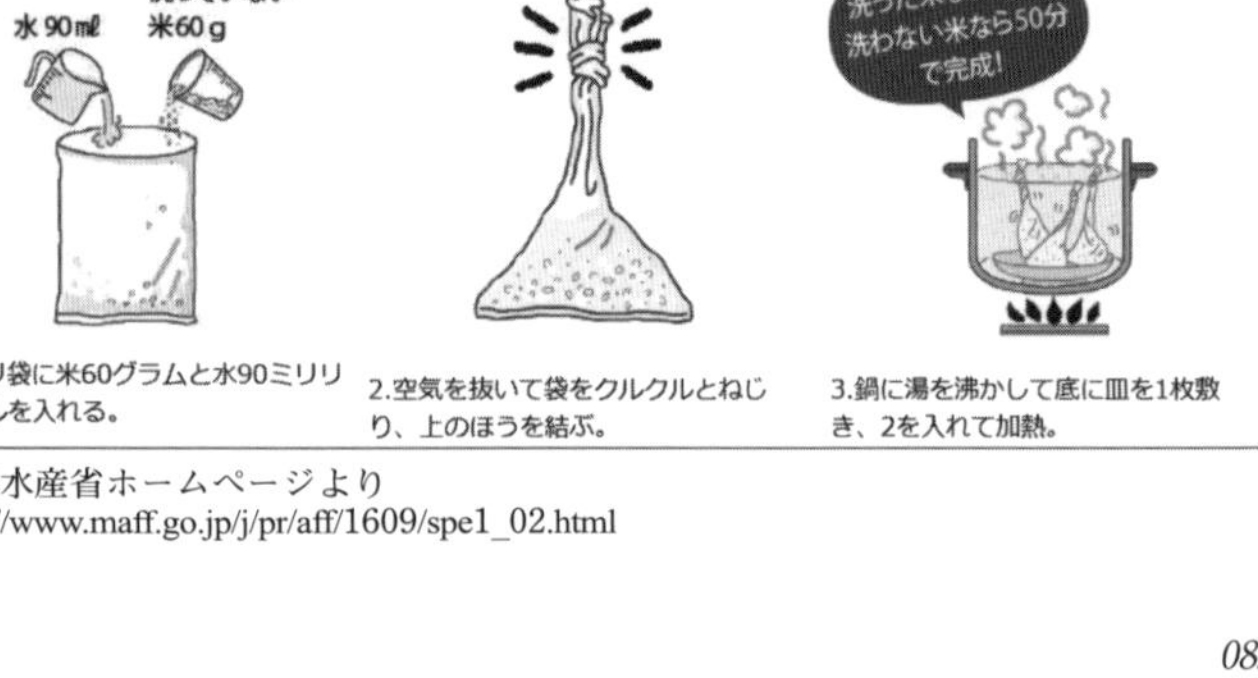
水90mℓ
洗っていない
米60g
洗った米なら30分、
洗わない米なら50分
で完成!

1.ポリ袋に米60グラムと水90ミリリットルを入れる。

2.空気を抜いて袋をクルクルとねじり、上のほうを結ぶ。

3.鍋に湯を沸かして底に皿を1枚敷き、2を入れて加熱。

農林水産省ホームページより
http://www.maff.go.jp/j/pr/aff/1609/spe1_02.html

東京へ避難

私もやっと主人と連絡がとれて、東京から車で迎えに来たのが、15日でした。それで、東京に向かいました。まあ、早いほうでしたね。車で避難したのですが、高速は走れなかったので下の道を行きました。12時間かかりました。4号線で行くわけですが、4号線の松川辺りの道路が陥没しちゃっていたんです。だから裏道で行き、途中で茨城のコンビニに寄ったんですが、もう何もありませんでした。とにかく、お風呂にも入れないので手を洗いたいと思っていたら、そのコンビニで手を洗わせてくれたのがとても嬉しかったことを思い出します。ほんとうに感動しちゃいました。

やっと東京の府中の家に到着しました。主人の住まいは単身でしたので1Kの狭い家です。着いてすぐに、お腹の赤ちゃんの心音を聞きたいと思い、東京女子医大に行ったんです。夜ということもあったんですが、とても怒られたんです。「予約もなしで来るなんて」みたいなことでね。私も国から〝出て行け〟と言われたわけではないので、負い目もありました。ですから強く言える立場ではなかったんです。その時は一応あきらめたんですが、それでも心音だけは聞きたかったものですから、その後、やっと聞くことができた時にはホッとしました。ひとり目の子どもを産む前には東京の練馬区に住んでいたので、東京の妊婦事情が良くないことは知っていました。

その時、私は便秘になっていたんです。妊婦の便秘は市販の便秘薬では駄目で、医者に処方される便秘薬でないと駄目ですから、私は薬が欲しくていったん福島に戻り、3月26日に伊《だ》達《て》市の病院に行ったんです。そうしたら、その病院でも「何で戻ってきたんだ」と怒られましてね、大きい病院だから助けてもらえると思ったのに。病院の対応はそういう感じでした。26日中に薬をもらい、府中に高速で帰りました。

　府中には1カ月おりました。その時、都営住宅の募集が3月23日～3月25日にありました。原発避難者に３００戸、地震被災者に３００戸、合計６００戸の都営住宅が用意されました。私は30キロ圏内ではないと思いながらも、原発避難で申し込みました。府中の「味の素スタジアム」が避難所になっていましたけど、ちょうどその時は主人の所におり、情報が取れずにいました。いま思えば真っすぐに避難所に行けば良かったんだと思います。オムツなどまったく売っていなくて、情報も孤立しちゃっていました。

　テレビで都営住宅の申し込みを知って、申し込みに行きました。受付のところで職員に「30キロ圏内ではないですね」と言われました。私は「確か30キロぐらいだと思います」と言ったんです。1人の職員が地図を持ってきて、「福島市はここだから、たぶん30キロだよ」と言ってくれました。そのおかげで申請が通りました。そうでなければ、今ごろ福島にたぶん戻っていたと思います。受理はされたのですが、第1回目の募集では入れませんでした。ところが4月中ごろに、〝福島の小学校がはじまる〟というようなことで、バタバタと空きが出ました。それで今の武蔵野市の都営住宅に4月19日から入居できました。現在もそのまま住んでいます。

　福島原発が爆発したというニュースは、確か15日ごろ、電気がやっともどっていたので、テレビのテロップが流されていて知りました。放射線がたしか福島で24マイクロシーベルトと流れていたけど、その数値が高いのか低いのかさえ、基準となるものを知りませんでしたが、いま思えばその数値はとんでもない話ですけど、〝爆発したんだ〟ぐらいの感覚でした。

私は、恥ずかしながらチェルノブイリ原発事故のとき（1986年4月26日）に4歳だったので、事故のことを知らずにおりました。大震災が起きて、福島原発が爆発して、はじめてチェルノブイリ原発事故のことを知ったんです。福島に原発のあることはうっすら知っておりましたが、ここまで影響はないだろうというのと、そもそも原発が何なのかさえ理解していませんでした。

先ほど話したように親戚が浪江町の大堀《おおぼり》にいて、そこの子が東京電力に就職したんですね、入った時には、「いいところに入ったね、安泰《あんたい》だね」という認識でしかありませんでした。その子は、地震の前には辞めていました。もっといろんなことを知っていればきっと私は子どもを連れて、新潟経由で逃げたと思います。まさか、こんなことになるとはね、〝知らないということは怖ろしいことだ〟とあらためて思いました。

私はもっと西の方へ行きたかったんですが、助産院の方たちが良くしてくれたので、東京にいたんです。でも新宿より東へは行かないようにしていました。東京都の助産師会の先生たちが、「東京里帰りプロジェクト」〔注：プロジェクトは2012年3月末で終了。しかし、活動は@to-hokumamaへと引き継がれた〕というのを立ち上げ、妊婦さんの支援をしてくれたんです。中野の「松が丘助産院」の宗祥子《そうしょうこ》院長が発起人です。それが私にとって大きな力になりましたね。出産までだけではなく、産褥《さんじょく》入院といって、産後に子どもと一緒に入院させてもらったりとかの親切な対応に感謝しました。

当時主人はBBC（英国放送協会）の方を聞いていたので、海外放送の方が日本よりもリアルに放送しているため、「何だ日本は！」と言っていました。でも、当時の私は〝日本のニュースはわりとしっかりしている〟と思っていました。

私は避難したことで、福島を客観視できたと思っています。自分でも放射線測定器を買って放射能を測ったり、情報を取ったりしていました。そこで、〝テレビで言っているニュースと現実に起こっていることが違うんだ〟と気づいたんです。「4月に学校を再開する」ということを福島県知事が言ったので、〝何で再開するの？〟という思いで、不信感を抱きました。ほんとうに何を信じたらよいのかと、メディアを信じないようにしました。もし、私も福島に残っていたら信じたと思います。

「安全だ」と言ってまわった山下教授については、私

◆参考：東京里帰りプロジェクトが生まれるまで
院長の想い――被災地の妊産婦さんを助けたい！プロジェクト始動

東京でも大きく揺れた、あの日。
地震に続き、予想を超えた大規模な津波で東北地方沿岸の町は壊滅。
テレビで連日被害の様子が流れる中、院長・宗が助産師として考えたことは、あの中に必ず妊婦さんがいる、小さな赤ちゃんを抱えたお母さんがいる。妊婦さんが冷えている、このショックで母乳が出にくくなるのでは、とにかく暖かい場所に連れてきたい、ということでした。
なにかできることはないか。そう考えて翌12日の夜中、東京都助産師会会長にあてて、東京都助産師会の取り組みとして都内の各開業助産師に協力をお願いしたいとメールをしました。
そう、このプロジェクトは震災翌日から始まったのです。

「松が丘助産院」ホームページより　https://matsugaoka-birth.com/volunteer/187/

は、言葉にならないというか信じられません。

それよりも文部科学省が20ミリシーベルトまで上げた〔注：２０１１年4月19日、文部科学省は、学校等の校舎・校庭等の利用判断における放射線量の目安として、年間20ミリシーベルトという基準を示した〕ことが一番問題だと思っています。国民は1ミリシーベルトが決められた放射線量でしょう〔注：国際放射線防護委員会（ＩＣＲＰ）の勧告で、一般の人が平常時に受ける放射線については、自然界からの被曝《ひばく》や医療での被曝を除いて年間1ミリシーベルトを線量限度としている〕。ただ福島の現実についてのデータが欲しくてやっているのか、それとも人体実験（モルモット）としてデータを作りたいのか。そのようにしか思えませんね。ほんとうに、〝福島だけが20ミリシーベルトを押しつけられなければならないのか〟まったく納得がいきません。私はできる限り声を挙げていかなければならないと思います。

自主的避難者への賠償金と補償金

東京電力からの自主的避難者への賠償金は、「自主的避難対象区域」に入っている地域では、2回にわたって出ました。1回目は1人当り、子どもと妊婦が40万円、大人が8万円。何で子どもの方が多いのかといえば、放射線による被曝《ひばく》の影響力が大きいということでした。2回目は、子どもと妊婦が12万円、大人が4万円出ました。トータルで子どもが52万円、大人が12万円、これが２０１２年の9月までの賠償金で、「じゃあ9月以降はどうなんですか」ということで、いま（２０１８年）裁判に入っているところです。事故を起こしてからわずか1年分しか賠償金を払わなかったのですからね。

住宅支援の方は、2012年12月までに申し込みをした人は、災害救助法の対象者でした。だから昨年（2017年）に打ち切りになるまで、災害救助法の適用を受けていました。仮設を建てなくても、みなし仮設といって都営住宅だったり、国家公務員の住宅だったり、雇用促進住宅を仮設住宅として使用してきたのを福島県が昨年の3月に打ち切ったんです。

災害救助法で原発事故被災者の救済をまかなったことがおかしいんだと思います。災害救助法というのは津波とか、地震とか、土砂災害とかで、あくまでも復興できる状態の自然災害でしょう。それが今回は原発事故ですよ。したがって災害救助法で原発事故の被害者をまかなったことが問題なんです。それは知事が権限を持ってい

◆参考：東京電力から個人への賠償（自主的避難　金額別）

第1期	①支払額8万円:23市町村で子ども･妊婦以外の方への支払額。 ②支払額20万円：県南9市町村と丸森町の子ども・妊婦への支払額。 ③支払額40万円：23市町村で避難されていない子ども・妊婦及び避難等対象区域在住で自主的避難対象区域等に避難・滞在していた子ども・妊婦への支払額。 ④支払額60万円：23市町村で避難された子ども・妊婦への支払額。
第2期	⑤支払額4万円：自主的避難等対象区域の追加的費用への支払額。 ⑥支払い額8万円：自主的避難等対象区域の精神的損害への支払額 ⑦支払額12万円：自主的避難等対象区域の子ども・妊婦への支払額。

注：自主的避難対象区域（23市町村）
福島市、二本松市、伊達市、本宮市、桑折町、国見町、川俣町、大玉村、郡山市、須賀川市、田村市、鏡石町、天栄村、石川町、玉川村、平田村、浅川町、古殿町、三春町、小野町、相馬市、新地町、いわき市

東京電力による損害賠償の状況等 I
https://www.hit-u.ac.jp › kenkyu › sei　0209marushima-shiryou.pdf より作製

て、私は「また1年延期して欲しい」と言ったのですが、あの内堀雅雄《うちぼりまさお》福島県知事が、「福島は終わりました」ということで、災害救助法が終わってしまったのです。

私は国とも裁判をしていますが、国の言い分としては、権利のある県が「もういいです」と言ってしまったため、打ち切りとなった。まず大きな問題は、災害救助法でやってしまったことで逃げ切られたんです。「子ども・被災者支援法」が死んだのが、1番の問題点です。その両方がきちっとできなかったのが、この住宅問題に結果として出てきてしまったんです。

東京での暮らし

いま、大変なことはたくさんありますけど、何よりも子どもたちが小さい時から避難した地域になじめたことが、とても良かったです。子どもたちにとっては、武蔵野市が故郷のようになっています。

〝何で東京にいるんだ〟という話になるんですけど、今は私がパートで働いて生活しています。都営住宅は、家賃も安くて広いのでありがたいです。パートは9時〜13時まで、贅沢をしなければぎりぎり何とかやっていけます。4人ですからね。

福島県に住民票があれば、18歳未満までは病院での保険診察が無料です。ウチは住民票を移してしまったから、それは適用されません。でも幸いなことに、武蔵野市では保険診療の自己負担分は、義務教育を終える15歳までは全額助成されるので無料です。ただ甲状腺の検査は行なっています。事故当時18歳未満の子どもは、お腹の子も含めて福島県の県民健康調査の対象になるので、住民票を移しても無料で検査を受けられます。いまのところ、ひっかかっておりませんけど、福島に帰らなかったことが被曝をさけられた要因で、良かったと思っています。なるべく子どもたちと保養にも行ったりしていました。

「NPO法人・新宿代々木測定所」〔注：2011年3月の福島原発事故による放射性物質の影響から、自分の家族や大切な人を守りたいとの思いから、一般市民が集まり、2012年4月開所。測定できるものは、食品・飲料物、土壌、尿、母乳〕で検査してもらっているので、とりあえず安心です。牛山元美《うしやまもとみ》先生〔注：原発事故後に福島の子どもたちの甲状腺検査を続けている「さがみ生協病院」（神奈川県相模原市南区）内科部長。「NPO法人・3・11甲状腺がん子ども基金」顧問〕の所で血液検査と免疫調査を子どもたちはやってもらっています。自分自身で信頼できるデータを残すことが大切ですからね。

帰還者ですが、戻った方ってほんとうに少ないのですよ。それはもう若い人たちは絶対に戻りません。武蔵野市に、浪江町の隣りにある葛尾村《かつらおむら》〔注：村内全域が警戒区域又は計画的避難区域に指定され、全村民が村外に避難していたが、帰還困難区域を除き2016年6月12日に避難指示を解除された〕から避難して来たおばあちゃんがおりますけど、葛尾村では〝学校が開いても子どもがいない〟ので学校自体が成り立っておりませんし、仮に帰っても、〝病院はない〟、〝買い物をしたくてもお店はない〟、つまり、生活が成り立ちません。帰ったところで生活インフラがまったくなくて、帰れる状況ではありません。

「むさしのスマイル」の立ち上げ

妊娠3カ月で、3歳と1歳の子どもを連れて、夫のいる東京へ自主避難してきたんですが、助けてくれる人が周りにおりませんでした。慣れない土地で生活環境の違いに戸惑い、2人の子どもを育てる困難に直面しました。

そんな時にインターネットで、先に話した「東京里帰りプロジェクト」のことを知り、すぐに連絡をとったんです。近くに住んでいたボランティアとして活動している松尾さんと伊東さんに出会ったことが大きかったですね。〝被災地のママたちが心配で、自宅の空き部屋をホームステイ先に〟と申し出ていた松尾さん。看護師だった伊東さんも〝何か役に立てるのでは〟と支えてくれました。

子育てママの関心事はみんな同じです。〝子どもの健康や安全について一緒に考えたい〟と思い、私は東日本大震災・原発事故で避難している皆さんや支援者の皆さんと交流し、〝避難のこと〟、〝生活のこと〟、〝健康のこと〟、〝子育てのこと〟などを気軽に話し合ったり、相談できる仲間が集まる会として「むさしのスマイル」〔注：ホームページ：https://musashino-smile.org〕を2012年8月に立ち上げました。そして2015年6月から「よらんしょサロン」を開催しはじめました。

「むさしのスマイル」では、1泊旅行で福島にも行きました。同じ福島に住んでいたお母さんたちとなかなかつながれなかったけど、〝旅行で宿泊して交流するということが、よいかな〟と思って企画したものです。その時の様子はこんな感じでした。

２０１４年８月29日～30日の１泊２日の旅程で東京から会津若松市の東山温泉を訪ねました。参加者はシニアから子どもまで総勢21名（東京で避難生活を送られている方＝８名、福島県内で避難生活を送られている方＝３名、福島県在住者＝３名、託児スタッフ＝２名、事務局スタッフ＝４名、運転手さん＝１名）。

――８月29日

朝10時半に東京・中野を出発し、途中、お昼休憩を取り、山々や猪苗代湖を眺めながら会津東山温泉に到着したのは午後４時。現地で待ち合わせしていた福島県内避難者、在住者の方々が待ちわびたように笑顔で迎えてくださいました。東京と福島で離れて暮らしているご家族の再会の場でもありました。ぐずついたお天気が続いていた関東地方ですが、会津は薄曇りで涼やかな風が吹くちょうどよいお天気。部屋割り後、自己紹介と交流の時間を持ちました。それぞれの暮らしの様子、除染作業の様子、思い出話、３年半を間近にしている中での状況についてお話しされました。夕食の後はフリータイム。花火をしたり、温泉にゆっくり浸かりました。なんと、露天風呂では20代～80代までの「女子会」がスタート。避難元の村での暮らしの様子や昔の恋愛・結婚の様子をうかがい、女子会らしい多様な話は尽きることがありませんでした。「幸せは～歩いてこない、だから歩いてゆくんだね」と「３６５歩のマーチ」をみんなで歌ったことが、とても心

むさしのスマイルとは

いいね！ シェア シェア 1 ツイート LINEで送る Check

むさしのスマイルは、東日本大震災・原発事故で避難している皆さん・支援者の皆さんと交流し、避難のこと、生活のこと、健康のこと、子育てのことなどを気軽に話し合ったり、相談できる仲間が集まる会です。

避難者同士や地域の皆さん、避難元の皆さんが「つながれる場づくり」をしています。どうぞお気軽にご参加ください。

よらんしょサロン

平成25年6月から武蔵野市への避難者が多く住む「都営武蔵野緑町二丁目第3アパート内」の集会室をお借りして開催しています。シニアからママ＆子供まで、年代問わず多くの方が気軽に出入りできるお茶飲み場です。毎回20人前後の避難者と地域住民、ボランティアが集まり、おしゃべりを楽しんだり情報交換や暮らしの相談などをしています。

よらんしょ、とは福島の言葉で「ちょっと寄っていきなさいよ～」という意味です。おはぎやおもち、汁物など故郷の味が振る舞われることもあり、あたたかな雰囲気のもと時間が経つのを忘れて笑顔で過ごせる場となっています。弁護士、精神福祉保健士といった専門家による相談日も設け、気軽に聞ける話せる機会となっています。

講演会・相談会

関心の高いテーマで講演会。相談会を実施しています。質疑応答や個別相談の時間も設け、避難当事者の思いにそった内容としています。

これまでの開催テーマ：
『ふるさと福島は今 ～避難指示が解除された福島・田村市都路地区の現状～』
『震災・原発被害とこころのケア』　『原発被害に関わる損害賠償の現状と請求の仕方』

広域交流会

都内に避難してバラバラになってしまった故郷の人に会いたいという声を受け、武蔵野市以外に避難された方も参加できる広域交流会を吉祥寺駅、三鷹駅近くの公共施設などで開催しています。東京都や各地区社協、支援団体に周知協力を頂き、東久留米市、西東京市、府中市、国分寺市、中野区、江戸川区、大田区、杉並区、江東区、新宿区などからご参加くださいました。お子様連れの方も参加しやすいように託児やキッズアクテビティを用意し子どもたちも楽しく遊べるよう配慮しています。

宿泊交流会

温泉などでくつろぎながら、心身のリフレッシュも兼ね、避難者・支援者・福島在住者が集まれる宿泊交流会を開催しています。

に残りました。

――8月30日

青空に恵まれたこの日。朝食をみんなで食べ、福島県内避難者の方々と再会を願いつつお別れをしました。ここでも365歩のマーチを唱和し、もうしばらく、とお互いを元気づけました。一行は、会津武家屋敷へ。大人は福島県在住のお父さんに案内してもらいながらゆっくり散策。子供たちは衣装を着けてチャンバラごっこを楽しみました。2日間を通して、託児スタッフにたくさん遊んでもらった子どもたち。シニアの方々にもかわいがってもらい、虫取り、花火、卓球、外遊びと、夏休み最後の休日を過ごすことができました。そして、安全で予定通りの運航を務めてくださった運転手さん。福島県の子どもたちの保養活動でのバス運転もされていて理解が深く、きめ細やかに必要に応じた送迎もお願いできました。託児スタッフさん、運転手さん、本当にありがとうございました。

〔https://musashino-smile.org/date/2014/08/より引用〕

今月（2018年10月）、私は広島と大阪の修学旅行生に話をするという会をさせてもらいました。社会問題を取り上げるスタディツアーなどを行なっている団体「一般社団法人リディラバ」さんからの依頼です。「東日本大震災から7年・自主避難という選択――震災と復興について考えるツアー」に参加する修学旅行の高校生たちに、原発事故と自主避難についてお話しする機会をいただきました。

〝何が起こったか〟そして〝現在の状況について〟、10月9日は広島、10月19日は大阪の高校生を対象にお話をしました。自己判断になっちゃうといけませんので、〝自分がそれまで学んでおくことが重要だ〟ということを話させてもらいました。〝他人ごととはとらえないで、自分のことととして考えてもらいたい〟とも。

講演後に寄せられた感想のいくつかを紹介します。

・メディアが発する情報と被害者の方が発する情報の差があることに驚いた。被災されたのにも関わらず、他の被災者された方々のためにむさしのスマイルを設立されたことは、本当に素晴らしいことだと思いました。いま自分が住んでいる地域にある災害時に影響のありそうなものについて調べることで、状況判断能力を向上させ、避難指示待ちの状況にならないようにしようと思った。特に印象の残ったことは、「正しい情報よりも、一人一人が考える情報の方が命を守れる」とおっしゃったこと。自分の生まれ育った（ところだ）から帰りたいという気持ちを原発事故が全く解決していないから帰りたくないといった、気持ちの複雑さが被災者の方々を更に窮屈にさせているのかなと思った。

・命を守る行動を取る時、どのように行動すればいいのか、注意するべき点、ほかに事前にやるべきことってなんですか？

・自主避難者で何に困っているのかや全く想像できないことが問題になっている事を知

って驚きました。避難というものの定義はむつかしいものだと思った。放射能はやはりキケンで、その土地に残り続けるんだなと思った。震災というのはいつまで続いていくのだろうと思った。

・当時はテレビを見ていたので、何も実感がわからないまま、その話題が消えていってしまったけれど、今日の話を聞いて、もっと興味を持ってボランティアなど、自分ができるようなことには積極的に参加していきたいと思いました。

・今まで被害とか、そんなに大きいものにあったことがないから、被災者の気持ちとかわからなかったけど、今日の話を聞いて、変えなければいけない分がたくさんあるんだと思った。

・国が勝手なデータを出すのは何故？　と思った。原発事故の原因が未だにわからないのは何故？　と思った。「若者が社会を変えていってほしい」と話されたが、自分たちに関係ない話じゃなく、むしろ重要なことだと思った。

・私は母方の実家が仙台なので、震災の際は割と大変なのは知ってたけど、法律がちゃんと機能していないとか、まだまだむつかしいなと思った。

・避難生活は本当に大変で、国や自治体が動かなければならないと思った。不便なことがあると知った。市民はそれぞれ国に対する不満を持っていると知ったのは初めてだった。国はもっと市民や様々な人の意見を吸収し、改善していかなければと思った。

・なんで東京に来たのか、今もし原発事故が起きたらどのように逃げますか（服装、持ちものなど)。国や原発を作った人はどのように対処すればよかったのか。原子力発電をやめるとしたらどのような発電方法で発電したらいいと思いますか。普段聞けないようなことを聞けてとても良かった。被災者の話を聞いたことがなかったので、いろいろ興味があったので、聞いていて感動?した。

・私は自分で意識して避難することは考えもしないことなんですけど、自主避難は政府からの指示で避難するよりも多いんだなぁと思った。家がなかったり、情報がなかったりして大変なんだなと思った。正しい情報を自主的に知ろうとすることは大事。これから知っていこうと思った。これから関西でも南海トラフ地震が起こると言われているので、避難に関して勉強になった。

・私は震災が起きたとき10歳ぐらいだったけれど、本当にその時の状況をテレビで見ていたのを鮮明に覚えていました。そこで泣きくずれる人々を見て、心が痛みました。そこから、だんだん復興してきて、今はそんなにテレビでも見たこともなくなってきて、もう大丈夫だろう。このように勝手に考えていて、今もなお生活に苦しんでいる人たちがいらっしゃることをその方々のお話を間近でお聞きすることもでき、本当に良い、貴重な体験ができました。これからも、どのように国が対処して行くか、テレビのニュースなどで関心を持って調べたり、見たりして学んでいきたいと思う。

・震災が起きたとき、僕は小学3年生でした。それから7年僕は何の不自由なことなく生活していましたが、今回の講演の中で、本当に辛かったのだな、と思いました。それに、仮設住宅があるから良いのではないかと思っていたけど、現実では全然違って、これこそ情報の伝達ができていないのだなと思いました。安全は確信がないと安全ではないのだなと改めて思いました。避難することが一番ではなく、それに見合った状況判断が大切なんだなと思いました。この貴重な話を聞くことで避難に対する考え方が変わりました。本当にありがとうございました。

〔https://musashino-smile.org/date/2018/11/より引用〕

訴訟、ADR

福島原発被害東京訴訟原告団に入っています。実は私が2014年に口頭弁論をしました。その判決がこの春（2018年3月16日）に出ました。他の裁判よりウチの原告団の方が賠償金が高かったんです。ただ、裁判で〝避難の権利〟を認めたのが2011年12月までなんですね。実は面白いことがあって、私、ADRもやっています。

ADRは「避難の合理性」というものを2015（平成27）年3月まで認めたんです。だけど、裁判所は「平成23（2011）年12月までしか避難の合理性はない」と。

判決なんですが、今回、賠償額が高く出たという人たちは、2011年12月までの間にイジメに遭ったりとか、精神的な面の賠償金は取れたんです。ただ、避難期間が限定されたのが問題で、やっぱり私は今でも避難していると思っています。避難継続ということに関しては、最初の9カ月しかみていない。だからいま、控訴している状態で、控訴審が行なわれています。

避難というのは〝あの時だけで終了したのではない〟ということを立証していかなくてはならないと思っています。〝健康被害についても新しく裁判を起こしていきたい〟というのが、いまの気持ちです。

いまのところこの裁判は、「最初の避難」という部分なので、控訴のあと最高裁で判決が判決が下り、終わると思います。〝次の準備のために〟といま考えているところです。

最後に言いたいこと

いま、私は水俣のことや公害などで闘っている方の言っていることを聞いていると、これは国民の関心度のことだと思っています。〝どれだけ自分のことととして考えているか〟、そんな気

◆参考：原発 ADR＝原子力損害賠償紛争解決センター

原子力事故の被害者による原子力事業者に対する損害賠償請求について、円滑、迅速、かつ公正に紛争を解決することを目的として設置された公的な紛争解決機関。裁判によらない紛争解決手続き（ADR：Alternative Dispute Resolution）を進める公的機関の一つで、原発 ADR ともよばれる。2011 年（平成 23）3 月に発生した東北地方太平洋沖地震にともなう東京電力福島第一原子力発電所事故の損害賠償について和解の仲介手続きを行うため、原子力損害賠償法に基づき、2011 年 8 月、文部科学省の原子力損害賠償紛争審査会の下部組織として発足した。文部科学省、法務省、裁判所、日本弁護士連合会の専門家で構成される。第一および第二東京事務所と福島事務所（郡山市）のほかに福島県内に 4 支所があり、同年 9 月から事故被害者からの申立て受理などの業務を開始した。東京電力は原子力損害賠償紛争審査会が示した賠償の目安（中間指針）に基づいて賠償基準や賠償額を決めており、この東京電力の決定に不服がある場合、事故被害者は原子力損害賠償紛争解決センターに仲介を申し立てる。申立てを受け、同センターの調査官が調査を行い、弁護士らで構成する仲介委員が和解案を提示して早期合意を促す。仲介手続きの口頭審理は東京・福島事務所や 4 支所で行われるほか、電話やテレビ会議で事情を聞くこともある。申立てや和解の手数料は無料である。同センターはホームページに、成立した和解実例の一部を公表しており、似たような境遇にある事故被害者の救済の参考にしている。

出典　小学館『日本大百科全書（ニッポニカ）』

がします。私がチェルノブイリ原発事故を知らなかったように、伝達にもよりますけど、人間って目の前の楽しいことで終わらせてしまいます。伝える人たち同士のつながりがないとダメですね。

メディアについては、私は信用していません。メディアに対しては、とにかく、〝日本を滅ぼすのか〟と言いたいですね。日本のことを真に考えていれば権力側の言い分などを報道してはいけないと思っています。

目をつぶらないでほしいです！　現実を受け止めることは怖いことではないから、それに向かって行くことで見えてくる光もあります。向かって行くことが最重要だと思っています。

私たちはあの人たち（東電や国）と闘わねばなりませんので、こちらも知恵をしぼってやっていかねばと思っています。２０２０年が一番のポイントとなってくるはずです。その時までどれだけ横のつながりが可能になるかです。あちらはつながっていますから、やることは早いです。私たちに必要なのは、連帯感を強めていくことだと思います。福島県知事の内堀さんは官僚出身です。たぶんオリンピックが終わったら、もう出てこないと思います。どれだけ県民に伝えられるか、選挙は真剣に県民のことを思っている人にしか入れません。県民自体も沖縄県民のような考えをもっていれば変わると思います。

〝東電も国も責任を取ってくれ！〟というのが一番言いたいことですけど、あなたたちの汚物を押しつけられたまま、福島は放射能まみれの汚物を片付けられずにいます。福島だけではなくて周辺の県などにも放射性物質が撒き散らかされました。目に見えるウンチのようなものだったら嫌がるけど、目に見えないからこそ恐怖です。実際に線量計は、放射能をいたるところで検出しています。私の実家では8万ベクレルも検出されています。とにかく正直に言い、責任を取っていただきたいと思います。ごまかし、ごまかしはもう止めてほしい！

お腹にいた子どもも、今年（2018年）小学校1年生となりました。この子たちが大きくなった時に、〝お母さんたちが一生懸命に闘っていた〟ことを伝えておきたいです。

補記：心に問いかけを

福島県民は何も知らされずに、
健康データだけ取られているようにしか思えません。
そんなに核に依存したいのでしょうか。
被害をひた隠し、声をつぶし、
同じ人間がやるようなことだと、到底思えません。
もう一度心に問いかけてほしいです。

（2021年3月25日　おかだ　めぐみ）

証言●5

鴨下祐也さん

福島県いわき市から東京都に避難。

鴨下祐也さん――インタビュー：2018年12月4日

3月11日、当日

私は地震の際は、いわき市にある福島工業高等専門学校におりました。当時、そこで准教授をやっており、ちょうど進級卒業判定会議の最中で、〝会議が終わりそうかな〟というところでグラッ～、グラッ～と揺れはじめて、上からボロボロと天井材の欠片が落ちてきまして、おっかないほど揺れました。ちょっと幸運だったのは、校舎は耐震補強をした直後だったんです。4～5年前に建物の弱いところを補強して、それが完了していましたから、〝これぐらいの揺れだったら校舎は潰れないだろう〟と信用していました。

揺れている最中にまず思ったのは、〝原発は停まったかな〟という心配でした。いわき市ですから原発からは30キロ以上離れていますけど、日々暮らしている時にも原発が動いているか、停止しているかは気にしていました。〝まずいな〟、〝何基動いているかな〟、〝1基以上は動いているな。停止するだろうか〟と思いまして、〝こんなに揺れていて、ほんとうに制御棒が入るのかな〟、〝どこか配管が外れたりしていないか？〟と心配でした。

ひどい揺れが一応おさまって、実験室で試薬が倒れたり割れたり、ボンベが引きちぎれてシューとガスが出たりしてはいないかが心配で、「とにかく会議はいいですね、確認に行かせて下さい」となったのですが、その時、隣の教員に、「原発は停まりましたかね」と聞いたら、ウーンという顔をされました。〝この人は原発を全然気にしていなかったんだ〟と思いました。私は地震の時に原発が一番心配で、自分たちの建物の心配はしなかったけど、〝原発が停まれるかどうか〟は、まったく信用しておりませんでした。

当時、私はおいしい野菜の作り方を研究していて、緑化の装置を屋上にのっけていました。台風では何度も倒れて壊されましたが、補強はしていました。これだけ大きな地震に揺すられるなんてことはめったにないので、自分の建物に戻って、〝どこか壊れていないか〟、〝まともな形を保っているか〟と気になり、屋上に行ったら意外と装置は傷んでいませんでした。屋上からしばらく原発の方向を見て、といっても原発は見えません。でも、原発のある方角はわかりますので、〝もしもあやしいものが出ていたら、何を差し置いても逃げなければ〟と思いました。原発のある方向には、何も見えませんでした。それで、30分ほど経って下に降りたら、テレビのニュースで原発が停止したことを聞きまして、〝とりあえずはいいかな〟と、ただ〝その後、冷却し続けられるかな〟とも思いました。

とりあえずは緊急事態にはならなかったということで、「学校から帰ってよい」ということになりました。それで家に戻りました。それが当日、2011年3月11日の地震が起きた時の模様です。

私の家の中は、物が倒れたり、落下したりしていましたが、家そのものが倒れるようなことはありませんでした。その時点では、生活は可能な状態でした。

当時、妻の父が時々こちらに来ては一緒に暮らし、また帰っていくという生活をしており、その義父がちょうどわが家に来ていました。地震の時は、妻が父親に「いわき駅前のラトブの6階で、〝遺言の作り方、書き方セミナー〟があるから行ってみないか」と言って行かせた日でした。そこで地震に遭っちゃった。家から何キロも離れているので、歩くのは無理だからと車で連れて行ったので、妻が迎えに行ってみると、そのセミナーをやっていた会議室からはみんないなくなっていた。係の人に聞くと、「みんな逃げてしまいました。杖をついてきたおじいちゃん、おばあちゃんも走って逃げ帰った」と言う。でも「帰った」と言われても、義父は家がわからないはずでした。〝携帯電話も持っていないし、道順も知らないはずですし、これは大変だ、家に帰ってこられないぞ〟と妻は、2人の子ども（3歳と8歳）を車に残し、「絶対、外には出てはいけない」と言い、徒歩で探しに行きました。駅前は液状化現象でガタガタになっており、ガス漏れとか、水道管がはずれて水も噴き出していたようです。

私は帰宅後、妻たちと合流しました。妻は1度目の探索ではおじいちゃんを見つけられずに、2度目の探索で偶然見つけられたんです。そこで見つけられなかったら、大変なことになっていたはずです。少し認知症がはじまっていましたので、能力的にも一人で戻れるはずはなかったのです。たまたま3人の女子中学生が、「おじいちゃんどこに戻るの?」と声をかけてくれたことが幸運でした。その女子中学生たちのおかげでした。

中学生たちに「どこに戻るの?」と声をかけると、「植田《うえだ》のほう」と言う。そこからは山をいくつも越えなければならない場所です。20キロぐらいはあるはずです。中学生のおじいちゃんを見つけられたこともあって、「それは無理だ、送っていってあげよう」と気楽に言ったのですが、それからが大変でした。町は停電していて、信号機も止まっていて、道もガタガタで、家に帰る人たちで大渋滞です。ふだんならだいたい20分も走れば着く距離で、往復でも1時間はかからない場所だったのに、その日のうちに自宅に帰ってこられなかったんです。道はもうグチャグチャに詰まっていましてね、途中で横に出されて、迂回して帰ってきたのですが、午後4時に出て、7、8時間もかかったんです。

私は車中で女子中学生たちに、「原発が停止したらしいけど、冷やし続ければ大丈夫だけども、原発は常に冷やし続けなければ爆発しちゃうんだよ」と話しました。中学生たちはすごい地震が起きちゃって、お父さん、お母さんがどうしているか、家がちゃんとしているかどうかの方が気がかりだったようで、はたして聞いていたかどうかはわかりません。送り届けられた親御さんたちも、知らないおっさんがどういう経緯で娘を連れてきたのかよくわからなかったのでしょう。少々けげんそうな顔でした。何事もなく送り届けることができてよかったのですが、きっと親御さんは、〝いわき市内からなんでこんなに時間がかかったのか〟と思われたと思います。20キロぐらいのところですから。

中学生たちを送り届けて帰る午後の10時ごろは、外は真っ暗でした。FM放送で「原発周辺3キロ圏内の方は、放射能漏れはありませんが避難指示が出ていますので、念のため、鼻や口をマスクやぬれた布で覆って避難してください」と、まったくサラッと放送していました。

〝原発はちゃんと冷却されていない、うまくいっていない〟と思いました。〝へたするとすでに放射能が漏れているのではないか〟と思いました。〝家に帰ったら妻を説得しなければ〟と思いました。すぐにはいわき市に避難指示が出るとは思わなかったけれど、避難指示が出てからでは絶対に遅いわけで、〝だれも周りが避難していないのに避難することに同意させなけりゃいけない、しかも、気楽に避難できる道路状況ではない。避難の途中もものすごく危険なのに、あえてその危険な避難を説得しなきゃ〟と考えながら、妻を〝説得できるかな〟と思いつつ家路へと急ぎました。

5カ所の避難先

家に帰って、〝実はこうゆう放送があって、避難した方がいいよ！〟と切り出したら、自宅は停電しており、オール電化にしていましたので寒い中におじいちゃんがいることになっていて、水も出なくなっていました。それで、妻としても〝ここにおじいちゃんを置いておくわけにはいかない〟、〝横浜の自宅まで送り届けなければ〟と思っていたようです。原発うんぬんは別としても、いわき市を出ることを妻も考えていました。だからすんなりと決まりました。

高速道路は全面通行止めで、6号線も通行止めで渋滞しているのがわかっていました。だから〝山を越えて行くしかない〟と思い、明るくならないと危ないのでそれまでに準備をして、明るくなったらすぐに出発しよう、と行動を起こしました。それで避難となりました。その時からいままで、避難先を5カ所も変わることになるとは、思ってもいませんでした。

最初に行ったのは、義父を送り届けるために向かった横浜です。普通でしたら4時間もあれば着くところですが、19時間もかかりました。3月12日の内には着けずに、翌13日の未明に到着しました。その途中で、「福島第一原発が爆発した」というニュースが入ってきました。爆発したというからにはすぐには戻れないと思いました。放射性物質がどの程度なのか、ヨウ素131だけなら90日経てば影響が少なくなるから、いわきに戻れるかもしれないけど、もっと長期化するかもしれない。義父の住む横浜にそんなに長居はできないと思いました。

そこでいったん、私の実家に近い東京にアパートを借りました。しかし、そこも長期避難生活はできないし、情報もないし、転校した息子のいじめの問題もありました。

私たちが入ろうとした都内の避難所は、はじめは避難指示区域内の人しか入れませんでしたが、空きが出て、避難指示区域以外のいわき市や福島市、郡山市の人も入れるようになり、申し込んだら入ることができました。そこが3カ所目です。

そこはホテルだったのですが東京都の監視が厳しく、乳児でもＩＤタグを首にかけていないと叱られました。部屋食は禁止、食事は全員大広間でとらねばならず、レトルトが中心の避難所食でした。建物はホテルでしたが、中身は避難所で、安らげる場所ではありませんでした。避難指示の出ていた地域の方は、早いうちから国家公務員宿舎とか都営住宅を斡旋してもらえたんですが、私たちは避難指示区域外でしたから、ずっと残されているうちに使用期限の6月の終わり〔注：その避難所は、6月30日で閉鎖することが決まっていた〕になりそうになりました。

でも、多くの子どもたちは4月から6月まで、すでに都内の学校に通っているわけで、「行政の都合で転校させないでほしい」とお願いしてまわったところ、閉鎖していた使い古しの公務員宿舎のところに、あらためて畳などを入れて使用できるようにして、入居できるようにしてもらえました。ただ、「改装に時間がかかるので、ちょっとホテルにいてくれ」と言われて、4カ所目の青山のホテルに行きました。

そのあと、今の避難住宅に入れるようになり、現在にいたっています。他のみなさんも1カ所、2カ所ということはなくて、複数回動いて、転校も複数回でしたね。ウチの息子は2回転校したけれど、2回ともさよなら会などなく、いきなり学籍を引っこ抜かれて、「今日からここに行きなさい」という感じでした。当時、私は福島高専に勤めていたので単身でいわきに戻り、家族とは別居でしたが、今は一緒に生活しています。

私は微生物工学を専門にしておりまして、事故当時、一番中心的にやっていた研究テーマは水耕栽培でおいしい野菜を作ることでした。原子力は専門ではないのですが、放射性物質は業務で扱ったことがあります。学生のころですが、DNAを扱うには放射性物質を扱わないとDNAのC検査の遺伝子配列は当時はできなくて、それで、指導を受けて放射線管理手帳をもらい、被曝《ひばく》管理をされた状態で遺伝子実験棟に入って、そこで実験するということをやっておりました。でも被曝実験は性に合わなくて、したがって遺伝子の研究はできないので研究分野を変えました。変えた結果が微生物工学（発酵工学）でした。

で、工学系であったということもあり、スリーマイル島原発事故（1979年）とか、チェル〟ブイリ原発事故（1986年）は、深刻だと思っていましたので、何となく原子炉の構造や危険性は知っておりました。ですから、注水できなくなると冷却水が無くなって、最後は水素爆発で、あとは場合によっては燃料に水がかかるようになると水蒸気爆発もあり得るとか、停まっていなければ臨界で暴走する可能性もあるとわかっておりました。福島原発は稼動中に事故が起きているので、これは非常に危険な状態だと、それですぐに避難したんです。

学校の再開と学童汚染

福島県では原発事故直後の4月に学校を再開して、子どもたちを登校させ、まず最初にやらせたことが〝掃除《そうじ》〟です。このことは当事者の間からも疑問の声がまったく出てこなくて、これだけは話しておきたかった。福島県内の小学校は、放射能汚染したにもかかわらず、ほぼ同じことをさせたと思います。

私が話すのは、いわき市での話です。4月6日に学校を再開するということになりまして、それが決まった時点で私は、「何でこんな状態なのに再開できるのか」と教育委員会に抗議を入れました。相手は「文科省がＯＫと言っているからいいんです」と、「文句があるなら対策本部に言って下さい」ということでした。

私は3月12日の朝、〝やっぱり原発がおかしい〟ということで、自宅を急きょ逃げ出したのですが、その時は部屋の目張りこそしませんでしたが、ブレーカーも落としていたし、窓は全部キッチリ閉めて、換気扇も閉じて逃げたんです。ですから家の中は大丈夫だと思っていました。でも4月に家に戻った時、念のためとりあえず自分が動く場所を決めて、ダスキンモップで歩く場所だけを拭いたあと、布団を置くところを決めてそこを拭いて、布団は上の方が汚染されてるだろうとピッとはがし、下から大丈夫そうなのを引きずり出して敷いて、掛け布団は怖かったので東京から持ってきた寝袋で寝ました。内部被曝をしてしまったら、取り返しがつかないと思ったからです。でも翌日、福島高専にそのダスキンモップを持っていき、学校の線量計で測定するとピーと鳴ってしまったんです。このモップには放射性の微粒子が付いていたのです。あれだけ閉めておいた部屋でしたが、〝こりゃだめだ〟と思いました。

それで脳裏をよぎったのが、小学校です。小学校が再開されたら、まず小学生に掃《は》き掃除をさせるわけですね。私の息子は避難していましたが、息子が通っていた小学校へ行って校長先生に、「落ちている放射性の微粒子を巻き上げて吸い込んでしまったら内部被曝して大変なことになるから、せめてぬれ雑巾で拭くべきで、掃き掃除はやめてほしい、子どもにやらせないでほしい」と言いますと、「わかった」と言いました。校長は「教職員を集めて伝えます。重要なことですから教育委員会にも言ってください」と言われました。さっそく電話を入れました。

私の勤めていた福島高専も、4月5日に「今後どうするか」に関しての職員会議を開きました。一番最初に申し上げた3月11日にやっていた進級卒業判定会議の次が、それになりました。それまでは一家で避難していたのですが、私だけがいわきに戻りました。

福島高専では、再開するかどうかの議論にもなりました。高専内の汚染は当然ひどかったのです。当時、土壌汚染を測定する器械は持っていませんでしたが、空間線量だけでも明確に放射線管理区域の数値を越えていました。これ、教育できる環境ではないでしょう！　国立の高専は全国で一つの組織なのだから、いわきでなくても教育は可能なんです。寮もありますし、ヨウ素の影響〔注：福島原発事故で3月13日から30日の間に大量に放出されたヨウ素131の半減期は8・02日、セシウム137の半減期は30・1年で、両方で90京ベクレルとみられている〕が1000分の1になる6月まではせめて〝生徒たちを分散させる〟か、それまで〝再開を待つ〟かをお願いしました。

そこの場にいた教職員の約80人の1割くらいが、再開に対してはっきりと反対しました。逆に、はっきりと賛成した者はいませんでしたね。しかし、「学校は放射線障害防止〔注：労働安全衛生法による事業者に対する放射線障害防止規制〕の対象外なのでしばる法律はない。だから被曝があっても再開してもよい」ということになってしまいました。「それでは、働いている私たちの被曝は放射線障害防止法違反にならないのか」とも言ったら、「放射性物質を扱う業務ではなくて被曝しているから、あんた方自身がガンになったとか何だとか言っても、放射線障害防止法〔注：「放射性同位元素等による放射線障害の防止に関する法律」（1957年6月）の略称〕の対象じゃない」という解釈が出てきてしまい、こりゃダメだと思いました。とにかく、ああだこうだと激論したあげく、「文部科学大臣が再開していいと言っているので、安全か危険かの話はこの会議ではしない」ということを校長が言って、その後の会議で蒸し返したこともありましたが、被曝問題を持ち出しても、「決めた」ということで、それっきりになりました。止めたかったんですがね。

なので私は、「校内を掃除をするにしても、使い捨てシートを使うようにして、掃除機とかほうきとは使用しないようにしてほしい」と校長に言ったら、それは「わかった、予算を取る」と言いました。それと「校庭の土が汚染されているので表土を除染してください」と言うと、それも「やる」ということでした。実際にシートは買ってくれました。なので高専は1年以上掃き掃除をしないですみました。少しはまともだったと思います。もう一つ、学生が登校する前に業者に掃除をしてもらいました。その点は良かったんですが、校庭の土を剥《は》がして入れ替える件はダメでした。文科省が認めなかったのです。別の名目で汚染土壌を除去したのは、3年後でした。

その会議後、私は中学校にも教育委員会がきちんと伝えたか確認するために、直接電話を入れて、「ぬれ雑巾で掃除をしないと被曝をする」という話をしました。そうしたら、「何だ、その話は」と言ってきました。教育委員会は何も伝えていなかったんです。「子どもたちに掃除をさせたりすると被曝の危険がある」と言うと、「こんなに汚れていていてぐちゃぐちゃになっているのに、とても教員だけでは掃除ができない。教員がやっちゃったら他の学校からあそこはやってくれたがこちらはやってくれない、不公平だと言われる」と言うので、あらためて教育委員会へ電話をかけて、「ちゃんとやってください」と言ったんですが、ダメでした。

結局、私の息子が通っていた小学校だけはしてくれましたが、他の学校は全部、4月6日の再開と同時に〝掃き掃除という除染〟が行なわれてしまいました。「いわき市には放射性物質は来ていません、放射能汚染はしていません」と市長が主張し、それを見せつけるためにわざわざ原発事故前と同じ日程で学校を再開させたのでしょう。

現場では、「こんな混乱した状況で、いわき市から避難した者もいれば、いわきに避難して来た人もおり、名簿が作れない」、「誰が来るのかもわからず、学級編成もできない状況で学校再開は無理だ」とも言っているのに、無理矢理再開した。

それで、最初にやったのが生徒による掃き掃除で、それだけでその日は終了でした。しかも、その後も混乱は続き、給食もできない状況でした。勉強どころではなく、アリバイ的な学校の再開だったんです。

さらに、学校再開のために避難先から子どもたちを引き戻したんです。親のケータイに電話をしてですね。ところが「遠く離れた東京ですから」と言うと、「お子さんは義務教育を受ける権利があるんです。それをあなたは保護者として阻害するんですか。権利を侵害するんですか、親の義務を果たして下さい、ちゃんと義務教育を受けさせて下さい」と。

おかしな話ですよ、子どもの被曝を心配して避難先にいるんだから、「じゃあその避難先の学校に行って下さい」とひとこと言えばよいのです。それを教員に言わせずに、「戻って来て下さいと言え」というような指示があったとしか思えません。そういう対応をしていたところが多かったようですが、私の場合は、「ウチは3月の時点で避難先の学校に行っています」と返事をすると、電話の向こうの担任の先生が「よかった」と言って泣いていました。

この件は知らされていませんし、反省もありませんから、次に原発事故が起きたら、また子どもたちに掃き掃除をさせるでしょう。しかも初期の微粒子のままの放射性物質だから一番危険な物質ですよ。それを子どもたちは再開の日、学校で掃き除染をさせられたんです。

福島原発被害東京訴訟原告団団長として

放射性物質が放出されてしまったという状況からして、「これはまともに賠償されないだろう、残念ながら裁判をやるしかないだろう」と覚悟はしておりました。

当時はまだ、私はいわき市の福島高専に引き続き勤務しておりました。ですから母子避難状態で、週末に東京に行くという生活をしていましたので、「何か裁判のような話があったら教えてくれ」と妻に言っておきました。そうしたところ〝動きがある〟ということでしたので、すぐに原告として申し込みました。

東京訴訟は、最初は4世帯8人で一次提訴〔2013年3月11日〕をし、その後の二次提訴〔2013年7月26日〕を合わせると17世帯、48人となりました。三次提訴〔2014年3月10日〕まで入れて、300人弱です。いま、四次、五次が入っていますので、もっと増えています。うちは原告団を作ろうということになりまして、裁判をやるにしても社会運動としてやるべきだし、そもそも原告だけが救われる形では解決をみないだろうと思い、「原告団を作って、被害者全体を救済するという動きを原告団が引っ張るという形を取るべきだ」ということになりました。

その時点で、〝顔出し、名前出しのできる人がいるか〟という点で、実は代表になれるのは

原発被害者訴訟原告団全国連絡会とは

原発被害者訴訟原告団全国連絡会

「原発訴訟全国連」または「原訴連」　　2016年12月

私たち、原発被害者訴訟の原告は、2016年2月13日（土）に、21原告団、9645人の原告が結集して「原発訴訟全国連」を結成しました。原告団だけでは、なかなか連絡が取れない中、早くから原発被害者救済にあたっていた全弁連（原発事故全国弁護団連絡会　代表世話人米倉勉弁護士）のご尽力により、結成に至りました。

この会の目的は、次の通りです。

（1）私たちは、同じ福島原発事故の被害者として、連帯してたたかいを進めます。

（2）私たちは、福島原発事故を引き起こした国と東京電力の法的責任を司法の場で徹底的に追求し、原状回復と完全な賠償を求めます。

（3）私たちは、裁判所に対し、早期の被害回復につながるよう、被害実態を直視した充実した審理を求めます。

（4）私たちは、悲惨な福島原発事故の被害者として、原発事故による被害の根絶を求めます。

（5）私たちは、国などの行政に対し、避難指示の解除をはじめとする帰還促進政策の見直し、避難用住宅の長期・無償提供、放射能汚染地域における被ばくを防ぐ対策の拡充及び医療・健康対策の確立などの長期的な被害救済策を要求します。

私たちは、この目的を達成するため次のような点に配慮しながら、活動しています。

○会の構成員　会の目的に賛同し、かつ、東京電力または国の責任を前提に原発被害の損害賠償を請求する訴訟の原告団及び原告団に準ずる原告により構成する。

○運営　（1）各原告団の代表が協議し、民主的に運営する。（2）全弁連（原発事故全国弁護団連絡会）、各地弁護団に運営をサポートするための協力を求めることができる。（会則より）

○会の代表委員は現在6名です。

早川篤雄（ふるさとを返せ・福島原発避難者訴訟団長）
中島孝（生業を返せ、地域を返せ！福島原発訴訟団長）
村田弘（福島原発かながわ訴訟原告団団長）
鴨下祐也（福島原発被害東京訴訟原告団団長）
森松明希子（原発賠償関西訴訟団長）
金本友孝（福島原発事故被害救済九州訴訟原告団団長）

2016年「全国連絡会」発足当時の資料

私しかおりませんでした。私は福島高専で、「被曝が危険だ」とか、「放射線管理区域より高い数値のところで教育をしている場合ではない、被害が出たらどうするんだ」、「食品汚染だってひどいだろう」と発言を続けていたので、いまさら隠してもしょうがないというのがありまして、〝引き受けましょう〟ということになりました。

正直なところ、私は自分が団長に適任だとは思いませんでした。しかし、東京訴訟の一次、二次提訴は、ほとんどの人が避難指示区域外だったので、被曝、汚染の被害を主張しないと何の被害かわかりません。そこを主張するには科学的裏付けが必要なので、〝自分でもいいのかな〟と引き受けました。

私たちが提訴した2013年3月11日には、全国各地で、一斉に同様の訴訟が提起されました。その後、全国に散らばる原発被害者訴訟の原告団は、「原発被害者訴訟原告団全国連絡会」〔注：2016年2月13日に、21原告団、9645人の原告で結成〕を立ち上げました。現在、同様の訴訟は約30。原告の数は1万3000人を越えています。私は共同代表でもあります。

東京訴訟では、地裁では国・東電に勝訴しましたが、高等裁判所レベルでも、国と東電が連帯して責任を負う形で、あらためて勝ちたいと思います。問題は損害賠償の方ですね。私たちとしては、〝避難元には戻れないだけの汚染がある〟、〝戻れない理由は放射能汚染があるからだ〟ということを認めさせたい。

司法の場に、こちらの証拠として土壌汚染の資料を出しました。原告全部の世帯の生活環境の土壌汚染が放射線管理区域の4万ベクレル／平方メートルを越えています。私の家なんか

原発被害者訴訟原告団一覧

01	「生業を返せ、地域を返せ！」福島原発訴訟
02	「生業を返せ、地域を返せ！」福島原発訴訟
03	「ふるさとを返せ」福島原発避難者訴訟
04	「元の生活を返せ」原発事故被害いわき訴訟 （略称：いわき市民訴訟）
05	福島原発・南相馬訴訟
06	福島原発被害東京訴訟
07	福島第一原発事故被害者集団訴訟
08	福島原発かながわ訴訟
09	原発事故損害賠償・北海道訴訟
10	山形
11	新潟
12	原子力損害賠償群馬原告団
13	愛知・岐阜
14	原発賠償京都訴訟原告団
15	原発賠償関西訴訟
16	福島原発事故ひょうご訴訟
17	宮城
18	原発事故責任追及及び訴訟（埼玉）
19	福島原発おかやま訴訟
20	阿武隈会訴訟
21	鹿島区訴訟
22	都路町訴訟
23	小高区訴訟（「ふるさとを取り戻せ！」訴訟）
24	福島原発ひろしま訴訟
25	福島第一原発事故損害賠償愛媛訴訟
26	福島原発事故被害救済九州訴訟
27	小高 2
28	福島原発事故津島被害者原告団
29	「ふるさとを返せ」福島原発避難者訴訟山木屋原告団

「原発被害者訴訟　原告団全国連絡会」発足当時の資料より作成。
http://www.jnep.jp/b-fukushima/gensoren/genkokudan/genkokudan.html　より

ですと、高いところは25万ベクレルでした。中には、いわき市なのに50万ベクレル／平方メートルを超えるというところもありました。ベクレルモニターの計測限度を超えてしまい、測れないところもあるくらいでした。それも２０１６年の値です。４万ベクレル／平方メートルという放射線管理区域の基準は労働環境として危険だという話ですから、やはり子どもも暮らす生活環境は４万ベクレル／平方メートルなど、あってはならないことです。当然、私たちが求めているのは原状回復です。追加被曝はゼロにさせなければいけない。〝こんな汚染が残るところには、とても戻れるはずではない〟ということをしっかりと認めさせたい。

２０１８年の東京地裁判決が、一歩前進したことは、今まで低線量被曝の影響について、司法の場では無視に近い状況だったＬＮＴモデルが、「一般通常人としては、ＬＮＴモデルが科学的に真実であると考えることは合理的であると認められる」と司法が判断したことです。ＬＮＴモデルが合理的であれば、汚染の残る避難元の危険性は明らかなので、避難の継続に理解が得られると思いましたが、そこまでは判断されませんでした。私たちはこの後、高裁での闘いがあり、他の多くの避難した被害者の訴訟と共に、被曝の被害を避けるためには、避難の継続が必要と訴えて続けています。東京訴訟の地裁判決から、さらに被害救済に踏み込んだ判決を勝ち取れるよう、力を合わせて、世論に理解を広めていかなければと思ってます。

原発から噴き出した放射能は、避難指示の境界で止まるわけも無く、静かに私たちにまとわりつき、被害を広げました。これによって被害者は激増し、そのほとんどを区域外が占めることになりました。避難指示区域内（大まかに見て半径30キロメートル）の人口は８万１０００

人。その外側の半径70キロメートル圏を想定すると、私の避難元のいわき市の他、福島市、郡山市を含む約１５０万人となります。避難指示により街が破壊され、見てわかる被害を受けた避難指示区域内は、被害者人口の点ではむしろ少数となったのです。もちろんこのさらに外側にも深刻な被害を及ぼしていますが、被害者のほとんどが時の政権によって線引きされた、避難境界の外側であることには違いありません。実際、いわき、郡山、福島の原告は、よほど特殊な場合を除き、判決において福島原発事故の被害者と認められています。また、小児甲状腺ガン患者の異常多発も、多い順に郡山、福島、いわきであり、避難指示の線引き外の被害者が9割なのです。ともすれば、見るからに街を荒廃させられた避難指示区域内の被害が、典型的原発事故被害と思いがちですが、見えない放射能

◆注：LNT〔Linear no-threshold〕モデルについて

1950年代以降、広島・長崎の原爆被爆者の疫学調査や動物実験の結果から、「遺伝的影響や発がんのリスクについては、しきい線量がない」と考えるのが妥当と判断され、後で述べる「確率的影響」が認知されました。その結果、「どんなに小さい被ばく線量だとしても線量に比例してリスクが存在する（直線しきい値なし＜Linear Non-Threshold: LNT＞モデル）」と見なす方が、防護上より安全と考えられるようになりました。従来のしきい値のある「非確率的影響」を回避すると共に、しきい線量のない「確率的影響」をできるだけ小さくすることが防護の目的となったのです。――首相官邸ＨＰより引用

＊上記のように首相官邸のHPには、「防護上より安全と考えられる……」とされていますが、100ミリシーベルト以下でも被曝に比例した発がんの影響が明らかになっています。その一例として、自然放射線による発がんリスク増加の報告があります。
英文で査読を経た論文でLNTモデルを支持する最も低い被曝線量の論文は、以下のURLを見てください。
https://ehp.niehs.nih.gov/doi/full/10.1289/ehp.1408548
また、LNTモデルと被曝の被害に関する研究の簡単な日本語解説としては、以下のURLが原発事故の被曝の被害を最も理解しやすい。
http://anti-hibaku.cocolog-nifty.com/blog/2016/10/post-5967.html

汚染地域こそが被害者の中心だったのです。原発から50キロメートル、100キロメートル離れた住民こそ、原発の恩恵無しに、事故の際、被曝の被害を押し付けられる当事者です。立地自治体が再稼働を容認しようと、離れた住民こそ、被曝被害の一方的押し付けを拒否して当然だと感じます。

さらに、放射能汚染は県境も越えました。その福島県外の原告も原発事故判決で被害者と認めさせた訴訟もあります。また、東京訴訟の原告には、県境を越えて放射能汚染の被害を受けた、栃木県の那須の原告も、一緒に闘っています。一度原発事故が起きれば、県境の向こうであろうと被害に巻き込まれます。世論の理解が無いことで、かえってつらい状況に置かれています。現状では無責任な電力事業者と国に、その被害を放置されるので、被害者と認めさせるためには裁判を起こすしかありません。原発立地県でなくても、過酷事故が起きれば当事者になってしまうのです。原発は際限なくひどい発電です。

残念ながら心配していた小児甲状腺ガンが見えてきてしまっている。少なくとも小児甲状腺ガンは原発事故のせいであることは疫学的に証明できるわけですが、それすら認めていない。〝原発事故による病気は一切起きていない〟、そういう主張がまかり通っている。せめてそこくらいは正した状況で判決を書かせたい。

問題としては、そこにフォーカスしてしまっては良くなくて、小児甲状腺ガンだけではなくて、いろいろな病気が出ているわけですので、少なくともそれらの問題もあるんだということを明確にしたいのです。〝被曝自体が被害なんだ〟ということを認めさせたい。

現状についての憤り

エネルギー政策ですが、私は経済第一だとは思っておりませんが、経済界にとっても不利なことをやっているように思います。原発はすでに高コストの発電形態になっていて、イギリスの原発でも日立がやっていますが、高すぎて買取り補償のようなぶざまな話になっているわけで〔注：2020年9月16日、日立製作所は、英国で原子力発電所の建設から運営までを担う一貫プロジェクトから撤退すると発表した〕、そんなものをやるのは経済的にまったく意味が無い。

結局、日本の原子力関係の会社は、アメリカで売れなくなったものを売りつけられて、ババを引いた状況ですけど、いいかげんババを引いたことを自覚して、どうやってそのババを処分するかを考えねばならないのに、ズルズル引きのばしているとしか思えません。

こんな状況の中で今度は〝小型原発〟を言いはじめました。原発がこれだけ大型化してきたのも、危険な発電方式なので安全装置をいろいろ付けた結果、非常に高コストになり、大きくしないと儲けが出なくなってしまったのです。小さくすれば済むという問題ではない。昔からあったアイデアを蒸し返して、ごまかして新しい開発であるかのようにして、研究開発予算を付けようという目論みでしょう。ばかばかしくて開いた口がふさがらない。

原告らが大きなダメージを受けたのが、〝避難住宅の打ち切り〟です。避難住宅の提供は、実質的には国の賠償的な意味合いも含めた政策だったのに、それが打ち切られてしまった。打ち切られたあとには2年限定の激変緩和措置しかなく、とても2年などでは汚染がなくらないことがわかっていたので、私たちは仕方なく、そのままそこに残留することになりました。

いわき市のことですが、汚染の実態が明らかにされていないのです。たとえば、「いわき情報局見せる課」〔注：2012年10月発足〕というのが、いわき市のホームページにありまして、放射性物質による食品汚染、空間線量、それから土壌汚染の検査を発表していたのです。事故以前は、ベクレル／キログラムで小数点2桁まで測るのが食品の測り方でした。ところが事故後の食品汚染の検査は〝生のままミキサーにかけて測るだけの、1桁レベルしか測れない精度〟になってしまいました。スクリーニング〔注：迅速に結果が得られる簡便な検査を行なうこと〕レベルの測り方が、あたかも食品汚染の測り方のようになり、ND（不検出）ばかりの何の参考にもならないホームページになってしまった。それでも当時はそこに土壌汚染を公表しているページがあったんですけど、それも消されていまは無い。こんな状況でどこが安心なのでしょうか〔注：2016年には「魅力アップ！　いわき情報局魅せる課（通称：魅せる課）」と改名している〕。

50年後の福島について

原子力産業が来たところは、それ以外の産業は集まりません。福島県は事故後、補助金を付けて呼び寄せましたけど、実質的に動いたのはほんの一部で、結局、ロボットだとか廃炉産業みたいなのがほとんどでした。廃炉ロボットは、兵器の開発ですね。兵器ロボットと同じですから、兵器を作るのに廃炉ロボットという名目で予算を取っているに過ぎない。それ以外の産業は来ないんですよ。汚染しているわけですからね。

もう一つ、食品の福島ブランドは、マイナスの価値となってしまいました。30年後、50年後も汚染は残っていますので、将来にわたってブランド価値の毀損《きそん》は続きます。そこまで含めて賠償しなければならないはずですが、それは無視されている。

みんな口にはしていないが〝汚染しているし、被曝の危険がある〟ことを心の底では、思っているんです。子どもに何かあると、男性にも原因があるのに、一般的には女性のせいにされてしまう。女性の方がシビアに判断しているように思います。高校を出るまでは子どもは〝どこで学ぶか、どこに住むのか〟の選択権はないが、卒業すれば自分で選べます。そうなった時に福島から出た女性がたくさんいます。実際、20代前半の県外への流出率は非常に大きく、たくさんの人が出て行っている。

残念ながら人口は減っていく。いまは衰退がわからないように、経済的なテコ入れがなされている。県の予算は、事故直後は倍増したし、ジャブジャブお金が流れ込んでいる。でもそれは、いずれ悪化するであろう状況を見えなくしているに過ぎません。30年後、50年後、この状況が続いているわけがありません。相当厳しい状況になっているのではないでしょうか。そこまで含めた被害として、国と東電は責任を負うべきなのに、それをやらずに、被害隠しばかりしているように感じがします。

補記：避難しなくて済むように

原発事故によって受けた被害の根本は、
まき散らされた放射性物質による被曝の強要だ。
避難は強制だろうと区域外だろうと、
過酷なことには違いない。
避難しなくて済むように、
被曝しなくて済むように、
私たちは求める。

（2021年3月15日　かもした　ゆうや）

証言●6

鹿目久美さん

福島県大玉村から神奈川県相模原市に避難。

鹿目久美さん――インタビュー：2019年2月11日

3月11日、その日

3月11日の午前中は、郡山《こおりやま》市の富田西《とみたにし》で、娘の子育てサークルに出ていました。昼ごはんを食べて〝さあ帰ろう〟と、金曜日にはいつもまとめ買いをしていたので、〝これから買い物に行こう〟としていて、家のある大玉村《おおたまむら》に向かって帰る途中の4号線を車で走っていました。たまたま信号待ちをしている時に、揺れが来ました。

その1カ月くらい前から、震度3、4の地震があたりまえのようにあったので、〝あっ！また地震だ〟みたいな感じでした。それでもちょっと怖いので、車を端に少し寄せて待っていたら、すごい、尋常じゃない揺れが来ました。たまたま車を買い換えたばかりで、当時4歳の娘は新車が楽しくて、後ろの荷物置き場に入っていたんです。あまりにも大きな揺れが来たので、「危ないから、とりあえず前に来なさい！」と言って、ヒザに乗せて抱きかかえました。まるでトランポリンで跳ねているような感じでした。ラジオを付けたんですけど、アナウンサーでさえパニック状態の声が聞こえてきました。

ちょうど本宮《もとみや》警察署の前だったので、とりあえず娘を抱えたまま、車の中で揺れが落ち着くまで待っていました。その時の景色は、すべて歪んで見えましたね。電線もすごく揺れていたし、電柱すら揺れていたので怖かったですね。〝尋常ではないな〟と思っていると、警察署内に人がバァーと入っていくし、あわただしくなり、どうしようかと思っているところ、警察の人が、「ちょっと休んでいくように」と声をかけてくれました。でも、そこから自宅まで5分ぐらいの距離なんです。主人も夜勤明けで家で寝ているのがわかっていたので、娘に「大丈夫ね」と言って、警察の人には、「いますぐに帰ります」と言って、家に向かいました。

途中、町は停電していて、信号は消えていました。地震が起きる前までは、曇り空ながらも明るい感じの天気でしたが、急に空が真っ暗になってきて、雪がワァーと吹雪《ふぶく》ように降ってきて、なにか異常な感じを受けました。〝地球が壊れちゃったんじゃないか〟みたいな感覚で、とても怖かったことを覚えています。家に帰る途中は、家の塀が崩れていたり、瓦がいっぱい落ちていたり、地震がおさまらない中でも塀を片付けている人がいて、〝いまはまだ危ないのに〟なんて思いながら家に帰り着いたのを覚えています。

家に帰ったら主人がテレビを押さえていたのが印象的でした。飼っていた犬が見当たらなくて必死に探していたら、下駄箱の下にとっても小さいすき間があるんですが、そこに隠れて震えていました。家の中は、本棚から少しばかり本が落ちている程度で、それほど散乱しているという感じでありませんでした。ただ、大きくて重量のある薪《まき》ストーブの位置がズレていたのには驚きましたね。ですから〝相当な揺れだったんだな〟と思いました。

家に帰ってからも娘はおびえていたので、テーブルの下にとりあえず毛布とか座布団を集めて、揺れたらそこに入るようにしました。私も怖かった。大きな地震と小さな地震がずっと続いていて、1時間近くも地震が止まるということがなかったので、〝いつまで続くのだろう〟と思っていました。家は停電していたけど、水は出ていたので、その瞬間から風呂に水を溜めたのと、福島って湧き水が出るので、それを汲みに行けるように全部で60リットル分くらいのタンクが用意してあったのでそれにも水を入れたり、全部の鍋にも念のために水を入れました。

買い物に行く途中だったので食料があまりなく、食事はとりあえず手を加えないで済むものにしました。パンが何個かあったくらいで、カセットコンロもないし、家は皮肉なことにオール電化でしたので、電気は使えないためどうしようかと思っていました。食欲もないし、仕方がないのでわずかにあったパンを3人で分け合って食べて、その夜は過ごしました。

その時からずっとラジオをつけて聞いておりました。流れていたのが、避難所を開設するのにも〝手弁当で〟という感じで、「○○小学校の体育館を避難所にします、だけど毛布などが足りないので、近所の人で持ってこられる人は持ってきて下さい」とか、そういう情報をラジオが流していて、「1時間のうちに持ってきて下さい」とか、「おばあちゃんがおるので、水を持ってきて下さい」とか、そんな感じの情報をずっとラジオで聞いておりました。生活情報でしたね。

それから、ウチの主人のお父さんが郡山で一人で暮らしていたので、少し落ち着いた時に郡山に行ってみようと思いました。家には車が2台あり、たまたま2台ともガソリンは満タンでした。郡山に行く途中のガソリンスタンドでは長蛇の列をなしていました。どこのお店も閉っていましたが、モスバーガーのお店だけはやっていて、「材料が無くなるまで売ります」というのを覚えております。お義父さんのところも何も被害がなかったので、「とりあえず大丈夫ね」と言って帰りました。主人は当日は夜勤だったので、一応職場に顔を出しました。工場勤務で電線とか光ファイバーとかを作る仕事です。震災があると忙しくなるような会社だったのですが、3日間ぐらいは動かなかったように思います。

その日の夜は私は眠れませんでしたが、主人と娘は意外にのんきに寝てしまったんです。ですから私一人でみんなと連絡を取り合って、被害状況を交換し合いました。食料とか水とかの確認を20人くらいでしました。「ウチは水と食料が3日間くらいは大丈夫」と言ったのは20人の内、1家族しかおりませんでした。「やっぱりみんな蓄《たくわ》えは無いんだな」と思いました。

3月12日から17日

次の日は食料を買い求めることと、福島市内の友達がけっこう大変な状態でしたので、市内は水も止まっているところがあり、困っている人へポリタンクの水を届けたりしました。食料は、建物の中は危ないので、外に出して売っていたので、それを買いました。大玉村って農家が多いので、備蓄の食料がたくさんあるんですよね。ですから買い占めするようなことは起きませんでした。〝ここの土地の独特の、良いところだ〟と感じました。

電気は3月12日の夜にはついたんです。その時、テレビをつけて、その映像は津波のひどいものをずっと流していて精神的に不安定になるので、ちょっとはつけて見ましたが、あとはつけずにいました。ラジオはつけっぱなしで聞いていましたが、12日の福島第一原発の爆発は、聞いた覚えがないいんです。ですからのんきに普通に外を散歩しておりました。友達が家に来て、お風呂に入れてあげたりとかの対応して、3月13日、14日は意外に平穏に過ごしておりました。

友達のところへ行ったりしましたのでガソリンも少なくなり、少し不安になり、ガソリンの情報をネットで調べたりしました。近くに安達太良《あだたら》サービスエリアがあり、〝そこの中のガソリンスタンドが携行缶を持っていけば売ってくれる〟という情報が入り、主人は仕事があり、「ちょっと買ってきてくれないか」と言うので、娘と2人で行き、2時間くらいそこで並んだんです。自衛隊の車とかトラックとかがたくさん停まっているなか並んで、みんなで協力しながら買って帰りました。その夜、お風呂に入って顔を洗った時に顔がピリッ！　ピリッ！としました。日焼けした時のようで〝何か変だな〟と思い、娘にもママこうなんだけどと言うと、娘も同じことを言いました。その時はなにもわかっていなかったし、放射能のこともわかっておりませんでした。ただ、日焼けしたくらいにしか思わなかった。咳もひどく出たんですけど、トラックの排気ガスをいっぱい吸ったぐらいにしか思いませんでした。

いま思うと、〝何か汚れた空気を吸ってしまったのではないか〟という思いです。それが不安になってしまいました。2回目の爆発が確か14日でしたね〔注：福島第一原発3号機の水素爆発は、14日11時1分〕。そのことも情報として入って来た記憶がないんです。

3月15日になって、福島市が20マイクロシーベルト以上になりました。あの時くらいからテレビやラジオから放射線量の情報がよく流れはじめました。しかも、主人が仕事から帰ってくるとき、どこかのお店に立ち寄ったら、「線量が上がっているのでお店を閉めます」と言われたそうです。「そんな状態だよ」と言いながら帰ってきました。テレビをつけはじめると、ここまで上がったという情報が流れはじめ、でも、テロップで数値が流れても放射能の単位がわからないので、どういうことかと思っていると、「レントゲンで放射線をかけると何ミリシーベルトという単位で被曝《ひばく》します、それに比べたらぜんぜん大丈夫です」とさかんに言ってました。そして枝野幸男《えだのゆきお》さん〔注：当時の官房長官〕が出てきて「ただちに影響はありません」と言うのを一緒に流していて、そのテロップも毎日、毎日、各地の放射線量とレントゲンの数値を並べて、ずっと流し続けていたのを記憶しています。

その時はまだ避難とかをあまり考えていなかったというか、〝ここにいてもいいのかな〟という不安はあるものの、あまり実感がありませんでした。だけど3月15日に放射線量が上がった時から、いっさい娘を外に出しませんでした。外に出る時は必ずマスクを着けさせました。事故前は一緒にゴミ捨てに連れて行っていたんですが、その後は外に出さずにいました。隣の子とかは、外に出る時はゴーグルをして出てきていました。そのころから気をつけはじめました。

16日かな、ずっとラジオを聞いていて、元新聞記者で名前に記憶がありませんが、原発のことをずっと取材してきた人がラジオに出演し、みんな不安なのでいまの状況はどうなんだと説明しているのがあって、「距離が離れれば離れるほど線量は低いので、30キロ以上離れれば大丈夫だ」という情報を流していたんです。

私は何もわからない状態で、福島に原発があるということは知っておりましたけど、意識の中にはありませんでした。唯一、子育てサークルが「新婦人の会」の系列のサークルだったので、私たちの母親世代が一緒にサークルにいて、その母親世代の人たちが社会問題をやっていて、原発のMOX燃料〔注：原発の使用済核燃料から「再処理」をしてプルトニウムを取り出し、そのプルトニウムとウランの混合した燃料。Mixed Oxide（混合酸化化合物）の略〕反対の署名活動をしていました。福島原発事故の半年前に〝福島の原発をMOX燃料にする〟ということを聞いたその時、はじめて原発を意識して、〝そんなに怖いものが福島にあるんだ〟というのを聞いて、目覚め、その時はじめて調べたんですね、燃料のこととかを。〝こんな怖い危険なものなのか〟と感じていたにもかかわらず、すっかり忘れていました。実際の影響というのはチェルノブイリ原発事故のこともかすかな記憶しかないので、私自身も安心していたかった、大丈夫だと思いたかったんですね。

その放送を聞いた時、正直ホッとしてしまいました。主人が帰ってきた時、「大丈夫だって、ラジオでやっていたよ」と言った記憶があります。その放送も「聞き逃したのでもう一回」というリクエストがたくさんあって、毎日何度も流していた記憶があります。

相模原市の実家へ

震災のちょうど1週間後が3連休だったんです。元々神奈川県相模原《さがみはら》市の私の実家に遊びに帰る予定だったんですね。原発事故も大変な感じだし、テレビで流れているあのモクモクと煙が上がっているのを見ていると不安で、〝やっぱりここは怖いな〟と思ったので、3月18日の金曜日に〝じゃあ実家に帰ろう〟ということになって、主人と娘と3人で車で帰りました。1台はガソリンを満タンにして、とっておきました。1カ月前に買った新車は燃費も良いので、ガソリンを入れなくても大丈夫だと思ったので、その車で帰りました。

ずっと国道4号線を南下して行ったのですが、避難する人の車がいっぱい通っていました。車によっては、車の後ろに「原発事故の避難者です」という紙を貼っている人もおりました。途中々々で、コンビニに入ったんですけど、食べ物はなく、調味料くらいしか残っておりませんでしたね。ラジオでも言っていたのですが、流通が止まっていて、〝トラックの運転手さんも原発事故で怖いから県境に荷物を降ろして帰ってしまう〟という情報も入っていました。栃木県の那須《なす》あたりに来たら、みんな買い物をしているのですが、その人たちの中で、浜通りの方から避難してきた人が、「昨日はガソリンがなくて、あそこまで行けなかった。今日は10リットルばかり入れられたから、どこまで行けるかな、行けるところまで行きたい」という話をしていたのを耳にしました。〝大変な思いをしている。ウチはガソリンがあるから良いけど、分けてあげることすらできない。ウチはまだいいんだな〟と思いました。

しかし、埼玉県ぐらいまで走って来ると、ガソリンがどんどん減っていくので不安で不安でしようがありませんでした。渋滞にぶつかるんですが、だいたいガソリンスタンド渋滞でした。私たちも〝ここなら入れてもらえるかなあ〟と思い、並んでいると、10リットル入れてもらえました。とりあえずホッとして、また走り出すと〝そういえばマスクが無い〟と気づき、大きなショッピングモールに入ってみたら、〝普通の週末〟がここにはあったんです。私たちは必死の思いでここまで来たのに、〝何でこんなに違うんだよ〟と思いました。埼玉県の浦和だったと思います。あまりにもの違いに愕然《がくぜん》としてしまいながら、とりあえずマスクを買い求めました。

ウチには薪ストーブがあったので、その薪ストーブで煮炊きをすることができました。それで、実家に帰ろうと決めた時に、どこで何を買えるかわからないと思って、おにぎりをいっぱい作ってきていました。それなのに私と主人が甘いものを食べたくなって、「一人1個ずつ好きなものを買おう」という話になりました。娘（4歳）もずっと我慢をしてきたので、「好きなものを買っていいよ」と言ったら、「ママが作ったおにぎりがまだいっぱいあるから、私はそれでいいよ」と言ったんです。それがとても印象に残っています。子どもが食べたいのを我慢をしているのに、私たちが食べるわけにもいかなかったので、泣く泣く後ろ髪を引かれるような気持ちで車に戻りました。

実家に帰り着いた時には、ほんとうにホッとしましたね。福島をお昼前くらいに出て、到着したのは暗くなるころでした。親とは連絡がとれていました。SNSをやっていましたので、つながっていました。私の実家ですので、着いた時にはほんとうに安堵しました。それからは情報集めをしなければならないと、ひたすらネットにかぶりついたり、テレビを観たりしていました。

幼稚園の入園式と共に大玉村へ

いまから思えば、せっかく相模原に行っていたのに、4月に娘の幼稚園の入園式があったので、そのために福島に帰りました。大玉村の中では放射能のことをそんなに気にしていない感じでした。4月の時点で福島では、お母さんたちもいろいろネットを見るようになっていたのですけど、それでも周りにネットで情報を得ている人はあんまりおりませんでした。ほとんどの人はテレビを観て情報を得ていたので、安心していたところもあったと思います。

私はネットにかぶりついて、いろいろと情報を得ていたので、自分の得た情報とテレビから流れていた情報との差で、どちらを信じていいのかというか、私はもともと性格的に最悪のことを考えて行動するタイプなので、気をつけるに越したことはないし、危険だという情報ばかり仕入れたし、そうなってくると周りともいろいろなギャップが出てきました。

4月に琉球大学の矢ヶ崎《やがさき》名誉教授〔注：ユーチューブ「矢ヶ崎克馬氏：依然として最大の脅威は内部被曝のリスク」スペシャルリポート2011年5月19日（https://www.youtube.com/watch?v=SALUz7FJr2A）を観ることができる〕の内部被曝についての講演会があり、それを聞きに行きました。内部被曝の怖ろしさをそこで知りました。

一番強烈だったのは放射線管理区域の数値を見たら、大玉村よりそちらの方が低くて、自分の方が放射線管理区域以上の空間線量の中にいるんだということに不安がつのりました。あのころ、1・2マクロシーベルトくらいの放射線量が大玉村のわが家にあったんです。私は夏休み前まで大玉村で過ごしたので、ひたすら勉強をしました。テレビは観なくなっていました。自治体の防災無線では、原発の爆発は流さなかったと思います。

ただ当時の村長・浅和定次《あさわさだじ》さんが意識のある方でした。私は4月に戻った時、子育てサークルとかの母親の集まりにもよく行っていたんです。そこに、村長さんが「お母さんたちが不安を抱いているだろうから、意見を聞かせてほしい」と言ってきて、私たちを村長室に招いてくれて、私たちの不安を聞いてくれたんです。村長さんも孫がいるので、「不安で、自分で除染している」と、家をね。ちょうど5月に直売所でお祭りがあるんですが、村長さんが「それには来ますか?」と言うので、「いやいやあそこは芝生だし、怖くて行けません」と言ったら、「そうか、それだったら芝生を剥《は》いで、きれいにしたら来られるかな?」と言いました。当時2マイクロシーベルトくらいありましたので、たぶんそれで動いて、というよりどのようにしたら私たちが安心できるかという意味で、村長さんは聞いてくれたのだと思います。「土をきれいにしてくれたら行けるかもしれない」というようなことを私たちが言ったら、1年前に植えた芝生がやっときれいになっていた時ですが、次の日にすぐに芝生を剥いでくれました。500万円かけて、剥いでくれたみたいです。私は、「食べ物も怖いし、空間線量もこんなんでどうしてよいかわからないし、やっぱり子どもを外に出すのが不安だ」とかいろいろ言いましたら、「食べ物を計測する器械も入れるつもりだし、すでに注文してあるし、ガイガーカウンターも貸し出しできるように用意する。今月中には用意するつもりだから」という話をしてくれたんです。

大玉村では、5月の連休中に幼稚園も、小学校も全部、子どもの施設は除染をしてくれました。二本松市《にほんまつ》と本宮市《もとみや》と大玉村は、「連携してきちんとやりましょう」ということを進めていました。当時の村長さんはそういう感じで動いてくれていました。いまはその村長さんも変わっちゃいましたが、意志は引き継いでくれているような話は聞いております。私はその後、福島を離れて、ずっと相模原市におりますので、直接の話は伝わってはきませんが。

娘が通った幼稚園の副園長は女性だったんです。すごく慎重になってくれて、除染をしたからといって外遊びをさせるわけではありませんでした。窓も開けなかったけど、保育園では除染をしてからは窓を開けてたりしていたので、ちょっと違っていましたね。でも他の地域よりは理解をしてくれているので、〝ここにいてもいいかな〟という気持ちも少ししていました。私は3月に相模原の実家に帰っている時、神奈川の人たちの無関心さ、放射能汚染のことをまったくわかっていない空気を感じていたので、〝もしかしたら大玉村にいたほうが子どもを守れるかもしれない〟、〝きっといつかは関東にいるよりはよいと思える日が来るかも知れない〟と思っていたのかもしれません。

大玉村はそういう状況だったし、主人も〝家族が離れて避難する理由があるのか〟と思っていました。でも、外遊びをさせたい時は、わざわざ山形県の米沢《よねざわ》まで車で出かけて行きました。一応、娘には放射能のリスクをちゃんと話して、マスクをするようにと言っていたので、私以上に神経をつかっていましたね。マスクをする前に車や玄関のドアを開けたりすると、パニック状態になっていました。印象的なのは米沢に行く途中で、いつも福島では窓を開けないんですが、米沢に入ったので安心して窓を開けたんです。ちょうど娘は眠っていたんですが、目を開けて窓が開いているのを見て、「キャー！」とパニックになってしまいました。それを見ていたらもう私は限界だと思って、こんな思いをしてここに留まる必要があるのかと思いながらも、なかなか踏ん切りがつかなくて、夏休みがはじまるまで大玉村にいたんです。

やっぱり、1・2マイクロシーベルトというのは、私の中で脅威でしたし、残留放射能がある環境で子育てをする自信がなくなりました。単純に考えて1・2マイクロシーベルトって、震災前の何倍だろうと考えた時に何百倍ですよね〔注：神奈川県の環境放射線量は0・01マイクロシーベルト／時〕。〝この子が1年間大玉村にいたら、事故前の一生分の被曝をしちゃうんじゃないか〟と思いました。単純に考えても〝なるべき病気が前倒しで来てしまうのではないか、この子にそんなリスクを背負わせた〟というのと、〝3月14日に外で過ごしてしまったことが初期被曝ではないか〟と思う気持ちが、いまでもあります。

2011年の夏休みがはじまると同時に実家に行きました。主人が「放射能は怖いから夏休みの間は行っていいよ」と言ってくれました。でも、その時はまだ〝避難する〟とは決めていませんでした。

神奈川県相模原市へ本格的に避難

「そろそろ2学期がはじまるね」という時に、娘に「そろそろ2学期がはじまるから福島に帰らなければならないね」と言うと、「放射能が怖いから帰りたくない」と言ったんです。

夏休みの間も、私は勉強に行きました。小出裕章《こいでひろあき》さんの話も聞きに行ったし、いろいろな話を聞いて、私の中でも〝やっぱり福島に帰るのは無理だ〟と思っていた時に、ちょうどよいきっかけを娘が作ってくれたので、主人にもそのことを言って説得して、「娘がいうなら、それではしばらく行っていたほうがいいね」と言ってくれて、それからちゃんとした避難生活がはじまりました。

賠償についてですが、私は避難指示区域ではなかったので、一時金の大人1人8万円と子どもは40万円、それのみでした。これは1回でした。支払は1回のみ。8万円の理由ですが、それは不安な気持ちの賠償金だそうです。それは1万円×8カ月分ということだそうです。子どもは影響が大きいということで5万円×8カ月分で40万円ということでした。

その他は母子避難をしているので、高速道路が無料です。母子避難している場合、父親と離れている証明ができれば無料化という制度があるんです。まだ、現在（2019年2月）もあるんですけど、それは2022年3月まで延長になっています。避難住宅の人たちは、住宅支援があるんですけど、私の場合は実家ですから何もありません。

4歳だった娘も、いまはもう中学生になりました。当時はやはり鼻血をすごく出しましたね。しかもびっくりするような量でした。福島にいる3カ月間は、風邪の症状の無い熱が、3度も4度も出ました。ウチの娘はそれまでは年に1回くらいは熱を出しましたが、すごく丈夫で、それが3カ月の間にそれだけ熱を出したり、鼻血を出したりで、しかも30分以上も止まらないこともありました。私も動悸がすごいのと、目がかすむようになってきました、3年〜4年くらいは神奈川に来ても鼻血はひんぱんに出ました。娘は日常的に鼻血が出るので、もう驚きもせずあたりまえで、自分で処理するようになっていました。それ以降はやっと鼻血は出ることが減りました。

血液検査も受けています。3年くらい経ってから「さがみ生協病院」〔注：神奈川県相模原市南区、本書090頁にも注あり〕のところで、被曝検診を受けています。広島・長崎の被爆者の被曝検診をしていたところです。そこでは無料で受診させてもらっているんで甲状腺についても検診してもらっています。異常は無いようです。尿検査をしたらセシウムが少し出ましたね。これからも検査は続けていこうと思っています。

実家で暮らしていると情報がまったく伝わってきませんでした。裁判のことは、知っていればたぶんかかわったと思います。知ったのがもう、募集を締め切った後だったんです。住んでいるところが避難者の集団であれば情報も伝わってくるのですが、いろいろなサービスを受けられることなども事後に知って、加われませんでした。

「母ちゃんず」の活動

いまは福島県内の親子を相模原に招待して保養してもらう「保養キャンプ」をやっています。近所の相模原の幼稚園の有志のお母さんたちが「保養キャンプ」をやりはじめたんです。最初はかかわっていませんでしたが、近所のお母さんに「こうゆうことをやりはじめるんだよ」と誘われました。私がそれにかかわろうと思ったのは、当時、各地の保養に行って、傷ついて帰ってくる福島のお母さんたちがいっぱいいたからです。保養する人は被曝がわかっていても、避難が選べなかったから保養に行っているんですけど、「何で避難しないか」と言われることが多かったみたいなんです。みんな避難ができないから、せめて保養に行っているのに、迎える人たちがよかれと思って言ったことに、傷ついてしまうのです。

ごあいさつ

はじめまして、母ちゃんずです。

私達は、神奈川県相模原市の津久井にある共同保育の幼児園「つちのこくらぶ」に子どもを通わせる保護者有志が立ち上げたグループです。

私達は、安心して外遊びができない福島の子どもたちとその親を呼び、「保養キャンプ」でまったりと過ごしてもらっています。

「保養キャンプ」は、短期間でも線量が高い場所を離れることで、体内に取り込んだ放射性物質が排出されるなど、心身のリフレッシュ効果が期待されています。
放射線の影響を心配して外遊びが制限されている子ども達には、体力回復や免疫力の増加もあると思われます。

福島やその周辺の状況は厳しいです。
親達は、必死で子ども達を守っています。

私達が使っていた電気のせいで、誰かが苦しむこと。
子どもの命と引きかえに、何かを得ようとすること。
私達は、このことからさよならしましょう。

試行錯誤しながらの活動ではありますが、どうぞ末永くお付き合い下さいますよう、お願い申し上げます。

キャンプ開催

第1回	春休みまったりキャンプ	2012/3/28～4/2
第2回	夏休みわっしょい!!キャンプ	2012/7/22～27
第3回	冬休み今度こそ!!まったりキャンプ	2012/12/22～27
第4回	春休みもりもりキャンプ	2013/03/28～04/02
第5回	夏休み燃え萌えキャンプ	2013/07/28～08/02
第6回	冬休みほくほくキャンプ	2013/12/21～26
第7回	春休みむずむずキャンプ	2014/3/30～4/4
第8回	夏休みどんつくキャンプ	2014/8/3～8/8
第9回	冬休み焚き焚きキャンプ	2014/12/23～12/27
第10回	春休みもちもちキャンプ	2015/3/28~4/1
第11回	むしむしキャンプ	2015/7/30～8/3
第12回	春休みまだまだキャンプ	2016/3/29～4/2
第13回	夏休みどろんぱキャンプ	2016/7/26～7/30
第14回	春休みゆるゆるキャンプ	2017/3/29～4/1
第15回	リバーサイドわくわくキャンプ	2017/7/28～8/1
第16回	春休みからんからんキャンプ	2018/3/28～3/31
第17回	サル・さる・SALSAキャンプ	2018/7/24～7/28
第18回	2019年平成サイゴの大キャンプ	2019/3/31～4/3
第19回	夏休み♬ダンダンダンスキャンプ	2019/7/25～7/29

「母ちゃんず」のホームページより作製 https://karchanz.jimdo.com/

相模原に来る人たちには傷ついてほしくなかったので、かかわったんです。私が福島のお母さんたちの気持ちを伝えると「母ちゃんず」の人たちは、「じゃあもっと教えてほしい」という感じになり、それでスタッフとなり、いまも続けています。

当時はいろいろと複雑な思いをしていました。私も保養キャンプの話を聞いた時には孤立状態だったので、心療内科にも通い、薬も飲んでいた時で、神奈川の人たちのあまりの無関心さに怒りもあったし、孤独だったので、誰も信じられない状態だったんです。「母ちゃんず」の活動は嬉しいけど、〝ほんとうにこの人たち、大丈夫か〟というような気持ちで、たぶん半分くらいは監視役ぐらいの気持ちでかかわったんじゃないかな、と思います。いまは安心の場所でもありますけど、喜んで加わったというよりも、〝これ以上、福島の人たちを傷つけないで〟という思いから加わったんですね。

私は山下俊一《やましたしゅんいち》教授の話については、直接、彼の話を聞いていないんですが、ネットでリアルタイムの配信を観ていて、ただあきれるというか、怒りを通り越している感じです。でも、相模原に保養に来たお母さんたちの中に、「山下教授の講演会に行って、大丈夫だと言われたから子どもに外遊びをさせちゃった」というお母さんがいて、当時それをとても悔やんで、「だから保養に来なければ、と必死に来るようになった」という話を聞いた時、はじめて強い怒りを感じました。そういう苦しみを与えたということがすごくつらいですし、私自身も一番ひどい3カ月を福島にいたことを悔やんでいるので、どれだけそのお母さんたちが悔やんでいるかと思うと、何か、もう取り返しがつかないですよね。だからそこが一番悔しいです。

福島第一原発の視察

私、〝自分をこんな目に合わせたものを自分で1回見ておきたい〟という気持ちがどうしても消えなくて、「原発を見に行く」と言ったら、たいがいの人が反対したんです。私自身、視察している間に何か起きたら帰ってこられないと思っていたので、かなり自問自答して、娘にも話さず、家族にも話しませんでした。２０１７年4月のことです。

原発の視察をするセクションがちゃんとできていて、何でしょう、すごい手厚い扱いでした。そこに行ったら、「ご迷惑をおかけした」とその場では謝っていましたね。すごい手厚さで、それがまずそらぞらしいというか、気持ちが悪かった。視察にあたっては〝どれだけ厳重に放射線被曝の管理をするのかな〟と思っていたんです。「見学中に何か起きたら責任を負いません」という念書でも書かされた方が、〝この人たち、責任を持とうとしている〟と思っただろうに、それすらない。

富岡《とみおか》からバスで移動したのですが、道中の道路に放射線量が表示されているじゃないですか。「2・8マイクロシーベルト」を表示したのですが、それを説明するために、「当時は何百マイクロシーベルトまでいったけど、いまはこんなに低くなって、年間20ミリシーベルトを切っているので、ここはもう避難解除になっています」という説明がなされました。白い手袋1つでバスに乗せられ、線量計を付けて、1番高くて50マイクロシーベルトの場所を通りました。4号機には核燃料が入っていないので、5～6メートルほどのところまで近づきました。

私が行った時は幸いといってよいと思うのですが、いつもは2号機と3号機の間を通るんだそうですが、「工事の関係でそこは通れません、残念ですね」みたいなことを言われて、そんな1番ひどい線量のあるところは通りたくないので、逆に私はラッキーだったと思っています。いまでは、そんなところを通り、見学させるんです。

私が視察に行く前には、高校生が行ったという話がありました。〝こんなところを高校生に見学させたんだ〟とあきれました。「防護服も着ないで作業をするところが増えた」とか、そういうことを言うんです。「これから2号、3号機の核燃料を取り出す作業をするんですが、まわりも大部避難解除になっているので、ここに住む人たちとコミュニケーションを取りながらやっていこうと思う」と言っていました。〝コミュニケーションを取るつもりあるの？〟、〝まだ核燃料を取り出す方法も決まっていないのに、どうやって？〟と、思うじゃないですか。

1時間ほどの見学を終えて、線量計を見ましたら10マイクロシーベルトが計測されていました。案内した人は、「10マクロシーベルトしか被曝してません」と言いましたが、私は〝たった1時間で〟と、怖くなりました。構内に戻るとコンビニがあり、従業員募集の貼り紙があり、〝時給1500円という破格でないと人が集まらないのかな〟と思いました。東電側は本気で責任を取ろうという意志のないことを感じて、〝確認できて良かったな〟と思いました。

一緒に行った人たちは反原発の人たちだったのですが、「もう一回来ますか？」と聞くと、「また来たい」と言うんです。「廃炉のためには東電を応援しなけりゃあ」と言う人まで現れましたね。視察のあと、東電社員の方に原発の今を聞く機会がありました。その方は、「廃炉に向かってやる技術は今後また原発事故が起きた時に、福島原発の技術は絶対に役に立つ。世界最先端の技術を使うことになるから」みたいなことを言い出したんです。「また起きた時」と言ってしまう！　絶対に言ってはいけない言葉でしょう！　「この次に原発事故が起きた時には、この事故の教訓が活かされるでしょう」みたいなことを言うではありませんか！　私は2度と行きません。

浪江町《なみえまち》の帰還困難区域に入れてもらいました。町があるのに、人がいない状態を見るのはつらいものです。家は動物に荒らされ、ひどいものでした。町の人はいないのに、除染作業員がいるところだけがにぎやかになっていました。

いま思うこと

震災が起きて1年目に「母ちゃんず」のブログに私はこんなことを書きました。

震災から1年目の節目の今日。被災と被曝を経験した私にとって、この日は忘れることの出来ない日になりました。この日を迎えた今の思いを、感じるままに言葉に残したい……それぞれの立場から、この想いを感じてもらえたら嬉しいです。

今日で震災から1年です。

テレビでは震災を取り上げた番組が、毎日のように放送されています。

今まで知らされていなかった現実を目の当たりにし、言葉をなくし
あふれ出てくる涙を止めることが出来ません。

実際に被災した私達にとって、
あの日のまま時間が止まっているような気がします。
福島の被害は地震だけでなく、原発事故という
今までに日本では誰も経験したことのない事態に直面し、
いつ終わるかわからない放射能被害に心を痛めています。

一番の悲劇は、どんなに町が復興しても……
私達が生きている間はずっと放射能被害の不安に怯え、
事故前の環境が戻って来ないということ。
被曝を強いられた私達は、一生……
そして、我が子が授かるであろう
まだ見ぬ子どもにまで、何代にも渡り
健康被害の心配を抱えて生きていかなくてはいけない。
その現実にも目を向けず、原発再稼働への動きが活発化しています。

この小さな日本に、54基もの原発を推進してきたことに
疑問を抱かず黙認してきてしまった責任。
原発稼働による、人の寿命の何倍もの時間を費やして
管理していかなくてはいけない核のゴミを
増やし続けてきた責任を自覚し
未来の子ども達のため、よりよい環境作りに
全力を尽くしていきたいと感じます。

未だに物に恵まれた豊かな生活を守るため、
問題に目を向けない人達がたくさんいます。
今の日本の状況を考えると、誰もが同じ苦しみを味わう危険性があることに
早く気付いてもらえるよう、諦めずに細く長く伝え続けていきたい。

これから先は、たくさんの社会問題に声をあげていくと同時に
今も震災の被害に苦しみ、あらたにたくさんの問題を
抱えている被災者の人達に、きめ細やかな支援が行き届くよう、
気付いた人達が先頭に立ち導いていってほしい。

この震災で被害にあわれた方の冥福を……
そして、今よりも明るい未来が訪れることを祈り
震災から1年目の今日この日を

あの事故が起きて、その後の経過を見ている段階で、〝やっぱり人の手にはおえないものだなあ！〟と感じています。原発から生み出される核廃棄物は、何年も何万年も影響があるのにね。原発のことを知らなかった私が単純に考えてもそう思うのに、〝なぜ原発を持ち続けるのか〟と思います。戦後の昭和史などいろいろと勉強するうちに、もっともっと手に負えないことが絡みついているので、やはり停められないだろうという感覚もどこかにありつつも、そんなことを言っている場合じゃないな、と。

この原発事故で傷ついたのは子どもたちです。子どもたちの将来を守れなかったら、日本は終わるし、事故当時、「子ども」というキーワードで闘っていけば何か動かせるんじゃないかと思っていたんですけど、国も福島県もそこをないがしろにしているのです。

私は「語り部《かたべ》」的なことをやっている時に、「原発反対か、賛成か」とよく聞かれたりするんですけど、そこの議論をしていることがもともとナンセンスで、〝あってはいけないもの〟だったので、賛成とか反対とかではなくて、私は〝再稼働などもってのほか〟だと思っています。だから、そうした議論を私はしません。大事なことは〝そんなことではないよ！〟と思います。

実際に福島原発事故で被害を受けた子どもたちが、どんどん中学生にも、成人にもなっています。ウチの子も4歳だったのが、今度（2019年）中学生になるんです。いまは情報の世の中なので、調べようと思えば子ども自身が、自分の身に起きたことをダイレクトに調べることができます。そうなった時に大人がどうやって子どもに説明できるんだろう、私は責任を持って応えたいし、うん、こんな気持ちで子どもを守りたいし、いたらないかもしれないけど、いままで闘ってきたこととか、「やれることをやってきた」と言いたいがために、こうやって取材も受けたり、いろいろな活動をしているのかも知れません。

子どもに問われた時に、〝きちんと答えられる大人でいないといけない〟と思っています。あの子たちが本当に自分に起きたこと、それを知った時、もう起きてしまったんで正直な話、責任は取れないじゃないですか。それでもきちんと語れる大人でいたいし、周りの大人もそうであってほしい！

大変な思いをした人たちが語ることはすごく大変なんですが、目をそむけていちゃいけない。そのためには私、最近思うのは、「私たちは原発事故であらゆる被害に合った」と言うと、わかりやすいと言ってはいけないんですが、〝だれからも大変だったと思ってもらえる〟ところがあるじゃないですか。

でもそういうことに出合ってない人たちの中にも、いろいろなつらさも大変さもあって、その大変さに目が向かない時代ですよね。楽しいこと、いいことばかり表に出して。だけどみんなが持っている〝大変さ〟とか、〝つらさ〟とか、それをちゃんと表に出して語れる世の中にしなくちゃいけないと思います。そうでないと、本当のつらさを背負った人たちが救われないし、そういうことこそ表に出して、言葉にしてみんなで語り、共有していく必要を感じています。

私はそういう生き方をしていきたいと思っています。

補記：10回目の3月11日

先日、10回目の3月11日を迎えました。

原発事故から10年経ったにもかかわらず事故の責任を認めず、どんどん補償も打ち切られ、より一層悲しみや悔しさを抱えて生きている人びとがいる現実に目を向けられないことに、悲しみや悔しさを感じます。

10年ということで多くの取材を受け、自分の中にもまだ解決できない問題や、癒えていない痛みや悲しみが多くあることに、あらためて気づかされました。

それでも「いま現在の自分は不幸ではない」と、時間をかけて思えるようになったのも事実です。

そんな私だからこそ、「抱えている問題から目をそらさず、考え、自分のできることをやりながら、原発事故前よりも充実した人生を生きること」、それがいまの私にできることだと思っています。

（２０２１年３月18日　かのめ　くみ）

証言●7

森園和重さん

福島県郡山市より東京都練馬区に一時避難。現在、郡山市に在住。

森園和重さん――インタビュー：2019年3月27日

2011年3月11日の東日本大震災とその後の原発被害に対し日本全国の皆様からのご支援、福島現地で救出・復旧活動に当たられた皆様、台湾をはじめ多額の義援金を寄せてくださった世界の皆様、そして何より被曝《ひばく》労働をしてくださった作業員の皆様に深く感謝申し上げます。

その日、郡山の自宅で

福島県郡山《こおりやま》市在住の森園和重と申します。現在57歳です。東京電力福島第一原発から直線で約60キロ離れています。

3・11当日は、朝から体調がとても悪く、午前中は横になっていました。午後、近所へ夫と共に出かけ、帰宅した丁度その時、地震が起きました。通常の地震とは違うと感じました。我が家には2匹の猫がいましたので、揺れる中を急いで猫のゲージがあるサンルームまで行きました。ゲージを支えながら外へ目を向けると、斜《なな》向かいの家の瓦屋根中央部が、パン、パン、パン、パン、パン、パン、パンと音を立てて跳ね上がっていくのが見えました。怖かったです。

夫は玄関で腰を抜かして動けないでいました。縦揺れが強かったのか大型の家具が倒れるようなことは、わが家ではありませんでした。でもさまざまな物が散乱しましたね。私が住んでいる地域では、半壊や全壊する家は一軒もありませんでしたが、市内のいたる所で、ビルの倒壊、土地の隆起や沈下など、それは酷《ひど》い状況でした。地震はすぐ止むことはなくグワン、グワンとずっと揺れ、地中深くゴゴゴゴ～と音がして動いていたように覚えています。

当時の私たち夫婦は原発のゲの字も気にしていませんでした。無知でまったくの無関心だったのです。テレビニュースで原発が爆発した映像を見て、大変なことになったんだと不安にはなりましたが、放射性物質の「脅威《きょうい》」や「被曝《ひばく》」のことについてあまりにも不勉強だったんです。テレビから「直ちに健康に影響は無い」と流れていましたしね。私の母の家は車で約15分東に行ったところにありました。3月11日からの一週間は晴れていたそうです。郡山市役所から西の地域では、プルーム〔注：放射性物質の煙〕が流れ込んだその日に雪が降り積もりました。この現象が意味することについて理解したのは、それから1カ月半後のことでした。

地震の影響で断水になり、給水場所を転々と回り、2時間、3時間と外で並んで待ちました。マスク着用は市の広報カーが巡回していたので知っていました。郡山市水道局給水所でのことです。人が疎《まば》らで何かあったのかなと思っていたら、守衛の方から「ここから放射性物質が検出されたんだよ」と聞かされました。ストロンチウムです。情報がきちんと取れていませんでした。何となく情けない気持ちでいっぱいになったことだけは覚えています。断水5日目に、近所の温泉場が無料解放してくれました。日本人が大事にしてきた助け合いの心です。本当に有り難く、心から感謝し入浴させて頂きました。嬉しかったですよ。また中通り・会津地方での、浜通りの方々の避難受け入れも始まっていましたね。

セミナーが始まって知ったこと、体調の悪化

2011年3月20日頃には、長崎大学山下俊一《やましたじゅんいち》教授が福島県入りしていると聞いていました。原発や放射能・被曝について、武田邦彦《たけだくにひこ》教授はじめ、さまざまな方々のセミナーに4月27日を皮切りにできる限り参加し学びました。

そのうち私は床に伏すことが多くなっていきました。夫は、〝もうダメかもしれない〟と考える日々を過ごしていたようです。私は化学物質過敏症で、30歳から体質改善をし、良くなっていたのです。

体調悪化の原因として考えられるのは、放射能について不勉強な時期に、自宅の除染を一人で行なったことがあり、その際に芝生に這《は》いつくばって、縁の下の小窓をしめる作業などしたりしたことです。また、シジミ蝶の被曝の研究のために空間線量1・4～2・5マイクロシーベルト／時の所でカタバミ採取のお手伝いもしていました。自身の症状としては、口の中や臀部全体の薄皮が何度も剥がれたり、紫斑が出たり消えたり、前頭葉が浮いたような痛みがずっと続き、下痢、鼻血、関節の痛み、爪の割れ、呼吸困難や喘息、倦怠感や目の下の黒い筋がなかなか抜けなかったこと等がありました。故・肥田俊太郎《ひだしゅんたろう》医師〔注：広島原爆で被爆し、医師として被爆者医療に尽力し、核兵器廃絶を訴え続けた方〕に直接ご相談したこともありました。

本当につらい日々を過ごしたんです。固形物を食べることが出来なかったんですよ。「これ飲めば、良くなるよ～」と言われる物はすべて試しました。私の体に合うものを必死で探しました。「気のせいなんじゃない」、「気の持ちようだよ」とまで言われました。とても悲しかったですね。だって原発が爆発さえしなかったらこんな思いをすることはなかったのですからね。動けるようになったのは年の瀬の12月20日過ぎだったと記憶しています。ただ不調は4、5年続きました。あんな思いは二度としたくありません。

賠償の件

賠償の件ですが、郡山市の場合、精神的賠償が大人1人7万円とプラス4万円の11万円。空気清浄機代に消え、日々の安全な水や食料確保に回すことはできませんでしたね。またＡＤＲ〔注：「公益社団法人民間総合調停センター」の略〕申請を行なっている方々もいました。県民に寄り添うことなく分断しつくし、利権まみれとなった箱物《はこもの》事業に、今もジャブジャブとお金が流れていますよ。

裁判にかかわって

自分が裁判の原告になることなど一生ないだろうと思っていましたが「福島原発告訴団」（告発人の1人であり一役員として）、「ふくしま集団疎開裁判」（子どもたちが原告の裁判。前半のみ支援者として）、「原発メーカー訴訟」（意見陳述の1人として）、通称「東電刑事裁判」の支援をする「東京電力福島原発刑事訴訟支援団」や被曝労働に関する裁判などに関わり、何十回と東京地方裁判所へ駆け付け、傍聴も何度もしました。

裁判所というところは人の思いが渦巻く、何とも言えない空間でしたね。永田町・霞ヶ関へ週の3、4日泊まりがけでロビー活動や国会傍聴、数々の院内集会、また主催側スタッフとして参加して来ました。街頭に立ち、マイクを持って何度も福島の現実を訴えて続けていましたね。一つ違いの造園業の従兄弟を2018年4月に亡くした時は「なぜ？　どうして？　早すぎる」と、友人や知人もこの8年間にたくさんお別れしなきゃいけませんでした。「東電刑事裁判」は2019年9月19日に判決が言い渡される予定です。

最後に

当時すでに脱原発や反原発を20年、30年と訴え、活動されて来た方々に声をかけていただき、「原発いらない福島の女たち」に参加。その中でさまざまなことを学ばせて頂きました。私自身何のしがらみもなく声を上げることができる立場にいたこと、無知・無関心で何十年も生きてきたことへの償いのような思いもありましたから。「原発いらない福島の女たち」のメンバーの一人として「朝まで生テレビ　激論！　止まらない汚染水　ドーする？・」（2013年10月）にも出演。原発の爆発により捜索ができず理不尽に亡くなられた方々の、原発さえなければと自死を選択するしかなかった方々の、そして人間の犠牲となった動物たちの声無き声を届けようと、政府交渉や東電交渉等へ、ただただ無我夢中で声を上げ続けた8年間でした。

政治家や官僚は、自分が被曝労働をしていると想像して政治を行なって欲しいし、経済界の方々には廃炉作業を安全に行なうことができるための技術開発を進め、早くフリーエネルギーへのシフトをして欲しいと思っています。原発の無い平和な世界の実現を一日も早くできるよう心から願っています。

補記：挫折と怒りの10年

地球と書いて〝いのち〟と読む。
〝ショック・ドクトリン〟（惨事便乗型資本主義、火事場泥棒）。
何度も繰り返されてきた事実を私たちは知り、理解できているのだろうか。
挫折と怒りの10年。
けれど私たちの希望の光は、決して消すことはできない。

（2021年3月14日　もりその　かずえ）

証言●8

片岡輝美さん

福島県会津若松市より三重県鈴鹿市に一時避難。現在、会津若松市に在住。

片岡輝美さん――インタビュー：2019年5月17日

3月11日、家族の誕生日という日に

3歳の時、会津若松《あいづわかまつ》に引越してきて、5年ほど県外にいましたが、今も会津若松に住んでいます。私の故郷であり、結婚して、子どもたちも育ててきました。私と夫が結婚したのは、1985年3月11日でした。ですから2011年3月11日は、26回目の結婚記念日。私たちが〝家族の誕生日〟と呼ぶ、そんな日でした。

私たちには息子が4人います。1番上の子の名前は〝平和《へいわ》〟、2番目は〝自由《じゆう》〟、3番目は〝正義《せいぎ》〟で、1番下の四男は〝希望《きぼう》〟です。夫の片岡謁也《えつや》は、日本基督《キリスト》教団若松栄町教会の牧師です。息子たちは4人とも、高校は会津若松を離れて、新潟県の敬和《けいわ》学園高等学校に進学しました。長男の平和は、ＩＣＵ（国際基督教大学）に進学した時に田仲康博《たなかやすひろ》先生に出会い、沖縄と深くつながるようになりました。辺野古《へのこ》新基地建設の事前海洋調査のための櫓《やぐら》に身体を縛り付けて抵抗する非暴力運動をしていました。危険なことはわかっていましたが、ある意味、とても誇らしく思っていました。そのような思いは、弟たちにもつながっていきました。今でもそうですが、社会的・政治的課題を共有する家族でした。

2011年3月11日は、希望の卒業式の日。彼も兄たちと同じように新潟の高校に進学して寮生活をはじめる時でもありました。〝まだまだ親の手が必要だけれど、ひと区切りついたな〟という思いと、私は2005年から地域の仲間と一緒に活動してきた「九条の会」に〝さらに力を入れて動きたい〟と思っていました。

私は希望の中学校2年生と3年生の2年間、PTAの会長をしておりましたので、午前中の卒業式の時に、「人生いろいろなことが起きる。でもそれはひとりで乗り越えるのではなく、人びとと一緒に乗り越えてゆくことができるとの希望を持って、これからの人生を歩んでいってほしい」というはなむけの言葉を子どもたちに述べました。

卒業式が終了した後に、私は関西にいる自由と正義に会いに行くため、電車に乗りました。それは自由が大学を卒業するにあたり、彼が4年間ずっと励んできたジャズ研の最後のコンサートに招待されたからです。彼はクールなところがあり、「観に来て」なんて言われることはそうそうありませんでしたから、私はとても嬉しくて2時過ぎの磐越《ばんえつ》西線の電車に乗って、彼らの待つ神戸へと向かいました。妻として、母として最高の日……と外を眺めていました。

そんな時に地震が起きたんです。突然、電車の中でたくさんの警報音が鳴り始めたんです。そんな警報音はいままで聞いたことがなかったので、〝何の音だろう〟と思った瞬間、電車は停車し、大きく揺れはじめました。あちらこちらから、「震源地は宮城県沖だ！」「福島県沖だ！」という声が聞こえ、私は、「福島原発がやられたな！」と思い、頭を抱えこみました。

そう思ったのは、私の母が代表を務める平和活動グループで、数カ月前に、伊東達也《いとうたつや》〔注：

「いわき市民訴訟」原告団長、原発問題住民運動連絡センター筆頭代表委員、原発の安全性を求める福島県連絡会副会長、浜通り医療生協理事長、元福島県議会議員〕さんを招いて、福島原発の脆《もろ》さやプルサーマルの問題などの学習会を開いたばかりだったからです。「福島原発で事故が起きたら、本当に怖いね……」と母と話していました。

また、その母たちのグループは、2011年の3月末に運転開始から40年を迎える福島原発を廃炉にするアクションに加わるところで、東日本大震災が起きたのです。そうした学習の機会があったので、すぐに〝福島原発はやられたな〟と思ったのです。

隣のブースには女性が4人座っていました。ひとりの方の携帯電話が鳴って、どうやらお家からの電話だったらしく、「えっ! 津波が来ている? 車が流された? 危ないから2階にいなさい!」と言って電話を切りました。本人たちも驚いていたし、私もびっくりしたけれども、まさかあれほどの津波だと思っていなかったのでしょう。時折その会話を思い出し、〝あの方の家族はどうしたのだろうか〟と案じています。

たぶん3時間ぐらい電車の中にいたと思います。発車して30分ぐらい乗った猪苗代《いなわしろ》駅を越えたところで停車していました。こんなことがありました。地域の消防団の人が車内に入って来ました。地元の人たちで、乗客と知り合いだった。〝何々さんもいるのか〟と呼び合ったりしていました。消防団の人たちが車掌さんに、「この人は知り合いだから降ろしてくれ、そうすれば車で家に連れていけるんだ」と言うんです。乗客も「降ろして、降ろして」と頼んでいました。でもJRの規則だと思うんですけど、降ろしてくれないんです。最後まで人数を確認した状態で送り届けるということなんでしょう。2台のマイクロバスが仕立てられて、「郡山方面と会津若松方面に分乗して、JRの駅に送っていく」とアナウンスがありました。暗くなり、車内は停電していたので、とても寒かったです。

私は家にいる夫と息子が心配でしたが、〝きっと大丈夫〟と自分に言い聞かせていました。関西にいる三男とは携帯電話でやり取りできたのですが、会津若松にいる夫とは全然電話連絡が取れませんでしたので、三男に「私は大丈夫だからお父さんに伝えて」と言いました。JRが手配したマイクロバスに乗り込んだ途端、夫と電話がつながり、「猪苗代駅で降りて待つように」と言われ、無事に夫と希望に再会できました。夫に「福島原発はどうなっていると思う」と尋ねると、ひと言「わからん」と返答。同じ危機感をもっていたと思います。真っ暗な中を自宅に向かって走って行きましたので、周りはよく見えませんでした。

私たちの教会は、1894年に創立され、1911年に建てられた礼拝堂を2001年に修復しました。帰ってすぐに礼拝堂に入ると、椅子などがうっすら白くなっていました。天井から漆喰《しっくい》が落ちていたのです。会津若松は多少の被害はあったものの、電気も水も止まりませんでした。

末息子・希望は中学校の卒業式を終え、友人たちとボーリング場にいた時に、地震が起きました。2週間後には、仲良しのお友だちとも別れ、新潟の高校に入学することになっていた彼には、とても楽しくて、大切な時間になるはずでしたが、それが中途半端に終ってしまったことが、とても悲しかったと、随分あとになって打ち明けてくれました。

11日の夜からネットにかじりつきで情報収集をはじめました。私は表面上は冷静を装っていましたが、不安をなんとか抑えようと必死だったと思います。夫は教会員の安否確認を行ない、日本基督教団東北教区（宮城県・山形県・福島県）の責任も持っていましたので、教区の議長らと被害情報を収集し、13日日曜日の夕方には仙台市の教区センターに集合する段取りをつけていました。

そんな夜を過ごしていた時に、私の母から電話が入りました。両親は市内に住んでいるのですが、3月11日はたまたま高速バスで東京に向かっていて、間もなく東京に入るという時に震災に遭ったんです。バスから降りて、徒歩で早稲田に住んでいる私の長男・平和のところまでたどり着いたとのことでした。

避難者を受け入れ、自分も避難を決意

その母から夜中近くに、「宇野朗子《うのさえこ》さんが福島市からそちらに避難したいと連絡があったから、受け入れの準備をして」と、電話がありました。宇野朗子さんは、「ハイロアクション福島原発40年実行委員会」の実行委員長でした。私はさっそく、自宅とドア1枚でつながる「栄町教会ベビーホーム」の部屋を暖め、布団を準備しました。

12日の夜明け前、宇野さんは幼稚園の娘さんと、お友だちとその4人のお子さんを連れて到着しました。子どもたちは毛布で包まれ、雨合羽を着せられて入ってきました。降り注いでいるかも知れない放射性物質から身を守るためです。その様子に一瞬ギョッとしました。夜中

なので寝かせようとしても、到着したところが託児所なので、遊具がいっぱい。子どもたちは喜んで遊びまわり、寝つけない様子でした。

宇野さんのお友だちには、大熊町《おおくままち》〔注：福島第一原子力発電所の1号機から4号機の所在地。2020年3月現在で、一部は避難解除されているが、いまだに大部分は避難指示区域〕にご親戚がいらして、その方たちも彼女を頼って12日のお昼過ぎごろからベビーホームにどんどん集まりはじめました。結局、12日夜明け前に宇野さんたちが到着してから13日の日曜日の午前中までに、何人の方たちが入って来たかは、私は記憶がありません。というのは、ドアを開ける度に人が増えている。その人たちは、ガソリンを入れたら、また次々と避難して行くという状況でした。

2020年3月現在、避難指示区域の状況
（福島復興ステーション
https://www.pref.fukushima.lg.jp/site/portal/list271-840.html より）

その中に「大熊中」と刺繍《ししゅう》がしてある運動着姿の女の子がいました。〝この子はこの先どうなるのだろうか〟と思い、見送りました。

子どもたちは、知らない場所に避難して来たので、あちこち探検をはじめました。余震が続いていたので、息子を私がいる居間に寝かせておいたところ、子どもたちがそこにも入ってきて、寝ている息子をトントン叩いて起こし、「お前はだれだ？」と聞く。起こされた息子は、「お前こそだれだよ！」とビックリする。知らない人がわが家に集まる状況に、「お母さん、ボク、怖い」と、息子も不安定になってきました。さらに12日午後3時半に、「1号機建屋で爆発があった」との報道を見て、〝息子だけでも避難させなくては……〟と思いはじめていました。その思いは宇野さんたちが子どもと一緒に避難してきたときから、薄々感じていたことでした。

13日の夜、長男がレンタカーに東京で被災した私の両親を乗せて、わが家に到着しました。彼は、「東北に行くとは言わないで、関西に行くと言ったから、車を借りることができた」と言っていました。その時点で東北に行くと言えば断られたようです。

翌朝、長男は末の弟と私の姪を乗せて、東京に向けて出発しました。

市内に住む実妹には子どもが2人いて、上の娘は希望と同じ中学3年生、下の息子が小学6年生でした。13日朝早く、妹夫婦に希望を避難させることを告げると、「子ども2人も、避難させてほしい」と言われたので、長男のレンタカーに子どもたち3人を乗せるつもりでいました。でも、小学6年生の甥は、「ボクはこれから卒業式だから絶対に行かない」と避難を強く拒みました。それで、希望と同じ新潟の高校へ行くことになっていた姪の2人を避難させました。東京には三重県の鈴鹿《すずか》市から義理の弟家族が迎えに来てくれていて、長男は東京でその2人を渡して、彼らが三重県の鈴鹿市まで連れて行ってくれました。それが行なわれたのは3月14日です。

私自身は、〝避難できない、してはならない〟と思っていました。理由は〝牧師の妻だから……〟です。普段はそんなこと、まったく意識していないんですよ。でも、その時は、〝〜だから〟と理由づけして、〝避難してはいけない〟と、自分を納得させようとしていたと思います。ですが、結局、15日の早朝、避難をしました。

避難することを決意した理由の一つは、12日にわが家からさらに西に避難した宇野さんと交わした会話です。「輝美さん、これからどうするの？」と問われ、「息子は避難させるけど、私はここ（会津若松）に留まるわ」と言ったら、彼女は「輝美さんこそ避難しなくちゃいけない。そうでなければ周りの人たちの危機意識が変わらない！」と言い残して行きました。

宇野さんは一緒に避難してきたお友だち親子を残して避難しました。私は、〝こういう時は、やっぱり自分の家族だけで避難するんだ〟と、その時は思いました。でも、後になって知ったのですが、一緒に避難してきたお友だちも、反原発運動の仲間だったそうです。だから、〝緊急時には、それぞれがとれる最善の行動を取ること〟が共通の認識だった。なので、先に避難できる宇野さん親子が避難をしたのです。相手の判断を尊重するお二人の姿勢から、私はとても大切なことを学びました。その後、県内あちこちで起きた「避難するのは卑怯者」という分断とは、真逆の人間関係が可能だということを学んだのです。そのお友だちは、親戚のみなさんが会津若松からさらに避難したのを見届けてから、避難して行きました。そのような宇野さんたちの姿勢に感銘を受けました。

避難を決意したもう一つのきっかけは、私の両親の言葉です。両親は「旧満州」で敗戦を経験し、棄民となって命からがら帰国しました。福島第一原発が爆発した時から「緊急時に国は民を絶対守らないから、あなたは自分と子どもの命を自分で守りなさい！」と言い続けていました。でも、私は「ここに残る。残らなくちゃいけない」と、しばらく押し問答が続いていました。

3月13日にはすべての避難者がさらに遠くへ避難して行くのを見送り、14日朝に息子と姪を避難させ、家中が静かになり、私は〝やるべきことはやった。これからは市内での支援活動だ……〟と考えはじめていました。でも、もしも……の時に備えて、預金通帳や印鑑とか、着替え、息子たちの小さかった時の写真などをひとまとめにしていました。

3月15日の早朝、3度目の原発の爆発があった時、私はパニックになりました。やっぱり怖かったんです。その報道と同時にテレビに「新潟までの高速バスが再開」とテロップが出たんです。私は免許がないので運転できません。避難するには誰かの手が必要だと思っていました。〝これだったら私も避難できる〟と思い、すぐに妹のところに電話をして、「〝絶対に避難しない〟と言っていた息子を必ず連れていらっしゃい！、朝8時には出るからね」と伝えました。しばらくしたら、避難しないと抵抗をしたのでしょう、目を真っ赤にした甥が妹に連れられて来ました。甥を待っている間に友だち2人から連絡が入り、1人は「車を出すから、新潟まで一緒に避難しよう」と言い、もう1人は東京出身の女性で、「自分も避難したい」と言ってきました。

結局、大人3人と子ども（甥）1人の4人で、友人の車で会津若松から新潟に到着。そこで新幹線のチケットを購入し、新潟から東京へ。さらに東京から名古屋に行って、前日に末息子と姪が避難した義理の弟のところへ行きました。

あの日、東京駅は大混乱だったんですよ。3月15日です。ちょうど東京でも放射線量が上がったので、人びとが避難しはじめた時でした。混雑する中、避難を嫌がる甥を引っ張って東海道新幹線に乗りました。そうしたら、「今日は満席です」と繰り返し車内アナウンスがありました。ところが空席が目立っているんです。車掌さんに状況を尋ねたら、「放射線量が観測されたニュースが流れ、突然、予約が入って満席になったんです。だけど、ある人は先の新幹線に乗ってしまったのかもしれないし、ある人は乗り遅れたのかも知れません」との答えでした。

そんな経験をして、避難をいたしました。あの時の大混乱の東京駅を、どこのメディアも放送しなかったのは、東北の地にみんな行っていたからだと思っていましたが、数年経ってから〝おしどりマコ・ケン〟さん

◆参考：福島第一原発の水素爆発

2011年3月11日14時46分「東北地方太平洋沖地震」発生
2011年3月12日15時30分　1号機建屋爆発
2011年3月14日11時01分　3号機建屋爆発
2011年3月15日06時14分　4号機建屋爆発

＊2号機は爆発はまぬがれたが、ベントに失敗し、圧力容器と格納容器から直接放射性物質が放出されたため、15日に2号機から放出された放射性物質が最も多かったと推測されている。

〔注：夫婦漫才、音曲漫才コンビ。OSHIDORI Mako&Ken Portal／おしどりポータルサイト http://oshidori-makoken.com/ で、福島原発事故後の独自の情報を発信し続けている〕に聞くと、「あの時、メディアは東京駅にたくさんいたんだよ！　ところが放送規制なのか、統制があったのか、自主規制なのかわからないけど、放送されなかったんですよ」と言われました。〃ああ、やっぱり情報が出されなかったんだ〃と思いましたね、首都の混乱を報道すれば、国中が不安になりますから。

避難から見えてきたこと

私は避難先の鈴鹿市で2週間過ごしました。自分はキリスト者として、またはＰＴＡ会長として、〃人の生命、また自分の生命を大切にしよう〃と言ったにもかかわらず、避難したということで、自分をすごく責めました。聖書には、十字架上のイエス・キリストを見捨てて逃げる弟子たちが描かれているのですが、大切な人を置いて逃げてきた自分が、その弟子たちと重なりました。でも避難先でしばらく身体を休め、〃自分を取り戻す時間を与えられた〃と思っています。

あとからいろいろな情報を知り、4号機が危機的状況だったことがわかった時、〃あの行動は良かったんだ、親としても良かったんだ〃と、思うようになりました。。

ただ、町の中では「教会の牧師さんの奥さんが逃げたんだって」と言う人もいたり、「牧師もいない、妻もいないような教会は終わりだ」と言われたこともあります。でも、いくつも選択できません。私が息子たちの生命を守るために避難した選択は正しかったと思うし、私が避難したことによって避難した人たちもいました。私が避難をする段取りをしている最中にも訪ねてきた若いお母さんたちもいるし、避難中にも電話があり、居所を聞かれ答えると、避難を決心した友人たちもいました。やはり、宇野さんが言い残したことはほんとうでした。私が避難した意味もあったのだと思います。

私はＰＴＡ会長で、年度末の会議がありましたので、避難することを伝えるため学校に電話をかけ、あとのことは校長に一任しました。教頭に「気をつけてくださいね」と言われましたが、〝気をつけるのは、ほんとうは県内にいる子どもたちなのに……〟と思い、つらかったです。

私は鈴鹿市に避難している最中にも、学校と教育委員会に電話をかけました。「今、放射性物質が降り注《そそ》いでいるかもしれませんから、子どもたちを屋内避難させるか、休校にしてください」とお願いしました。そうしたら、返ってきた言葉がまったく同じで、「別に水道管が壊れているわけではない、大きな被害が出ているわけではない。子どもたちを屋内に避難させるとか、休校にするための証拠が何もないです」と言われました。〝子どもの命を守るのに、まず証拠が必要なのか！〟と思いましたが、その時はどうしても言い返せなくて。後から知ったことですが、私のような電話は何件もあったようです。

避難先から帰ってきて、学校に行き、職員室に入ると、数人の先生たちが私を覗《のぞ》くような姿勢をとりましたね。そのまなざしが、私の避難に肯定的、または否定的のどちらであったかは、わかりませんが……。

会津若松に戻ってきて……

原発の爆発映像を見た瞬間は、〝これは映画を見ているんではないか〟と思いました。まさか、自分の生きているところで、原発事故が起きるとは……。福島県は大きい県ですので、会津育ちの私にとって、原発のある浜通りはとても遠いのです。ですけれど、事故後「自分は福島県民です」と言うことが多くなり、だんだん〝やっぱり、自分のことなんだ〟と思うようになりましたね。

会津若松に戻ってきてはじめたことは、九条の会の仲間と共に2011年5月11日に「放射能から子どものいのちを守る会・会津」を、2011年7月11日に「会津放射能情報センター」を立ち上げることでした。空間や土壌、食品などの放射線量の測定をはじめたり、お医者さんに来ていただいて健康相談会を開いたり、また、子どもたちを保養に連れて行ったり、という活動をこの8年間やってきました。

2011年3月12日から14日まで一時避難の場として提供した栄町教会ベビーホームは、園児数が少なくなったことによって2011年1月の教会役員会で、3月末に閉園することが決定していました。40年以上の運営で、一時は60人ぐらいいた子どもたちが減少し、地域で果す役割は終わり、閉園となりました。

そんな時に、会津若松市から「会津若松に大熊町の人たちが避難してきて、そのお子さんたちが落ち着ける場所、保育の場を探しているので、閉園した栄町教会ベビーホームを貸してほしい」と連絡がありました。そこで、2011年の5月から翌年の3月まで大熊町の保育所として場所をお貸しすることになりました。事故前は、大熊町保育所は、在園児が130人ほどの園だったそうです。ベービーホームには子どもたちが常時10人ぐらいいたと思います。大熊町の保育園なので、保育士さんは公務員でした。彼女たちも避難者であることに変わりはないけれど、公務員としては住民のために働かねばならない立場におかれていたと思います。

　原発核事故直後から、県や市当局は、「会津若松市には原発事故の影響はなく、避難者を受け入れる地域」と考えていましたから、私たちは賠償の対象ではありませんでした。ですが、2012年7月に地域差をなくすとのことで、福島県は

会津放射能情報センターホームページ
(https://www.aizu-center.org)

会津若松市民にも賠償金を支給しました。妊婦と18歳以下は20万円、その他の住民は4万円でした。会津若松市から送られてきた申請書には「後日、この賠償金を何に使ったかをおうかがいすることがあるかもしれません」、使い方の例として「ご親戚やお友だちを会津若松市に招いて、会津若松市を見てもらうこと、または福島県産品を送ってください」と書いてありました。すっかり忘れていましたが、改めて思い起こすと、大きな憤《いきどお》りを感じます。市内の空間放射線量は高くなったのに、その事実も認めず、会津若松市の復興のために使ってほしいと、使い道も指示されていたのですから……。

核事故直後に活動をはじめられたのは、九条の会の仲間がいたからです。さらに個人的な思いとしては、あるロシアからのご家族との出会いがあります。1995年に知り合った家族の赤ちゃんが、翌年亡くなりました。そして、福島原発核事故が起きたとき、共通の知り合いから、「あの時の死因がチェルノブイリ原発事故の影響かもしれない」と聞き、その時のご両親の深い悲しみを思い出したのです。福島のお母さんやお父さんが〝同じ悲しみを経験しないように〟との思いが、私の活動の原点にあると思っています。

原発核事故の責任を裁判で問う

私は「子ども脱被ばく裁判の会」の共同代表をしています。もうひとりの共同代表は水戸喜《みと》世子《よこ》さん、共同弁護団長は井戸謙一《いどけんいち》先生と光前幸一《こうぜんこういち》先生、原告代表は今野寿美雄《こんのすみお》〔注：本書057頁〕さんです。この裁判は2014年8月に福島地裁に提訴しました。「子ども人権裁判」と「親子裁判」の2つの訴訟で成り立っています。「子ども人権裁判」の原告は県内に住む小中学生（２０２０年3月結審時点の原告数は14名）です。原告が居住する自治体に対し、被《ひ》曝《ばく》の心配がない安全な環境で教育を受ける権利があることの確認を求めています。「親子裁判」は今も県内に住み続ける親子、また避難した親子が原告となり、被告・国と福島県に対し、事故直後、子どもたちに無用な被曝をさせた責任を問うものです（同時点で原告数は１５８名）。

この裁判は「被曝をさせられたことが、既に損害である」として捉え、低線量被曝、内部被曝、セシウム含有不溶性放射性微粒子の危険性を訴えています。またＳＰＥＥＤＩ〔注：緊急時迅速放射能影響予測ネットワークシステム〕情報の隠蔽《いんぺい》や年間20ミリシーベルト学校再開問題、安定ヨウ素剤未配問題や山下俊一《やましたしゅんいち》氏〔注：医師。２０１１年3月、福島県放射線健康リスク管理アドバイザー。２０１９年4月、国立研究開発法人量子科学技術研究開発機構高度被ばく医療センター初代センター長〕らの安全宣伝問題など、争点が多岐にわたるため、なかなか知っていただくには難しい裁判かと思いますが、非常に希有《けう》で、大切な裁判です。今週の水曜日（２０１９年5月17日）に第19回期日がありました。フランスのメディアが取材に入り、また支援者も鹿児島や関西など全国から50名近くが集まりました。

原告の親たちは意見陳述する時は、手が震《ふる》えるんです。それは緊張した震えでななくて、怒りを抑えるのに必死なんですね。２０１７年8月の第11回期日はちょうど避難していた子どもたちが、夏休みを利用して自宅に戻ってきた時だったので、傍聴席には幼児から高校生まで7名と保護者10名が座りました。真向かいには国・県・自治体の被告代理人が20名くらい座るんです。その代理人たちを子どもたちはジッと見つめている。でも被告代理人たちは見返せない。子どもたちの姿は圧巻でしたが、やっぱり、子どもを原告席に座らせるような現実を作ってしまったことは、本当に申し訳ない（涙）。だからこそ、大人である私たちができることをやっていかなければならない。福島県も国も、東電も責任を果たしていないことを明らかにして、一つひとつの裁判が積み重なって、子どもたちの命を守る社会になることを信じたいと思うのです。

現在、新しい裁判を準備しています。宗派を超えて、宗教者信仰者が原告となり、六カ所核燃料サイクル事業の廃止を求める裁判です。原発や原子力法制は差別を生み出し、安心して生きる権利を保障する憲法に違反していること、使用済み燃料や放射性廃棄物を後世に残すことは、宗教者信仰者としての倫理に極めて反することを訴えたいと考えています。信仰信心を持つ者だからこそ、司法に訴える責任があると思うのです。

〈追記：2020年3月、東京地裁に宗教者が核燃料サイクル事業廃止を求める裁判（宗教者核燃裁判）を提訴。2021年6月時点で原告数は247名〉。

事実を知り、真実を見抜く

実は、山下俊一氏が、2011年5月3日、喜多方《きたかた》市で行なった講演で最後に締めくくった言葉は、「今は国家の緊急時。国民は国に従うべきなのです」。両親の言葉と真逆の言葉。私は、背筋が寒くなり、〝この国は一体どこへ行くのか〟と暗澹《あんたん》たる思いになりました。質疑応答で、ある男性が挙手し、質問をはじめました。すると山下氏は「あっ、君は○○町の会場にもいたね」と言って、会場の出入り口に立っていた講演会スタッフに目配せした途端、その男性はスタッフに囲まれ、マイクが取り上げられました。おそらく、他の会場でも山下氏を批判していたのだと思います。私は「これは日本の出来事？　言論の自由はなくなったの？」と茫《ぼう》然《ぜん》としました。さらに、今度は会場から「やめろ！　やめろ！」の声が上がりました。それは〝山下氏に反論するのはやめろ〟という意図の声だったと思います。いわゆるサクラがいたのかもしれません。事故が起きて混乱状態だったあの時、会津地方の住民たちも、権威ある立場の人に「大丈夫だ、心配は要らない」と言ってほしかったのだと思います。

最近、〝パターナリズム〟〔注：強い立場にある者が、弱い立場の者の利益になるという理由から、本人の意志を問わずに、その行動に介入したり、干渉したりすること〕という言葉を知りました。山下氏も鈴《すず》木《き》眞一《しんいち》氏〔注：福島県立医科大学医学部甲状腺内分泌学講座主任教授〕も、他の「安心」を唱《とな》える学者たちも皆、自分たちの使命は不安な県民に「安心」を与えることだと信じていたと思います。さらに県民もその言葉を待ち望んでいた。事故後、瞬く間に県内を席巻《せっけん》した「安心安全キャンペーン」は、このパターナリズムに裏打ちされていたと思うのです。そして、それが今の閉塞状況を生み出したと強く感じています。

２０１３年3月末に、会津大学で甲状腺検査の住民説明会が開かれることになりました。そのころには甲状腺検査について、「同席の保護者に説明がない」などいくつもの問題が明らかになっていたので、「会津放射能情報センター」に10人近いお母さんたちが集まり、検査のあり方や問題を追及する質問をリストアップする作戦会議を開きました。

当日、リストのコピーを手にして、会場のあちらこちらに分かれて座りました。まとまっていると仲間だと思われて、指名してもらえない可能性がありますから。バラバラに座り、次々と挙手して、リストの質問をする作戦です。

会場の壇上には鈴木眞一氏ら数名の学者や県担当者が座り、説明がはじまり、質疑応答の時間になると、次々と手が挙がりました。

私も指名されたので、冒頭、「鈴木先生たちは今日の参加者が少ないと思っておられるかもしれませんが、今は春休みなので、会津若松市からも多くの親子が保養に出かけており、本来はもっと多くの参加者がいたと思います。つまりこの町でも放射能の不安を持っている人は、とても多いことをわかってほしい」と言いました。

そして、続けて「鈴木先生は先ほどから、『甲状腺ガンは、まだたった3名しか発症していない』と何度も繰り返し言っていますが、100万人に1人か2人の発症しかない小児甲状腺ガンが3名も発症していたら、多発なのではないですか？」と問いました。その途端、鈴木氏は「そんなことは言っていない！」と発言を取り消そうとしました。しかし、聞いたばかりの参加者からは「言った！　確かに言った！　何回も言った！」との抗議で大紛糾となり、鈴木氏も「言ったとしたら、訂正します」と、一応の謝罪となりました。

私が最後に発言したことは、「先生たちは、私たちの不安を解消すると言いますが、私たちはあなたたちに不安を解消してもらいたいとは思っていません。私たちが知りたいのは事実なのです。確かに、わが子に病気が見つかったら、私たちは恐れます。でも、悩みながらも私たちには判断する力がある。だから事実を教えていただきたいのです。また、わが子が、もしガンを発症したら、『たった3人しか発症していない』という言い方はしないと思います。もっと、事実に謙虚になってください」。

〝この一市民が一体何を言っているのか……〟と、下を向いていた鈴木氏たちは、次々と顔を上げて驚いた表情で私を見ていました。その驚き振りに、私の方が驚いたほどです（日野行介『県民健康管理調査の闇』岩波新書、141ページに掲載）。

私たちはパターナリズムなんていう言葉を知りませんでした。でも、〝命を守るために、事実を知りたい！　そして、私たちは、信頼できるお医者さんや仲間と一緒に、自分たちで判断したい！〟と思っていました。信頼できる医師とは山崎知行《やまさきともゆき》先生〔注：和歌山県岩出市「上岩出診療所（内科・皮膚科・小児科）」の医師〕です。2012年1月から、「会津放射能情報センター」を訪れ、不安なお母さんや市民の言葉に耳を傾け、時には一緒に泣き、そして励まし、的確なアドバイスをくださっています。

私はお母さんや市民の皆さんと活動しながら「痛み比べはしないこと」を大切にしてきました。例えば会津地方のお母さんたちは言うんです。「放射能の被害は、浜通り、中通りのほうが大きいから、保養に行かせるなら、そちらの子どもたちが優先だよね」と。会津若松は福島原発から100キロ離れているので、どうしてもそう考えてしまうのです。でも、それは違うと私は考えています。「痛み比べ」は結果的には、自分の正直な気持ちを閉じ込めてしまうことになると思うからです。被害の大きさは人それぞれ違います。でも〝私たちの生活が原発核事故によって、3・11前と変えられてしまった〟という事実は誰にとっても同じこと。さらに、「痛み比べ」で自ら口を閉じることは、原発を推進したい権力者の「思うツボ」です。一人ひとりが、3・11前に基準を置き、考え判断し、声を上げていくことが大切だと思います。

行なわれていた除染作業

実は、会津若松市は2012年6月「汚染状況重点調査地域」の指定を受けないことを決定したと、翌2013年12月に公表しました。指定を受けない理由は3つ、年間追加被曝線量が低く、健康被害があるとは考えられないこと、今後自然に放射線量が下がることが見込まれ、除染の有効性も期待できないこと、「汚染状況重点調査地域」の指定を受けることで、新たな不安や風評被害が再発することが懸念《けねん》されることでした。

そのころ、市長に会う機会があり「会津若松市を除染してはどうですか。そうすれば、安心して子どもを育てられる、生活できると考える市民もいるだろうし、観光客を迎えることもできるのではないですか」と言ったところ、「もし、除染したら、いま戻りつつある観光客が来なくなってしまうかもしれないだろう？　だから除染は必要ないんだ！」と、強い口調で答えが返ってきました。だから、私たちはてっきり会津若松市内は除染しないと思ったのです。

ところが、2016年11月の市広報誌に「市民の皆様へ　除染土壌等搬出工事のお知らせ」が入っていました。学校などに保管してある除染土壌約760立方メートルを掘り起こして、中間貯蔵施設に運び出すという通知です。私たちは除染したことも、まったく知らなかったので、ただただ驚きました。すぐに市役所環境生活課に問い合わせたところ、市内19ヵ所の学校や幼稚園、施設などを除染し、敷地内に約千袋を地上地中保管していたことがわかりました。

早速、会津放射能情報センターでは「緊急要望書」を作り、2013年、市長が除染しないと明言しながら、実は除染していた事実と整合性が取れないことを指摘し、搬出前に住民保護者説明会を開くこと、工事中は児童生徒が敷地内にいない時に行なうことを求めました。回答には驚き呆れました。今回搬出する除染土は、市が除染方針を決定する前の除染土だから、何ら問題がないと言うのです。私たちをはぐらかす不誠実さ！　会津若松市は放射能の影響はないと考えているわけですから、私たちの要望への応答もほとんどナシ。

私たちは教育委員会にも出向き、「せめて工事中は子どもたちを校舎から出さないでほしい」「各家庭に除染土の搬出工事であることを伝えてほしい」と訴えました。幸いにも、教育委員会は対応し、該当する学校に、工事中は児童生徒は屋内にいること、各家庭に工事日程を示すようにと通達が出ました。教育委員会で窓口になった方はPTAで一緒だった先生でした。二人になったとき「片岡さん、ドンドン意見を言ってください。外からの意見がないと、この教育委員会は動かないんです」とこっそり教えてくれました。それも情けない話だな……と思いながらも、とにかく搬出工事中は、子どもたちは屋内で過ごすことになりました。それは良かったと思います。

息子たちの出身小学校で工事がはじまった時、PTA時代から親しくしていた校長先生から「片岡さん、搬出工事、はじまったよ！」と電話がありました。先生と一緒に作業を見守りました。「こんなこと、あってはいけないことだ」と、校長がぽつりとひと言。このように理解、共感してくれる先生もいれば、もちろんそうでない先生もいます。人それぞれ危機感が違うので、本当に悩ましいことも、悔しいことも、たくさん経験してきました。

市民が阻止したモニタリングポストの大量撤去

福島原発核事故後、県内の幼稚園・学校や公園、公共施設に約３０００台のリアルタイム線量計（通称・モニタリングポスト、以下ＭＰ）が設置されましたが、２０１８年３月、原子力規制委員会は、除染が進み空間線量が低くなったとして、２０２０年度末の約２４００台の撤去方針を発表しました。すぐに全県の有志で「モニタリングポストの継続配置を求める市民の会」を立ち上げ、私は共同代表をしています。

〝誰でもいつでも、その場で数値を目視できる唯一の測定器〟であるＭＰには私たちの「知る権利」が保障されていること、撤去するかしないかの「決定する権利」は、放射能被害を受けている私たちにあることを主張しています。

会として原子力規制庁と交渉をはじめ、本当の撤去理由が復興庁の終了に伴い、ＭＰ維持予算も無くなるからとわかりました。各地では、〝子どもの生活環境の放射線量を確認するＭＰを撤去することは到底認められない〟と市民や、赤ちゃんを背負い、子どもの手を引いたお母さんが、首長への申し入れや議会陳情を行ないました。この件については、会津若松市長も賛同し、市議会でも賛成多数で継続を求める意見書が採択されました。

２０１８年６月から11月末まで、原子力規制庁は撤去の理解を得る目的で、県内15市町村の18会場で住民説明会を開きました。最初の会場は福島原発から最も遠い南会津郡只見町《ただみまち》でした。私は距離があるだけに、撤去に同意するのでは……と勝手に思っていましたが、高齢の男性がこう言いました。「只見町は新潟県にある柏崎刈羽《かしわざきかりわ》原発から60キロ圏内なんだ。もし事故が起きたら、このＭＰの数値を見て、避難するかしないかの判断をする。だから、自分たちにはＭＰが必要なんだ」と。私はそこまで考えていなかった自分がとても恥ずかしかった。そして、日本中に原発があるんだから、ＭＰは全国に必要なんだと思わされました。

同年７月に行なった第２回目の原子力規制庁交渉でも、「廃炉完了まで国は責任を持ってＭＰを継続すべき。不測の事態が起きたら、私たちはＭＰの数値で避難を決める」と伝えたところ、担当者は、微笑みを浮かべ、良いことを教えてあげましょうというような表情で、「確かに作業の最中に何が起きるかわからないが、そのような事態になったとしても、皆さんには勝手に避難しないでいただきたい。ＭＰを見に行くだけで、無用な被曝をするのですから。何よりも原発事故の反省を踏まえ、今、福島県と正しい情報を出せるシステムを構築しているので、次はそれを信用していただきたい」と言いました。

私たちはビックリして言葉が出ませんでした。原発核事故が起きて、私たちができることは安定ヨウ素剤を服用して、できるだけ遠くに避難することだけ。それなのに、〝国が勝手に避難するな〟と国民に言うなんて……、しかも平然と……。その時、〝国は国民を避難させるつもりがないのだ〟と気づきました。

この交渉から2カ月後の9月26日、原子力規制委員会は東海第二原発に原子炉設置変更許可を出し、再稼働に向けて動き出しました。半径30キロ圏内に約96万人の住民がいるのに……です。さらに、それから1カ月後の10月17日、更田豊志《ふけたとよし》規制委員長は「原発事故発生から1週間以内、100ミリシーベルトであれば避難しなくてよい」との避難計画の目安を出しました〔注：原子力規制委員会は2018年10月17日の記者会見で、原子力発電所周辺の自治体が事故に備えて定める住民避難計画について、事故発生から1週間で住民が被曝《ひばく》する線量が100ミリシーベルト以内ならば避難計画を立てなくても良いとする発言〕。つまり〝住民を避難させることができないから、避難しなくても良い〟とのすり替えがはじまったと思います。

まさに、3・11前にあった〝原発安全神話〟が崩《くず》れたいま、「原発事故は起きても、大丈夫」との〝放射能安全神話〟に変えられつつある……。〝大丈夫〟の証拠は福島県民。自《みず》ら除染し、そこで生活している福島県民が〝放射能安全神話〟に利用されています。また小児甲状腺ガン患者数が増えても、「放射線の影響とは考えにくい」とされ、「原発事故は起きても大丈夫」となっていく……。自治体の安定ヨウ素剤の備蓄が進んでいるようですが、それは、被曝を極力抑えながら避難するための服用と考えるべきです。住民を留まらせる、避難させないための安定ヨウ素剤の備蓄や配布になってはいけないと思います〔注：2019年5月29日、原子力規制委員会は「モニタリングポストの当面の存続」を発表。「市民の声が国を動かした」と全国で速報が出された〕。

核といのちは共存できない

8年前、過酷な原発核事故を経験して、今も多くの苦しみや悲しみが続いているのに、原子力政策を手放さないこの国は何も学んでない、それどころか劣化し続けていると、日々強く感じます。安倍政権は原発再稼働を目論んでいますが、そもそも、この8年間、首都圏に原発で作られた電力は送られていないでしょう？　原発がなくても、私たちは生活していけることの証明です。原子力政策が作った負の遺産を、この先、何世代にも押しつけていくことになるんですよ。そんなことを、なぜわからない、なぜ認めないのでしょう。

まさか東京オリンピックが誘致されるとは、世界がそんな判断するとは思ってもいなかった。衝撃でした。安倍首相の「アンダーコントロール」宣言を聞いた東京電力が「その根拠は？」と、政府に確認したという話や、招致決定後、安倍首相が福島第一原発を訪れ、自分がアンダーコントロールと言った区域を初めて確認したとも聞きました。己と国の利益だけ求め、虐《しいた》げられている者の小さな声を聞かない権力者たち……、あまりにも愚《おろ》かです。

自治体、国、その背後の世界的な原発推進組織に対して声を出すことは、ほんとうにエネルギーがいることです。でも、やはり、放射能に汚染された時代を作ってしまった責任は、大人の私たちにあり、今、いる場所で、自分ができることに誠実に向き合いながら、次世代へ謝罪していきたい。そして、共に、「いのちを大切にする社会」を作っていきたいと、若い世代に伝えています。

この8年間、過酷な廃炉作業現場で働く人びとがいたから、私たちは生活してくることができました。つまり、原発は核事故を起こさなくても、そして一旦起こしたら、取り返しがつかないほど環境を破壊し、誰かに犠牲を強いていくことを、忘れてはならない。〝原子力政策は差別と犠牲の上に成り立っている〟、そして何より〝核といのちは共存できない〟と、私たちは伝えていかなくてはならないと思うのです。

補記：原発事故核災害は終わっていない――

今日は2021年3月18日。
年明けからはじまったメディアの「東日本大震災から10年」もやっと収まり、
いつもの「3・11後の生活」。
すなわち福島原発核災害は何も終わっていない、
何もはじまっていない日々が再び戻りつつあります。

（2021年3月18日　かたおか　てるみ）

証言●9

本田淳子さん

福島県鏡石町から北海道札幌市に避難。

本田淳子さん――インタビュー：2019年6月3日

地震当日

私は、福島県の中通《なかどお》りに位置する鏡石町《かがみいしまち》というところで、美容室を2店舗経営していました。本店の方は自宅兼店舗になっていて、地震が起きた時間には、私の担当のお客さんがお一人だけがいらっしゃってね。突然、携帯がキュッ！　キュッ！　キュッ！　と鳴って、「何か、地震だって！」とお客さんが言ったんです。〝どんな地震が来るのかなぁ〟と思っていたら、パタパタ揺れだして、そのうちにモノがパラパラ落ちだしたんです。震度6強だったんです。

人生ではじめて〝死ぬ〟という覚悟をするような大きな地震を体験したんです。美容室の入り口のポールが倒れて、家の屋根が落ちるんじゃないかと思うぐらいの揺れがきました。最初は物を押さえていたんです。それもスタッフみんなでね。でも、そのうちに押さえられなくなり、全部バサーッ！　と落ちてきてしまい、スタッフも目を閉じてぼう然とし、覚悟するみたいな地震がきたんです。最終的には物が棚などから全部落下してしまいましたね。ものすごく長かったので、〝いい加減止ってくれ！〟とイラつきました。私は自分の家が〝欠陥住宅だったのかな〟と思いました。ツーバイフォーで地震に強いと聞いていたのに、立ってもいられないほどのものすごい揺れだったので、〝欠陥住宅かな〟と思ったんです。

最初の揺れが止まったそのあと、外に出たんですよ。そうしたら近所の方もワラワラと出てきてね。「すごい揺れだったねぇ〜、家の中はガチャ！　ガチャ！」と近所の方も言っていました。家の塀が倒れてたりとかで、〝とんでもない大地震が起きたんだな〟と悟りました。その後も震度5とかの余震が続き、その都度、外に出ては戻りという形でした。

お客さんは幼稚園の先生だったんです。髪を染めている途中だったんですが、そのまま「幼稚園に戻らなきゃあ！」と言って、外に出ようとしました。さすがにカラー剤を塗ったまま帰すわけにはいきませんので、2人がかりでシャンプーをして、さらにお湯を流して、終わったところでちょうど水が止まっちゃったんです。つまり、断水になりました。急いで、スタッフと2人でドライヤーで乾燥しました。電気だけは大丈夫だったんです。それが幸いしました。近所の人が「道路があちこち陥没していて渋滞しているから、気をつけた方がいいよ」と教えてくれました。それで、幼稚園の先生に「気をつけて帰ってください」と言い、スタッフと一緒にお見送りしました。

それからスタッフにも「みんな家に帰りなさい」と言いました。お子さんを幼稚園にあずけている人もおりましたのでね。でも、みんな肝《きも》が据《す》わっていて、「幼稚園の先生が面倒をみてくれていますから」と言い、スタッフは、店の中が壊れた物などでガチャガチャになっているのを掃除してから、「きれいになりましたので、帰ります」と言って帰っていったんです。

地震は午後2時46分でしたから、それから1時間ほどはお客さんのことや、支店に「そちらは大丈夫か」と電話を入れたりしていました。支店も大丈夫だということでした。

私は一番にお店のお客さんのことを気遣いましたけど、娘は中学2年生で、その日が3年生の卒業式だったんです。それで早くに帰ってきていて、裏の自宅でお友だちと遊んでいたんです。で、〝あっ！　娘！〟と思って行ってみたら、自宅のドアが全部開かなかったんですよ！　自宅に入るドアが2カ所あるんですが、新聞紙などを置いていたせいで、それが倒れちゃって、ドアがどちらも開かなくなっていたわけです。それで玄関の方に回ったら、やっと玄関のドアが開いたので、「大丈夫だった？」と娘たちに声をかけたら、やはり本棚がぜんぶ崩れ落ちていて、子どもたちは放心状態になっていました。物に埋まっている感じでした。娘は地震の間、テーブルの下に隠れておりました。それはいつも地震のときはテーブルの下に隠れるようにと言っておりましたのでね。友達も何とか怪我もなく無事でしたが、1人の子は泣いていたようです。でも「大丈夫だから」と娘が言って、私も「気をつけて家に帰るんだよ」と励まして帰しました。夫はそのころ仕事を探しておりましたので、たまたま家におりました。夫はトイレに入っているときに地震に遭遇したんです。

自宅の家の中は先ほど言ったように1階から2階まで物という物が落ちていたので、足の踏み場もないほどでした。食器も割れていました。余震が何回も来るので、その度におびえました。トイレとお風呂は断水で入れませんでした。ガスもその日は、「危ないから使わないで下さい」という知らせが回っておりました。猫を3匹飼っていたんですけど、猫たちは地震の度に外に飛び出しては戻るということを繰り返していました。

あのとき、テレビは情報として観たかもしれませんけど、暗くなる前に家の中のガチャガチャをなんとかしなければいけなかったので、片付けに必死でした。とにかく寝られる場所を、と、1階の居間に寝るスペースを確保しなければいけないと、1階だけは先に片付けました。1階の居間に布団を敷いて、すぐ逃げられるように靴を用意しました。車には食料とか毛布とかを積んでおいて、また地震が来て、家の中が壊れても車の方に避難できるように準備をして、少し心が落ち着いてからテレビを観たりしているうちに、千葉の方のコンビナートだと思いますが、火災が発生している映像を見たり、また仙台の方では震度7強とか、津波が襲ってきている情報を見て、ものすごい、とんでもない大地震が起きたのを知ったわけです。私のところは原発から直線にして64キロメートルです。福島県でいえば中通りといわれるところ、東北本線の郡山《こおりやま》駅から南に3つ離れた鏡石駅という駅の近くです。

自分の家はなんとか片付いて、実家の親の安否を確認したら「大丈夫だ」という返事でした。それでも心配だったので〝実家の様子を見に行こう〟ということになって、実家は歩いて10分ぐらいのところでしたが、自転車を引いて行きました。道路が陥没したところでは1回降りて、また戻りながらでした。私たちはいつも忙しくしているので、ほかの人には悪いと思いながらも、誰も怪我がなくてホッとしたせいもあり、こんなときにしか話もできないので、親と久しぶりにゆっくりと話もできました。

実家の方は水が出ていたので水を汲んで、自転車で帰ってからテレビをつけました。すると原発が爆発したというニュースを見て、〝えっ!〟となりました。私たちは外を歩いておりましたので、余計にね。以前、温暖化とか環境変動が起き、原発事故が起きたら……というような講演を聞いていたので、〝ほんとうに起きてしまった〟という実感をつかみました。

福島原発事故の報を聞いて

国は「ただちに健康には影響はない」と言っておりましたけど、なんだかそのあやふやな言い方に対して、〝おかしいなぁ！〟と疑問に思いました。私は、須賀川《すかがわ》市にある自然食レストラン「銀河のほとり」の方々とつながっていました。そこではさまざまな人が、立場を超えた感じで、原発にくわしい人もいるし、自閉症の人もいたり、また学校の先生もいたり、私のような商売人もいたりで、〝みんなで日本を元気にしていこう！　福島から元気にして行こう！〟という感じで、けっこう盛り上がってイベントをやったりしておりました。そういう仲間の集まりなんですけど、そこからいろいろな情報がインターネットを通じて入ってきました。レストランの奥さんからは、「新潟の方に避難した」、「私はレベル５になったんで避難します」と入っていたけど、〝レベル５って何？〟という感じでした。

仲間からのメールでは、「那須に避難所を設け、福島の人を受け入れる準備を仲間の男の人が先に行って、旅館とか全部準備してます」という情報もありました。栃木県の那須はとても良いリゾート地なので、私もよく家族で出かけておりました。そこで、〝もし原発がメルトダウンしたら、ガソリン半分は絶対に使わないで残しておいて栃木県に避難しよう〟、〝犬、猫は一時的にちょっと置いて、人間だけをまず避難させて、その後に犬、猫を引き取ろう〟と思っていたりもしていました。お店のスタッフともメールのやり取りをしていて、「どうなんですかねぇ」と心配するメールが来たので、「今のところは大丈夫らしいから避難しないで、私は様子を見ているけど、もしメルトダウンしたら栃木の方へ行けるように準備しておいた方が良い」などと返信しておりました。

　でも実際には避難を考える余裕も無く、断水もしていましたので、水の調達を毎日しなければなりませんでしたし、スタッフもガソリンがないので来られないし、日常生活ができない状態となっていました。家が全壊に近い人もいましたし、まず生活に追われておりました。原発事故のことは、まだちょっと半信半疑でした。かといって、政府のことを信じていたわけではありません。

　水汲みに行くときマスクをしていると、すごく冷ややかな目で見られるんですよ！　〝馬鹿

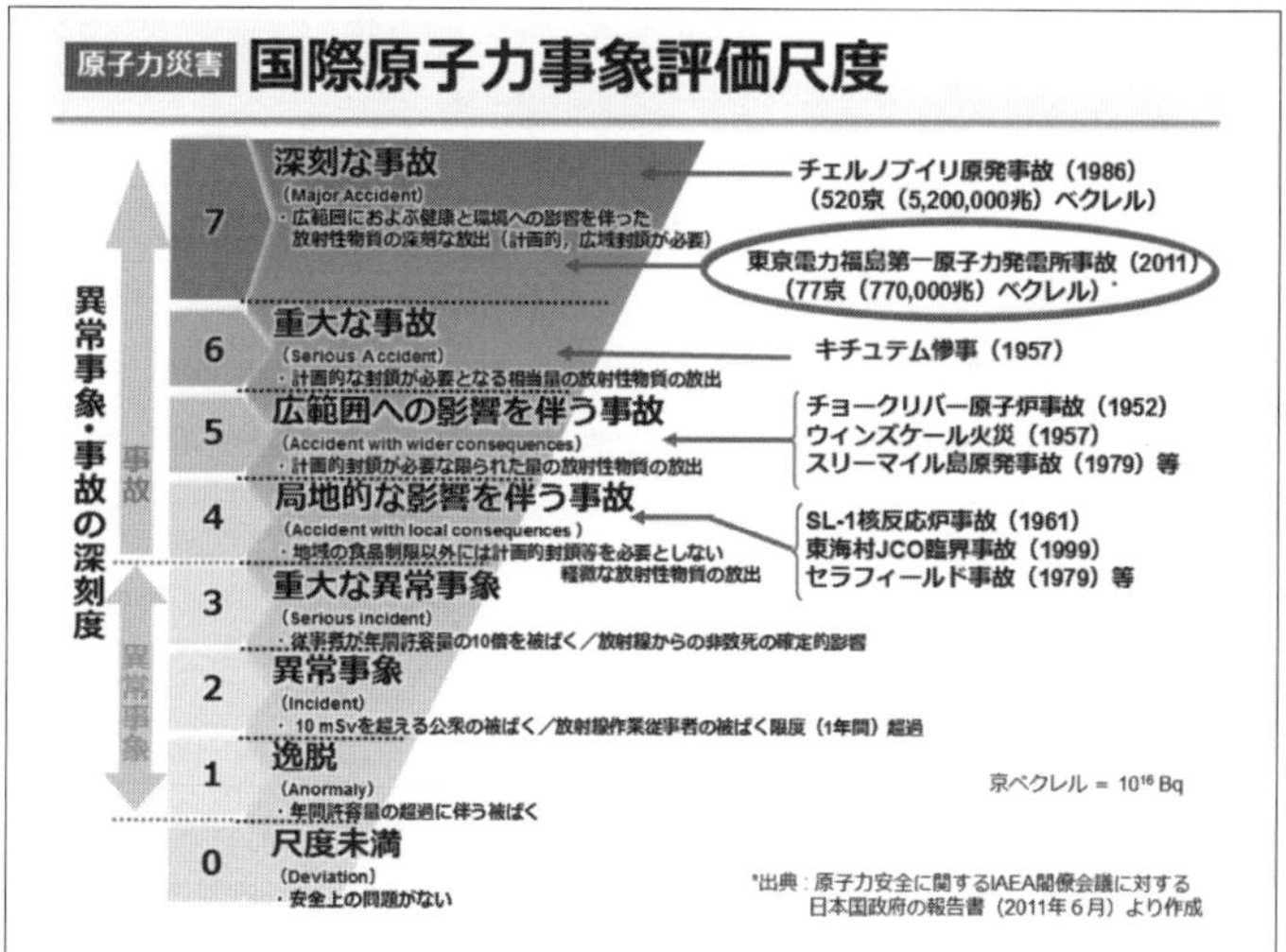

原発事故のレベル評価
（環境省 https://www.env.go.jp/chemi/rhm/h29kisoshiryo/h29kiso-02-02-01.html より）

じゃないの〟といった見方をされるんです。お互い考えが違うんで、いやな思いをしました。近所のお家からもそんな見方をされているのではないかと、気を遣いました。お客さん相手の商売をしていたのでね。

私たちは買い出しに行ったりもしましたが、スーパーにもコンビニにも品物が無くなっちゃってね、争奪戦のようになったんです。そうこうしているうちに少しずつ回復してきてね。でも道路などのデコボコはそのままでした。断水も1週間ほどでしたかね。やっとお風呂に入れたときは嬉しかったですね。しばらくはガソリンはなかなか手に入りませんでしたので、店では自分一人でお客さんを相手にしておりました。お客さんもガソリンが無いので、歩いてきていました。それも放射能が降りそそいでいる中をですよ！　場所によってですが1カ月も断水や停電があったりしていました。中通りの震度がいかに大きかったかがわかりましたね。

そうこうしているうちに、お客さんも少しずつですが来てくれるようになりました。スタッフも戻ってきてくれました。みんな放射能のことは明確にわからないながらも、換気扇は回さないようにしていたし、外から中に入るときは衣類から付着したものを払って入るようにしました。お客さん一人ひとりに説明してね。「このような状態で営業させてもらっています」とお願いしました。みんな半信半疑の中でしたけどね。

娘と学校のこと

娘にも「外に出ても衣類は払って入るように」と言ってましたよ。戸には目張りをするようにとかね。実家に姪っ子がいるんですよ。同じ年ごろのね。春休みだったので、娘を実家にあずけて、「外には出てはいけないよ！」と言って、家の中で遊ばせるようにさせました。

そうこうしているうちに学校がはじまったんですよ！　4月の中ごろでした。春休みプラス1週間あったかぐらいの休みでしかなく、〝こんなに早く学校がはじまっちゃっていいのかな〟と思いました。そのころ、地上1メートルのところでの計測で、0・34マイクロシーベルトの空間線量があるとテレビで知りました。その数値は、「チェルノブイリでは、今でも立ち入りできない線量だ」とかいう情報もメールで入ってきたり、避難者も富山県の方まで避難したという情報も入ってきました。

私は心配でしたが、学校がはじまったので娘を登校させました。娘には「マスクをしなさいよ」と言いました。でも、マスクをしている子がほとんどいなかったんですよ。学校の指導は無かったんです。

うちの娘はアトピー性皮膚炎もあり、目のまわりが春先には赤くなるんです。原発事故前は、美容室でヘッド・デトックス〔注：デトックス＝生理学的・医学的に生物の体内に溜まった有害な毒物を排出させること〕のようなことをやると、病院に行かなくても治るというか、消えていました。ひどくはなりませんでした。それが学校に行きはじめだしたら、顔中に発疹《ほっしん》が出たんです。虫刺されのようになり、顔全体が赤くなったみたいになり、びっくりしてヘッド・デトックスを何回かやったんです。でも全然よくならず、病院に連れて行ったんです。そしたらお医者さんは、「アトピーがひどくなったのかも知れないから、様子をみましょう」と言って、お薬を出したんです。塗り薬と飲み薬をね。私はあまりお薬とかは飲ませたくないんですが、そのときばかりは飲ませせました。そうすると一時的には治まるんです。でもまたしばらくしたら、ワッーと出てきたので、すごく怖くなって「どうしてこんなに治らないのかなぁ」と娘の前でポロッと口に出したら、「だって学校では外で体育をやっているんだもの」と娘が言うので、私は「エッー!」となり、「室内でやるんじゃなかったの?」と。保護者に何の説明もないまま、外で体育をやっていたというのを聞かされてびっくりしたんです。テレビとか新聞を見ておりましたら、体育は室内でやるといっておりましたからね。鏡石町立第一中学校です。

私は〝このままではよくない〟と思い、学校に電話をしました。特に外でやる体育の授業についてです。当時、夫は家におりましたので、毎日放射能の情報とかを調べておりました。〝チェルノブイリでは事故後にこういう症状が出ている〟とか、〝生まれた子に障害が出た〟というようにね。そのころ、テレビでもチェルノブイリ原発事故の10年後とか、20年後とかいう番組が映し出され、それを観ていて、〝娘が結婚したときに生まれてくる子は大丈夫なのか〟とか、〝娘が発症して苦しむことはないのか〟とかを考えると大変なことだと思って、学校に電話をしたところ、「教育委員会に言ってください」と言う返事でした。私は美容室の仕事をしておりましたので、夫にねばってもらって、とりあえず電話をし続けてもらいました。すると教育委員会は教育委員会で、今度は「学校に言ってくれ」と言い、また、学校は「教育委員会に言ってくれ」と言う。お互い、逃げ口上でした。

そのうちに「学校の担任の先生に相談してください」と、具体的に言ってきました。ですから私は担任の先生に手紙を書きました。〝体育の授業などは外ではやらないでほしい〟という内容です。そうしたら、担任の先生から電話が入りました。たしか最初は娘に言伝《ことづて》だったと思います。「校長先生が会って1回お話をします」ということになりました。学校に夫と2人で出向いて行きました。それはたしか5月のゴールデンウィークの後だったと思います。

校長先生と教頭先生は、ニコニコして迎えてくれたんですけど、ものすごく緊張している感じでした。なんとなくギクシャクしながら話し出しましたが、教頭先生が国から出されている放射線量について話しはじめました。「高さ1メートルの測定値が0・34マクロシーベルト、校庭の地面も0・4」とかあるという説明でした。「校内は0・01マイクロシーベルトで、低い」と言っていました。「したがって何の問題もありません。国が大丈夫と言っているので、問題ありません。大丈夫ですから」と言われました。でもね、私は「チェルノブイリでは0・2とか0・4くらいは検出されていて、今でも入れないところがあるということを聞いておりますよ！」と言うと、校長先生の顔がだんだんと曇ってきましたが、どっちも引かない感じの様相になりました。「放射能という理由では体育とかは、外ではやらせないということには絶対になりません」ときっぱりと言いました。「給食はどこの物を食べさせているんですか！」と聞くと、「最初のうちは県外の物を使っておりました。でも今は大丈夫だから地域の物を使用している」と言いましたので、私は「何ベクレルまではよい、という情報を保護者に知らせてほしい」と頼みました。すると校長が、「いままでのおつき合い（業者との）もありますからねぇー」と言われたのです。結局、「体育も外でやるし」、「給食もいままでどおりの物を食べさせないわけにはいきません！」と言いました。

私は牛乳も心配だったんです。食物連鎖による放射能の濃縮があると思っていましたからね。ですから、「外での体育と牛乳を飲ませるのだけはやめてほしい！」とお願いしたんです。すると教頭先生が、「アトピーでそういうお子さんはいますよ」みたいなことを言ってきました。私は〝全員の子どもたちのために〟と思って学校に行きましたが、2人の先生の言葉で、〝もうこれは無理だな〟と思いました。〝自分の子どもを守るだけで精一杯だ〟と思い、「アトピーでお願いします」と言い、帰りました。そのときには〝避難するかなぁ！〟と気持ちは決まっていたんです。ほぼね！

避難を決意する前に

4月27日の夜だったと思いますが、原発事故の後にはじめて福島に入ってくれたジャーナリストの田中優《たなかゆう》さん〔注：「未来バンク事業組合」理事長、「ap bank」監事、「一般社団法人 天然住宅」代表、「天然住宅 life」共同代表、「自エネ組」相談役、http://tanakayu.com/?fbclid=IwAR3JJySrl6rzzYzvvrcN4h7Lg2Iv8vtY3_Fxc9vOJ60hs6fK17ZZia6fSik〕という方の講演を聞きに行きました。環境問題をやっている方です。郡山《こおりやま》まで講演にいらっしゃいました。たぶん「銀河のほとり」の方たちが呼んだんだと思います。国は〝大丈夫だと言っている〟わけですが、私は〝大丈夫ではない〟という人がいるならば、その人の情報を聞いてみたいと思い、田中さんの講演を聞きに行きました。

そのとき、はじめて放射能汚染地図を見せられたんです。〝エッ！　こんなものがすでに知っている人にはわかっていて、テレビではいっさい報道してないよね〟と驚愕しました。しかも、中通りがその地図にすっぽり入っていたんですよ！　まさに放射能の通り道でした。私が住んでいるところが入っていました。

講演では、「18歳未満のお子さんは避難した方がよい」と言い切っておりました。そのときに娘の顔の表情とその情報が重なりました。田中さんは、「チェルノブイリ事故のときに、生まれたばかりの子どもの体調が思わしくなかった経験からチェルノブイリ事故のことを考えるようになった」と、「そんな経験から伝達する活動をはじめた」と言っていました。「親が子育てをする環境を知らないということであれば、子どもを守ることはできない」とも言っていました。〝相当勉強しているし、くわしく調べているな〟と思いました。

私は、「避難することにしよう」と夫に宣言して、車で帰ったんですが、車内はシーンとしてね、田中優

◆資料：WWF田中優さんインタビュー

チェルノブイリの原発事故の頃に、ちょうど2人目の子供が産まれたんですが、その子は生後すぐに入院してしまったんです。その時は気づかなかったけれど、後々になってチェルノブイリの放射能を含む雨が日本にも降っていた時期に重なっていることに気づいたんです。

その頃、僕はまだ勤めていて、家でも料理はいつも僕が作っていました。それで、カミさんに、妊娠中はカルシウムが不足するから牛乳を飲め飲めと勧めていたんですね。ところが、チェルノブイリ事故の影響で、実は牛乳にも放射性物質が含まれていました。子供が入院したのは、そのせいかもしれないと思ったんです。

もちろん、放射能の影響って確率的影響だから、立証することは不可能なんですが、それでも自分にとっては、放射能の値が高い牛乳をカミさんを経由してお腹の子供に届けていたことが、とてもショックでした。自分が子どもを守りたいと思いながら、子どもに放射能を届けてしまっていた。もう二度とこんなことがないようにと考えて、原発問題、エネルギー問題に関わり始めたんです。

https://www.wwf.or.jp/activities/opinion/2410.html より引用

さんの講演もみんなお葬式のような感じの静けさで、神妙な感じで聞いていました。

その後にも中部大学の武田《たけだ》邦夫《くにお》教授が来ました。武田さんが原発事故の件で、毎日情報を発信していたんです〔注：http://takedanet.com/〕。それを夫が毎日プリントアウトして、私に見せてくれました。福島市の講演〔注：「食と放射能」2011年5月16日〕に夫と車で行ったんですけど、もう会場はいっぱいで入れませんでした。帰って来てから動画で見ました。

避難する前に、ほかにも何人かの人の情報を得た方が良いと思いました。琉球大学の矢ヶ崎《やがさき》克馬《かつま》教授の講演〔注：2011年5月17日郡山市、「内部被曝を避けるために――怒りを胸に、楽天性を保って、最大の防御を」〕も聞きました。内部被曝《ないぶひばく》と外部被曝《がいぶひばく》についてでしたが、最初は〝何を話したいのかな〟と思ったんです。原子がどうとか、分子がどうとかという話が出たものですから、科学的なことをすごく説明されたものですからね。「外部被曝と内部被曝というものがあり、しかも内部被曝というのはものすごく怖いもので、遺伝子も破壊してしまうし、身体の中から攻撃してくる」というとても専門的なお話を聴き、知ることができてほんとうに良かったと思いました。矢ヶ崎教授が、「講演前に外で放射能を測定したら、2マイクロシーベルトくらいあった」と言っておりました。〝やっぱり郡山は高いな〟と思いました。郡山に〝子どもを連れて来なくて良かった〟とも思いました。矢ヶ崎先生も「18歳未満の子どもは避難した方が良い」と申しておりました。ですから娘の顔も良くならないので避難を決めました。

北海道に避難

娘は最初、「行かないからね」と言っておりましたが、チェルノブイリの動画を娘に見てもらって、「後々自分が病気になったり、自分の産んだ子どもがこんなふうになったらどう思う」と言ったところ、「いやだ」と言いましたね。それで避難を決めたわけです。中学2年生で、受験生だったんだけども、しぶしぶ避難することを決心をしたんです。

話が前後しますが、メールでも流れていましたし、福島の新聞にも出ていたんですが、4月の中旬に北海道の富良野《ふらの》に住んでいる倉本聡《くらもとそう》さん〔注：「北の国から」の脚本家〕が、「被災学童集団疎開受入れプロジェクト」というのを立ち上げてくれたんです。富良野の教育委員会も学校も町もみんな協力して、福島の子どもたちを4月末から学校ごと受け入れるというのを立ち上げてくれたんです。自分は正直、年齢も46歳だったし、〝自分の命はまぁ〟というのがあって、親もいるし、とにかく子どもたちだけでも避難させるために〝疎開〟させたかったんです。でも、「福島県が断った」ということを聞かされました。せっかくのプロジェクトなのにね！私は学校ごと行ってくれたら、安心だったんですがね。

それで、〝これはもう自分で動かなければ、避難させられないなぁ！〟と思いました。夫と娘と3人で北海道の富良野に下見に行くことにしました。5月24日だったと思います。

ちょうどそのとき、「子どもの被曝基準を年間20ミリシーベルトに上げる」と文部科学省が示したのに対して、「基準の撤回を求めて福島の女たちが要請した」というニュースを見たんです。福島の女たちが、5月23日に行なった文部科学省との交渉のことです。私も「一緒に行かないか」と誘われたんですが、私は「富良野に行っているので行けなくて……」と友人には伝えておきました。自然食をやっている人たちも行きました。国会議員の山本太郎《やまもとたろう》さんも参加して協力してくれたようです。

私たちは飛行機で札幌に行き、すすきので1泊したんですけど、その後に富良野に行って無料の空き家も見たりしたんですが、〝自分たちだけでは生活していけないなあ！〟と思いました。娘の学校のことや雪が降ったときのことを思うと富良野は、あきらめざるを得ませんでした。

私たちが北海道に行く3日前くらいに、福島でお世話になっていた歯医者さんから娘の歯形が送られてきたんです。たまたまなんですけど、札幌にいることがわかったんです。歯医者さんは、情報が早かったんですね。ですから、あっという間に避難したようです。札幌にたどり着いてからも1カ月くらいは、落ち着けなかったようです。「札幌にいるのなら会って話を聞かせてもらいたい」と連絡をとった結果、「札幌市はＮＰＯ法人の人たちが集まって協力して、避難者を受け入れる体制を整えてくれているから、手厚くていいよ」という話をそこで教えてもらったこともあって、私たちは札幌に落ち着くことにしました。

札幌へ

２０１１年6月8日、小さい車に夫と娘と、お客さんで2人の子どもがいる母子家庭の方と5人で、一緒の車にぎゅうぎゅう詰めの形で乗りこみ、さらに持てる家電も持ち、青森でフェ

◆資料：被災学童集団疎開受入れプロジェクト

この度の災害。言葉も出ません。

俺たちの気持がお前らに判るか、と云はれそうですが。日々の報道に接しながら、本当に心のつぶれる思いです。

地震、津波、そして余震。更には思いもかけぬ原発事故。

家を流され、御家族、御友人を失い、更には仕事の基盤まで消失された皆様のお気持に、心より御同情申上げます。

さて、その時にあたり、我々北の国・北海道富良野の住民は、今みなさまに対し何が出来るかと我々なりに懸命に、真剣に考えて参りました。今はまだ災害の混沌の中、お気持の整理もつかない状態だと思いますが、僕らの心配しているのは、現在の被災地のお子様たちのことです。報道によれば、避難場所を転々と移動する中で、転出地の学校に一時期通い、再び別の場所・別の学校へ転校するなど、落着かない気持で、折角知合った新しい友人とすぐ又別れるという不安定な暮しを強いられている小・中学校の生徒たちが多数おられるということです。

学童にとって大事なことは、学校というものが、単に学業を教える場ということよりは、そこで多くの友人を得られるということです。

私事にわたって恐縮ですが、私も妻も、あの第二次大戦中、戦火を避けて学校単位、地域単位で地方へ避難した、学童疎開（当時は集団疎開といゝました）の体験者であります。私の場合、山形へ行きました。最初は、先生引率のもと、旅館・寺などでの集団生活。戦火が厳しくなると更に田舎の地域社会に、民宿（ホームステイ）という形で分散しました。

勿論先生も同伴し、本部というものを置いてそこに常駐し、毎朝一緒に地元の学校へ。地元の生徒たちと交わりながら、地元の先生に教わることも、又、引率の先生に教わることもありました。何より大きかったのは、同年輩の子供たちを含め、田舎という緊密な地域社会との新しい絆・友情が芽生えて行ったことです。

戦時下と今では、豊かさ、平和の度合いがちがい、又、都会と地方では更にその度合いに格差があると思います。しかし、今回被災地の方々が、あの苦況の中でお互い助け合い、一つのにぎりめしを分け合って食べておられる地域の絆の強さに涙しながら思うことは、我々北海道の人間なら、皆様の絆の強さを尊重しつゝ、新しい人間同士の新たな絆を構築できるのではないかと信じるのです。そこで御提案です。皆様のふるさとがはっきりした再建の見通しの立つまで、短期でも中期でも長期でもかまいません。学童たちをしばらくこちらへ、学校単位、地域単位、或いは親しいサークル単位などで、北海道へ移動させては如何でしょうか。

私の住む富良野はドラマ「北の国から」で少しは名の知られた過疎の町ですが、暖かい人間ばかりです。いつでも皆様をお受け入れできる用意があります。特筆すべきはこゝに住む現地の学童たちが、是非自分の家に来て欲しい、お友だち、兄弟のようになって一緒に学校へ通いたいと云ってくれていることです。

被災地から当地への移動費、生活費、一切の支出は御心配いりません。全て当地で用意します。我々は皆様を迎えられることを、心からよろこびとしております。又、お子様方とどうしても離れられない親御さん、或いは御老人などのケアについても、然るべく話合って御相談に応じたいと思っております。

今の、苦しいお立場の中で決して押しつける気持はありません。

ただ、こちらには、いつでもそういう方々を受け入れる準備があるということ、それぐらいしか今の我々には皆様をお助けする術がないことを思い、そのような、いささか突拍子もない御提案を申上げる次第です。

お考えいたゞければ倖いです。いつでも細かい御説明にうかがいます。

皆様の御意志をおきかせ下さい。

被災学童集団疎開受入れプロジェクト　代表　倉本 聰

リーを乗り継いで、札幌へ先に行きました。

私はどうしても美容室を片付けてからでないと行けません。一番心配だったのは、娘の顔のことです。でも札幌に移って1週間ほどで、顔の発疹が消えたことを夫から聞かされました。それ以来1回も娘は顔に発疹が出ておりません。

私は福島のお客さんにハガキを出して事情を説明しました。いらっしゃったお客さんには、一人ひとり、説明しました。泣いたり、怒ったりするお客さんもおりました。お客さんにも避難を勧めましたが、「私たちはできません」という方もおりました。「親が大丈夫だというから……」という人もおりました。

その後、私は自宅兼本店を閉めるかたちになって、スタッフとお客さんは全員、支店に移ってもらって、犬1匹と猫2匹を連れて飛行機に乗って7月1日に札幌に行きました。でも、お客さんに対してもスタッフに対しても、経営者であるかぎり帰らなければなりません。最初の1年ぐらいは2カ月に1回ほどは福島に帰っていました。

他の猫と仲が悪く、外飼いの状態だったためやむなくスタッフにエサやりを頼んで1匹残してきた老いた猫が、近所迷惑をかけ、苦情がきたり、スタッフともめごとがあったりしました。たぶん残った人たちからみれば、それまで繁盛していた明るい雰囲気の美容室が草ぼうぼうになって、しかも認知症の猫の餌にカラスなんかが集まりましたので、苦情となってしまったんです。自宅に帰っても、ご近所のご夫婦から冷たい目で見られるんです。無理もないんですよ。ご主人は自衛隊勤務で、毎日、津波で被災した方の捜索やご遺体の片付けをなさったりしていましたからね。だから、〝そんな放射能なんて〟という感じだったんでしょう。私の夫がそのようなことを言われたんです。私は針の筵《むしろ》みたいな場所に帰っていたんです。

そういうことで、支店も手放すことになり、生活はどん底になったんです。そればかりか、帰る度に人が亡くなるんです。病気になったりで。それを聞く度に、〝もうこれからは責任が持てない〟と思いました。

私は避難しましたけど、町じゅうの子どもにも避難してほしかったですね。小さい町なので、役場の人もお客さんで来てくれていました。町長とも避難する前は、町づくり委員会で交流があったんです。そんな関係で電話をして、町長に電話口に出てほしいとお願いしたけど、出てはもらえなかった。私も頭にきておりましたから、保健福祉課の人に、「どうして避難させないんですか？」と言ったんです。「避難させて、放射能を除染したり、きれいにしてから戻せばいいんではないですか」と言いました。すると、「私たちが悪いんですか！」と言うので、「そうではないんですか！」と言いました。「町民の健康を守るのが福祉課ではないんですか！」と言ったら、「そうです、すみません」みたいな対応でした。今まで仲が良かった人たちが、なぜか敵にまわったような悲しい気持ちになりました。

県庁にも電話をして言いました。「知事を出してほしい」と。「避難させないで病気になったらどうするんですか！」と県庁の人にも言いました。そうしたら、「被曝で病気になった場合は、お医者さんが診断したら補償します」と言うので、「なってからでは遅いんですよ！」と言ってやりました。また東電にも電話をしました。最初のころ、私も怒りがありましたのでね。帰る度に身内が病気になっていたんです。

弟のお嫁さんも心配していたんですが、不安だけど、お嫁さんは離れられなかったんです。会社の人たちも「頭が痛い」とか、「あちこち変だが気のせいかなあ」と言うんですが、〝放射能〟とは言わないんです。私だって、首のリンパ腺あたりがピリピリして、スタッフに言ったら、「私もです」と言いましたね。私は「放射能のせいだ」と言ったんです。身体の弱いところに影響が出たのだと思っています。

賠償の件ですが、大人4万、子ども7万。避難した18歳以下の子どもには確か40万円かな。補償の件は、避難してからADR（裁判外紛争解決手続）を使いました。1万円払ったら、間に仲裁する人たちが入って、早く解決する手続きができたので、2011年12月分までは、それをやりました。最初にもらった分も含めて300万円くらいは入りました。つまり営業損害が大きかったですからね。私の補償は営業していたからですが、そうでない人たちは、わずかなお金しかもらっていないですね。

無我夢中の8年間

福島のときは大きな夢をかかげて、美容室も目標に向かって大きくしていく計画でした。美容室の売り上げも大きかったんですが、原発事故でその計画はつぶれ、たった一人になっちゃったんです。ですから、最低限の生活しか望めなくなりました。

北海道に避難して、新たな美容室を軌道に乗せるのは、容易なことではありませんでした。

スタートのときは投資もしなければなりませんしね、まったく見ず知らずの場所ですから宣伝費もかかりましたね。まさにゼロからの出発でした。夫も就職はできましたけど、北海道は給料が安くて、難儀しています。ですから生活は質素にやっています。車も処分しましたしね。福島ナンバーでしたから、キズを付けられもしました。何もかも買わずに、あった服を着どうしという生活ですね。駄目になったら福島に帰るしかないわけですから……。もしもそんなことになったら、みんなから冷たい目で見られるし、支店も手放してしまったから、帰る場所もありません。

夫は原発事故の前に仕事が駄目になっておりました。ですから会社を廃業したんです。自宅兼店舗は、夫の名義だったんです。民事再生という手続きが進んでいました。そのときに大地震と原発事故が起きたものですから、家を持っていても仕方がないし、最低でも30年とかは戻らないつもりでしたので、ローンを払って維持するのは大変だから、破産手続きに変えたんです。それは北海道に避難してからです。ですから弁護士費用とかに余計にお金を使ったんです。事故さえなければ、何の問題もなかったのにね。夫は農家の長男だったので、本当は農業をやるつもりでした。原発事故ですべてが狂ってしまったんですよ。

札幌に移ってからも、娘を学校にやらなければなりません。でも、お金のかからない学校を選んで行くようにしました。中学校の先生に教えてもらってね。授業料も免除になるような学校に娘は行きました。夫は車にも乗りたがっていましたが、「とてもそんな余裕がない！」と私が全部、司令塔のようになりまして、生活を最低限に抑えました。とにかく乗り切ることに必死だったから、みんなでなんとかがんばりました。泣き顔は見せずにね。

東電から出たお金も貯金も全部使い果たしました。家賃は2年間は無料でしたが、以降はそうゆうわけにはいきませんでした。事故当時、息子は東京のイラストの専門学校に通っていましたが、「学費が払えない」ということを電話で伝えてね、残り半年でしたが辞めてもらいました。東京でイラストの仕事をしていたこともありますが、今は札幌に戻ってきています。この8年間は無我夢中でした。

今はやっとですが、美容室もある程度お客さんがついてくれるようになりました。それほど儲かっているわけではありませんが、いままでの質素な生活を続けていれば何とかなるでしょう。娘も今は社会人になっていますのでね。自立して働いておりますから安心しています。夫も安い賃金ですが、続けて働いてくれますので、ホッとしています。いままでは年齢のこともあり、不安で不安で仕方ありませんでしたが、最近は健康第一にして、〝なんとかなる〟というように考えています。

ときどきは、〝福島の親の面倒をみなくては〟と思うこともありますが、〝娘がやがて結婚すれば子どもも生まれるだろうから、そちらを優先させねば〟と思うようになりました、放射能にやられたと思われる方たちの中には、白血病などになられた方もいますし、そんなことを考えると、できるだけ放射能のないところにいる方が安心だとも思っています。

福島に帰る度に亡くなった人の話を聞きます。それも身近な人たちのことですから、余計に考えてしまいます。福島に残る私の友人の中でも、2人くらいが子宮を切除したと聞きまし

◆資料：2020年3月10日NHKニュースより
福島第一原発事故集団訴訟 国と東電に賠償命じる判決 札幌地裁

東京電力福島第一原子力発電所の事故で、北海道に避難した250人余りが起こした集団訴訟で、札幌地方裁判所は「国が防潮堤の設置などを東京電力に命じていれば事故は避けられた」などと指摘し、国と東京電力に総額5290万円余りの賠償を命じました。一方、一律の金額の請求は退けられ、原告側は控訴する方針です。
福島第一原発の事故で避難区域や、そのほかの地域から北海道に避難した250人余りは、生活の基盤を失うなど精神的な苦痛を受けたとして、国と東京電力に総額およそ42億円の賠償を求めました。
裁判では、国が大規模な津波を予測できたかどうかや、東京電力がこれまで支払った慰謝料の額が適正だったかどうかなどが争われました。
10日の判決で、札幌地方裁判所の武藤貴明裁判長は「政府の地震調査研究推進本部が、地震の長期評価を公表した平成14年の時点で、国は津波の到来を予測することができた。その後、遅くとも平成18年までに防潮堤の設置や、非常用電源の浸水対策などを東京電力に命じていれば原発事故は避けられた」と指摘しました。
そのうえで「国の規制権限の不行使と東京電力の津波対策の不備が相まって事故が起きた」として、国と東京電力に対し、原告のうち89人に総額5290万円余りを賠償するよう命じました。
原告の大半は、国が賠償の指針で定めた「自主的避難等対象区域」に住んでいた人で、10日の判決はこの区域から避難した人の慰謝料について、妊婦などの例外を除き、国の指針を上回る30万円としたうえで、これまで東京電力が支払った金額との差額を賠償額と認定しました。
国と東京電力に対する集団訴訟の判決は11件目で、1審で国の責任が認められたのは7件目です。
一方で、今回の判決では原告らが求めていた慰謝料など一律1650万円の請求は退けられ、原告側は控訴する方針を明らかにしました。

原告団長「国の責任認めたことは歓迎」

判決について、福島市から札幌市に避難した原告団長の中手聖一さんは「国に事故の責任があったと裁判所が認めたことは歓迎したい。ただ、認定された賠償額を見るかぎり、避難者の実態は理解してもらえなかったと思う」と話していました。

東京電力「判決内容を精査し対応検討」

判決を受けて、東京電力は「原発事故で福島県民の皆様をはじめ、広く社会の皆様に大変なご迷惑とご心配をおかけし、改めて心からおわび申し上げます。判決については今後、内容を精査し、対応を検討して参ります」とコメントしています。

原子力規制庁「国の主張 理解得られなかった」

判決について、原子力規制庁の関雅之広報室長は「国の主張について裁判所の十分な理解が得られなかったものと考えている。いずれにせよ原子力規制委員会としては、原発事故を踏まえて策定された新規制基準への適合性審査を厳格に進めていくことにより適切な規制を行っていく」とコメントしています。

原告団「一定の評価」

判決のあと、原告団が札幌市内で会見を開き、代理人の1人の岩本勝彦弁護士は「国の責任を厳しく、明確に認めた点は一定の評価ができる。ただ私たちが求めているのは損害に対する賠償だ。今回の賠償額はこれまでの判決と同程度か、もしくはそれより低く、受け入れられない」として控訴する方針を明らかにしました。
また福島市から札幌市に避難した原告団長の中手聖一さんは「判決で厳しく断罪してもらったことはありがたい。国と東京電力は判決を受け止め、しっかり反省してほしい。2審では今なお続く被害の実態を訴えていきたい」と話しました。

た。娘だってまったく予測がつきません。被害はだれに降りかかるかわからないので、心配はつきません。でもときどきね、〝のど元を過ぎれば〟ではないですが、忘れてしまいます。ですから私は、私自身にときどき釘を刺すんです。

鏡石町は人口約１２００人くらいの小さな町ですが、避難した人はわずか20人くらでしょうか。それも私が見聞きした情報をＡ４にまとめて、お客さんに配っただけですから、少数の人たちだけですね。とくに妊婦さんとかだけです。その中には、私と一緒に北海道へ避難した母子家庭の親子のほか、九州に行った人がいます。それは避難というより、転勤願いを出して行った人です。

原発事故損害賠償北海道訴訟に私も加わっており、東電と国を相手に闘っています。

補記：自主避難者の切り捨て

原発事故で人生が狂ってしまった。
生きているだけで身も心も疲れ、無理をして歳だけをとった。
元の生活を取り戻すことなど、不可能だと悟った10年。
自主避難者を冷たく切り捨ててきた、
国と東電には恨みしかない。

（２０２１年3月8日　ほんだ　じゅんこ）

証言●10

黒田節子さん

福島県郡山市より群馬県高崎市に一時避難。現在、郡山市に在住。

黒田節子さん――インタビュー：2019年7月9日

3月11日

福島のことはあまりにもたくさん問題があってですね、私一人の口からそれを全部説明できませんが、一生懸命伝えたいと思います。私、泣き虫なんですよ。あの時を思い出すとつらくてね、涙がとまらないんです。

さて、3月11日はですね、郡山《こおりやま》で保育士をやっておりました。だいたい、子どもたちは100人おりました。地震は2時46分でしたかね。子どもたちを昼寝から起こして、おやつの準備をしていたときでした。来たんですね、ガタ、ガタ、ガタッ！　と大きな音を出してね。子どもたちがワァー、ワァーッ！　と騒ぎ出しました。小さな子どもたちですから、あちこち走りまわっては危険なので、毛布とかシーツとかでくるんで、頭が危険にさらされないようにしましたね。そのクラスでは保育士2人でやりました。「落ち着いて！　落ち着いて！」と言いながらね。子どもって、あまりの恐怖にオシッコを漏らすんですね。その時何人かでしたが、ジャー、ジャー、ジャー！　と立ったまま漏らしたんです。ほんとうに怖かったんだと思いました。私たちも非常に怖かったわけですからね。そうこうしているうちに、ママたちが迎えに来ましてね。それほど時間が経たないうちに、子どもたちはママに連れられて帰って行きました。保育場の中はあちこちモノが倒れたりして、大変な状況でした。平屋《ひらや》建てだったこともあり、倒壊はまぬがれましたが。

当時私は、夫と2人で団地で暮らしていました。1階だったので、〝もしかして潰《つぶ》れているのでは〟と思ったんです。1995年の阪神淡路《はんしんあわじ》大震災時に、1階がけっこう潰れていましたよね。それを思い出していました。保育園のことでバタバタしておりましたから、電話で確認する状況ではなかったんです。やっと自宅に帰ってきましたら、潰れていなくてホッとしましたね。そんな状況の中で、保育所は臨時の閉所となりました。

すぐに困ったのは、水道が止まってしまったことでした。飲み水と水洗トイレが使えなくなってしまいましたからね。ガスはどうだったかなぁ？　電気は大丈夫でしたね。とにかく、水が無いというのは生活に一番ひびいてきました。水を配る給水車があちこち回って、公園で給水を行なっていました。みんなポリタンクや持ち合わせの容器を持って、並ぶんです。とても良い青空の天気で、パカンと晴れていたことが印象に残っています。水をもらうのに長蛇の列ですよ！　水を求めてね、何時間も待ちながらです。余震もけっこうありました。

その時、〝原発が危ないのじゃないか、放射能が私たちの上を流れているのではないか〟と思いましたね。でも、とりあえず水が必要なものですから、何時間も並んで待ちました。私のところは夫と2人だけで、夫も動けましたからなんとかなりました。ペットボトルはもちろん、ビニールのゴミ袋を二重三重にすると、しっかりした水入れになるんです。12日、13日あたりはまだ給水車は来ていなかったかな？　でもかなりの日数、水をもらいに行っていたので、並んでいる時に〝放射能の被曝《ひばく》をしているのではないか〟と思いました。

あの時、母子家庭の赤ちゃんを抱いている人がいてね、小さな子どもがぐずって並ぶことができませんでした。また、障がい者や高齢者の方々は、困ったのではないでしょうか。

でも地域によっては、水が出たんですよね。友達の家とかにもらいに行けば良かったのに、それはかなり後になってからわかったことです。

群馬県高崎市へ緊急避難

テレビは見えていたので、津波の様子とか、ものすごかったですよね。それで、1号機が水素爆発したのが、たしか3月12日です。〝これは絶対にヤバい〟と思いました。水問題も大きかったんですけど、〝放射能はもっとまずいだろう〟ということで、夫と相談して、群馬県の高崎《たかさき》市に私の妹夫婦がいるので、そこに車で避難をすることにしました。

避難する前に、「親愛なる皆さんへ――最大・最良の行動は、今、原発からなるべく離れることだと思います。私たちは、とりあえず会津方面に逃げます。友人も南へ、西へ逃げています。電話が不通です。間もなく移動します。PCをひらくことはできなくなります。連絡は私の携帯アドレスにください。共に生きましょう！　道を開きましょう！」と、こんなメールを日頃お世話になっている方々に誰彼となく送ったのは、3月13日の朝8時過ぎのことでした。大地震からおよそ40時間経った時でした。

東北自動車はあちこち陥没していて行けないので、〝下の道を行くべ！〟ということになって、会津から日光をまわって高崎に入りました。車にガソリンがいっぱい入っていなかったものですから、途中で入れなければなりませんでした。ガソリンを入れるのにも、長蛇の列でした。順番が来ても10リットルほどしか入れられませんでしたね。栃木《とちぎ》県の日光《にっこう》市で入れたのと、ほかに途中で10リットルを2回ほど入れました。それはよく覚えております。あれも大変だったんですよ！　余震が続いていたので、ガソリンだけは満タンにして行きました。何が起きるかわかりませんからね。朝出発して暗くなる前には高崎に着きました。

妹夫婦は、高崎で有機農法で作物を作っていたんですが、そこにも放射能が流れてきていました。妹たちは農薬は使用しないで、一生懸命汗を流して良い土づくりをしてがんばっていたのに、やっぱり高崎にも放射能は降ったんです。ですから作物は出荷停止になっちゃって、妹たちの悲嘆に暮れる姿を間近に見て、〝なんてことになってしまったんだ〟と思いました。

メールで、友達があちこちに避難していることが少しずつわかってきました。知人が知らせてくれたのですが、障がいのある人たちは大変苦労していたんです。くわしいことは後で知ったのですが、ある人は自分の部屋に閉じこもったきりになってしまったんですよ。それはヘルパーさんが来られなくなってしまったことも手伝っています。ヘルパーさんも自分の生活が大変でしたからね。それでもその方は水があったおかげで生き延びたんですが、その時は〝もう、おしまいか〟と思ったそうです。

中にはヘルパーさん家族と一緒に避難したケースもありました。グループを作ってね。ただ県内中大混乱状態でした。そのグループは、会津方面はまだ比較的放射能も少なくてよかったので、村営の温泉施設に行ったわけです。しかし、当事者にしてみれば、〝ものすごい差別的待遇だった〟ということを、後で訴えています。でも、受け入れた小さな村の方にしてみれば、〝混乱していたのでどう対処してよいのかわからなかったんでしょう〟とも思います。それにしても、震災によって大混乱していたことは確かなことです。結局はそこに落ち着けなくて、ヘルパーさんを含めた全員で、20人ぐらいで新潟に移住しました。みなさんいまいるところにポンと決まったわけではなくて、少なくても2回から3回、移動しています。あれから8年経ちましたが、いまはかなり落ち着いたようです。

避難先から帰ってきて

私たちは、高崎の妹夫妻の所には2週間くらいしかいなかったんです。というのは、夫の方の仕事はそうでもなかったんですが、私は保育所の子どもたちのことが心配で、再開する件で連絡もあるし、仕事をしないと自分の生活もありますし、ほとんど着のみ着のままで避難したので、〝とにかく一度帰ろう〟ということになり、郡山に帰ってきたんです。それで結局、現在までに至っております。

あの時の感じは不思議なものでした。一見〝何もなかったんじゃないか〟という感じでした。帰った時に、近所の人たちとのギャップも感じました。友人が放射能を計測する器械を貸してくれました。数字が出ますよね。最初のころは、その数字の意味ががわからなかったたんですよ。いまは何マイクロシーベルトという単位がわかるようになりましたけどね。放射能が目に見えないということが、いかにやっかいなものであるかということをすぐに痛感しました。

私の計器は、ウクライナ製でした。たとえばマンホールの上に置くと、バッ！　バッ！　バッ！　と数値が上がるんです。それから、雨樋の下とかは非常に高い線量が出るんです。

帰ったはいいんですけど、保育所からは、「あなたはもう来なくていい」と言われたんです。私が臨時の職員でもあったこともあります。それと、余震が続いたものですから、保育所に来る子どもたちが少なくなったこともあったんです。私は1年毎の契約だったんで、そういう人から首を切られたんです。「次の登録もいいです」と言われましたね。だから市の自治労（全日本自治団体労働組合）にも相談して、「こんなこともあるんですよ、おかしいんではないですか！」と言い、交渉もしたんですけど、結局らちがあかなくて、まあ、あきらめざるを得ませんでした。残念ながら首はつながりませんでしたね。

ハローワークの様子はですね、たとえば原発の近くに住んでいた人が逃げて来て、すぐに職を求めているわけですよ。とにかく人がいっぱいでした。失業保険の手続きもあったと思いますが、まあ、わんさか人があふれていたんです。身動きができないほどギュウギュウ詰めの状態でした。自分の番がくるまで、待っている人といろんな話をしました。福島原発から10キロの富岡町《とみおかまち》の方から来た娘さんとお母さんが、2人で並んで立っていました。たまたま私の近くにいて、話をしたんですが、「全く知らない所のハローワークに並ぶとは予想もしなかった。

こんなことになるとは思ってもいなかった」というようなことを言って、泣いていましたね。

郡山は、福島県では大きな街です。避難してくる人たちは、最初、郡山に来るんです。収容の能力が5500人ある「ビッグパレット」というイベント会場に避難した人が順に放り込まれるというわけなんです。私は高崎から郡山に帰ってきましたけど、保育所を失職しましたので、とりあえず〝何かボランティアがあるかなぁ〟と思って、その県内最大の避難所となった会場に行きました。

最初はその場所が地獄のような場所に感じました。とにかくどんどん人が入ってくるわけですからね。まだ3月でしたから寒かったんです。出入り口に雪が舞って、ほんとうに可哀想でした。ましてトイレの前なんかは、尿汚染でグチャグチャなんですよ。汚くて寒いところに、ひとり暮らしのお年寄りが〝比較的良い場所からはじき出されていた〟という状況がありました。私は頼まれた雑用をしていましたが、この光景は忘れようもありません。外国からのお嫁さんたち、お嫁さんではないかも知れませんが、水商売風の女性たちがひとまとめになって部屋のコーナーにいました。たぶん自分たちの身を守るためにかたまっていたんだと思います。こんな時でも性暴力があるんですよ！　すぐにですよ！　急きょ集まった市内の女たち有志が〝性暴力を避けるために女たちの場所を確保しなければ〟と対策本部に申し入れましたが、「あんたたち！　そんなこと言っている場合じゃないべ！」と言われましたね。最初は話を聞いてもらえなかったんですよ。でも、だんだん落ち着きを取り戻すようになって、やっと正常に動くようになりました。女性たちの場ができ、そこで子どもに授乳したり、いろいろな話もできるようにもなりました。

私の同僚が母子家庭の保育士で、子どもさんがまだ小学生だったので、放射能が心配ですよね。その人は「関西の方に避難することを決めた」と打ち明けてくれました。引っ越しの手伝いをしてあげました。つらかったはずですよ！　彼女も知らない土地に行って、ずいぶん大変な思いをして、精神的な薬を飲まずには生活できないようになっちゃいました。自分もつらかっただろうけど、それを見ている子どもさんもきっとつらかったと思います。「どうしても泣いちゃうんだ」と聞かされた時、〝ほんとうに大変な事態になっているんだ〟とつくづく思いました。この1、2年は落ち着きを取り戻し、手作り工芸品を作ることが好きな人ですから、心が安らかになったんだと思います。それから避難先で福島原発避難者のネットワークに参加したりで人間関係ができたんで、近頃はとても良い感じでいるみたいです。

メディアはね、何もしなかったんではないですか！　当初テレビは「大丈夫、大丈夫！」と言うだけでしたからね。そればかり私たちは聞かされていたんですよ！

賠償のことですが、7万円とか4万円でしたかね。何に使ったか覚えていないほどの額でした。

福島原発の事故後、福島県の放射線管理リスクアドバイザーに就任し、県内各地で講演を行なった長崎大学の山下俊一《やましたしゅんいち》の件ですけど、あの人はくまなく福島県内を回っているんですよ。私の感じで言いますと、チェルノブイリ原発事故後あたりはそれなりに良いことも言っていたんです。チェルノブイリ以前から関西で原発反対をやっている友人たちがいて、その通信を読んでいたので、ちょっとは情報がありました。山下俊一の情報も流れてきておりましたので、私は〝山下はダメだ〟と思いましたね。でも実際に〝どのようなものか〟と思い、講演を聞きに行きました。２０１１年5月3日、場所は二本松市でした。

いやぁ、一見したところは紳士でしたね。ソフトなものの言い方で、話の内容は「笑っていれば大丈夫」だなんて、人をくった物言いでね。「大丈夫だ、大丈夫だ」と言ってね、「心配すると病気になるんだ」なんて、平気で言うんですよ！ 彼はチェルノブイリに何回も行っているので、チェルノブイリ事故の件は全部知っているわけです。福島原発の事故以前から知っていて、大変な事故だったという論文まで書いているんですよ！ ところが、福島原発事故があってから、コロッと変わったことを言いはじめたわけですね！ 〝いったいこの人は、どういう人なんだ〟と思わざるを得ませんでしたね。人間として、本当の気持ちを知りたいですよ。でも、彼は最初から１００パーセント確信犯だということが、表情からも見て取れ、改めて怒りを禁じ得ません。

「福島で暮らすということ」

私は郡山に帰ってきてから、福島の現状を知ってもらいたいと思い、乞《こ》われれば鹿児島県の川内《せんだい》から北海道まで、各地で福島のことを話させてもらいました。

話をする時、福島県在住の吉田麻里香さんという方が、２０１２年1月12日に書いた詩を朗読しました。その「ふくしまで暮らすということ」という詩を紹介します。

ふくしまで暮らす、ということ。
わたしが、ふくしまで暮らすということ。
わたしにとって、ふくしまで暮らすということ。
たとえば、朝起きて窓を開けて深呼吸する習慣がなくなったこと。
たとえば、洗濯物を外に干せないということ。
たとえば、庭の畑で採れた野菜を捨てるということ。
たとえば、私が何も言わなくても線量計とマスクを身につけて外出する娘の姿に
　胸がチクっと痛むということ。
たとえば、この真っ白な雪に触れられないということ。
たとえば、「がんばろう福島」のスローガンに時々微かな苛立ちを感じるということ。
たとえば、いつのまにか呼吸が浅くなっているということ。
たとえば、ふくしまに「とどまれ」と言われると
　「人の命をなんだと思ってるんだ！」と言いたくなり、
「避難しろ」と言われると
　「そう簡単に言うな！　こっちにも事情があるんだ！」と言いたくなってしまうこと。
たとえば、6歳の娘が将来結婚できるかが今から心配になってしまうこと。
……

たとえば、わたしたちの日常が誰かの犠牲と努力によって保たれている
　薄氷のような「安全」の上に成り立っているという当たり前の現実を、
　　毎朝腹の底から理解するということ。
たとえば、明日にはこの家を遠く離れるかもしれない、と毎晩考えること。
たとえば……　たとえば……
それでも、毎日をそれなりに楽しく暮らしていることを、
　誰かにわかってほしいということ。
毎日、怒ること。
毎日、祈ること。

8年経って

　私は告訴団の一員にはなっておりますけど、裁判の方にはなかなか行けません。身体がいくつもあれば行きたいですけどね。私は原発現地に行って、再稼働反対などの活動を主にやっておりました。福島原発が取り返しのつかない状況になっていて、〝先も見えないのに、何で再稼働なんかするのか〟ということです

　私ね、いまの日本って国はどうしようもない国だと思っています。国を作っているのは実は私たち一人ひとりなわけで、残念ながらその一人は私ですけど、先日、『新聞記者』という映画〔注：2019年6月28日に公開。東京新聞・望月《もちづき》衣《い》塑《そ》子《こ》記者原案、シム・ウンギョン、松坂《まつざか》桃李《とおり》主演〕

を観たんです。とても良い映画だと思いました。その中で、ある権力志向の人が、日本の民主主義について、「形だけの民主主義でいいんだよ」と言うんですね。まさに、その通りの現実だと思います。私たち、ほんとうに民主主義なんて、体験してないからね。一人ひとりね、ほんとうになさけない。

〝忖度《そんたく》〟という言葉を安倍さんのおかげで知りましたけど、私たちの周りを見ていても、その忖度ばかりですよ！　〝孤立を恐れず、違っていていいんだよ〟ということにならない。みんなと仲良くするのはいいんだけど、〝良くないことは良くないと〟言えなくてはいけないんじゃないでしょうか。何かの時に、自分の意見をキチッと言えないというのは、決定的に致命傷ですよね。私はいつもそういうことを感じています。〝みんな思っていることを言っていいんだよ〟って、〝原発こわい‼　と、もっと言おうよ〟、〝もっと逃げたいから、もっと保障してくれよ〟とね。福島が言わないで、どうするのってね。

ため息ばかりですが、あきらめたくはありません。郡山駅前でときどき、自分たちのアピールやスタンディングを行なっているんですが、通りすがりに「あんたらがいない方がいいんだよ」と捨て台詞《せりふ》的に、しかもツバを吐くように言っていく人がたまにいるんですよ。特に〝避難〟ということを言えないんですよ。〝原発反対〟は、わりと市民権を得ているんですけどね。子どもさんのためにも避難をしたいと言える人が少ないんです。私たちはそうした現実を少しでも良くしたいんですが、「あなたたちがいない方が平穏なんだ！」と言われるんです。小出裕章《こいでひろあき》さんが『原発と戦争を推し進める愚かな国、日本』（毎日新聞出版、２０１５年９月）

の中で、言っていましたが、〝非国民扱い〟をされます。でも、それを超えて行かないとどうにもなりませんよ。つらい思いをしているから、〝せめて主張を続けねば〟と思います。でも、時に、人間に対して絶望したくもなります。

私も孫がおりますので、その世代のことを考えると、微々たるものですが〝今やれることをやっておかないといけない〟と思っているんです。孫たちは会津若松市の近くにいて、当時の放射線量は0・2マイクロシーベルトで、郡山市よりもずっと低かったんです。とはいえ事故前は0・04だったので約5倍なのですが、娘家族は避難をせずに〝住む〟という選択をしました。もし、郡山で私たちと一緒にいたら、絶対に避難させましたよ！

事故当時は夫と一緒でしたが、その後離婚しまして、それでも原発反対の同士ではあり、ちょうどよい距離を保っていました。でも、急性心筋梗塞で亡くなってしまいました。結婚後、心臓が悪かったことなど1度も聞いたことはなかったのにね。〝放射能が関係なくない〟と思っています。私の生活は年金と介護労働をやっていて、何とか生活しています。福祉国家といっても、充分な年金をもらえる人は、そう多くはないと思います。

これは書いてください！　双葉《ふたば》町長〔注：2005年―2013年在任〕だった井戸川克隆《いどがわかつたか》さんは、漫画にもありますが、「鼻血が出た」と言っていましたが、私の場合は下痢だったんです。事故直後、それがしばらく続きましたね。食あたりの場合はすぐに止まりますよね。だんだん止まっていくんですが、下痢でかなりまいってしまいました。下痢も夫の心筋梗塞も放射能の影響とは証明はできないけれど、〝影響がないはずはない〟と思っています。

突然死が、郡山でもけっこう多いんです。とくに若い男性に多いといわれています。だんだん統計が出はじめてきているので、印象だけではなくて、やがて真実が明らかになると思います。原発事故後の福島県は、ダントツに、全国一位になってしまった。病死が多いのです。具体的には白血病とか心筋梗塞とか、今までなかった病気が増えています。これからさらにひどくなるように思います。

私の被曝線量ですが、正確に測ったわけではないのでわかりません。ボランティアで「ビッグパレット」に行っていた時、ホールボディーカウンターが置いてあってね、それに私も入ってみたんですよ。それには引っかかりませんでしたけど、その計測器で引っかかるようでしたら、よほどの高線量被曝ですよ！　よっぽどの高線量でもなければ、あれには引っかかりませんよね。

「チェルノブイリ法日本版」の制定を

最後に日本のエネルギー政策ですが、国というのは専門家という人たちがいっぱいいるわけで、とにかく、ごまかす方法も最初から考えていて、基本的なエネルギーの一角にしっかり原発を位置づけしたわけでしょう。ところが、いま一角というところではなくて、〝原発がなくてはならない〟みたいに押しつけて、これはとんでもない話です。〝原発はゼロでも大丈夫だ〟というのは、福島のおかげではっきりとわかったじゃないですか。あちこちの原発を停めても何の不自由もなくやっていけているわけですよね。

あの汚染水のタンクの群れを写真でしか見ていませんが、あれがもう限界にきてるので、今度はトリチウムを薄めて海に流そうとしていますね。それもまた、輪をかけたようなひどい話です。世界中から批判をあびています。漁民の方々はずいぶんと我慢されてきたんでしょうが、ここに至っては怒《いか》りますね。ほんとうにひどいことです。放射能を含んだ汚染水を流すということは、世界中の人びとに対してさらなる加害者になるということです。海流は回るわけでしょうにね！　絶対にやめねばならないと思います。汚染水や核廃棄物の問題は、原発に未来がないことの証明ですよね。

飯舘村《いいたてむら》にいた田中俊一《たなかしゅんいち》〔注：原子力規制委員会の初代委員長、2017年に退任後、「復興アドバイザー」として福島県飯舘村で暮らしている〕もひどいですね。〝新村民〟などと言って、ニコニコと笑顔をふりまいて、村民をだます。真のヒューマニズムなど、持ち合わせていませんね。

　これからの若い人たちは生きていくのが大変だと思います。とても日本は生きにくい社会じゃないかと思われてなりません。娘や孫の世代のことを考えると〝自由にものも言えない時代が続くのではないか〟と、つらくなります。私は人にはいろいろな考え方があって、〝少数でもがんばっている人がいるんだよ！〟ということを伝えたいと思っているんです。

　運動の中での話なんですが、運動をやっている人たちは頭ではわかっているんです。それでも実際にそれをすることはわりと難しいです。私は日常的には、一枚岩でなくても別々でいいんだと思います。福島ではいくつものテーマがあって、それを一人で全部できるわけではありませんから。でも〝何かの時には一緒になってやる〟ぐらいの柔軟性がないと、とても相手

市民立法「チェルノブイリ法日本版」をつくる郡山の会　（しゃがの会）

この条例制定の取り組みに賛同し、共に参加・活動をしてくださいますようお願いいたします。

共同代表　黒田節子・鵜田みほ

TEL：090-9424-7478

E-mail：arc@y9.dion.ne.jp

市民立法「チェルノブイリ法日本版」は実現可能な取り組みでしょうか？

市民の手で夢を実現したモデルがあります。ICANは核兵器禁止条約の国連での採択を実現しました。また「情報公開法」は、山形県、神奈川県、埼玉県、川崎市等の自治体での条例制定の積み重ねでできました。私たちも先人の志を受け継いで、市民立法「チェルノブイリ法日本版」を実現させましょう。

しゃがの花

花言葉/抵抗・友が多い・決心

市民立法「チェルノブイリ法日本版」をつくる郡山の会

あなたにとっては、あの原発事故はもう過去のことですか。

東日本大震災に伴う東京電力福島第一原発事故で、国は福島県民に対して、被ばくから命・健康を守ろうともせず、「復興」の名の下に帰還を迫っています。原発事故をめぐる問題は現在も続いています。

30数年前に起きたチェルノブイリ原発事故を機に国際的に確立された安全基準（年間追加被ばく線量1mSv）を福島第一原発事故後20倍に引き上げ、子どもたちを危険にさらしています。私たちは異常な生活が日常になり、窮地に追い込まれて声も上げられないでいます。私たちは被害を受けた当事者として、自分たちの身を守るため、行政に保障を約束させることの必要性を痛感し、条例を制定することにより権利保護を求めます。そのためにも、チェルノブイリ原発事故から生まれた「チェルノブイリ法」という大きな犠牲を払って得た貴重な法律を学ばなければいけないと思います。

2019年1月に市民立法「チェルノブイリ法日本版」をつくる郡山の会（通称・しゃがの会）は立ち上がりました。郡山市に条例を作るため皆さまのご協力をお願いします。

目的

福島の人たち、子どもたちを被ばくから守り、健康的な暮らしが保障されるように条例化を目指し、必要な活動を行っていく。

2つの活動

1、条例制定に向けて啓蒙活動、学習会、講演会などを行う。

2、保養活動（子どもの健全育成を目的とした転地保養事業）、放射線測定（必要に応じ再除染）、健康管理の徹底（被ばく者手帳や健康作り活動）、移住相談などの諸活動に対して、さまざまな人たちや団体と協力・連携しながら、私たちに必要な条例項目をつくりあげていく。

国家が移住・避難・保養・医療検診を保障している「チェルノブイリ法」とは

1986年4月の旧ソ連のチェルノブイリ原発事故から5年後の1991年に制定された法律です。国家の加害責任を明記し予防原則に則り、生存権を保障した放射能災害に関する世界で初めての人権法です。追加被ばく線量年間1mSvを基準に移住・避難・保養・医療検診等が保障されました。

30年以上たった今でも、チェルノブイリ周辺の広大な地域では健康診断、保養など多くの健康管理を国によって保障されています。

「どこまでが被災地なのか」・「誰が被災者なのか」・「誰にどんな補償や支援をするのか」の3点を定めた法律です。

セシウム沈着累計100年マップ

（放射能測定マップ＋読み解き集

みんなのデータサイト出版より）

「チェルノブイリ法日本版」をつくる郡山の会（しゃがの会）パンフレット

とは太刀打ちできませんよね。相手は国だし、お金も力もあり、強固な権力があるんですから、私たちの弱い力を一つにして闘わなければ、放射能問題に勝つことなどとてもできません。

私はいま、「チェルノブイリ法日本版」の制定をめざして、その郡山での共同代表をしています。国や県は、「復興」の名の下に、原発事故をめぐる問題は何一つ解決していないにもかかわらず、避難者に対して帰還を迫り、補償を打ち切るなどをしているんです。

チェルノブイリ原発事故を経験して、大きな犠牲を払ってできた「チェルノブイリ法」〔注：「チェルノブイリ法」とは、1986年に旧ソ連のチェルノブイリ原発事故が起きてから5年後、ソ連から独立したウクライナが制定した法律。国家の加害責任を明記し、放射能被害に関する世界で初めての人権法。追加被曝線量の基準を年間1ミリシーベルトに設定し、移住・避難・保養・医療検診等の権利の保障をした法律〕に学び、子どもたちを被曝から守り、健康的な暮らしが保障されるように、条例化をめざして活動しはじめました。

補記：フクシマは？

あの日から10年が経った。

フクシマはどうなったか？

ひと言でいえば、無残である。

流れは偽《いつわ》りに満ちた「復興」オリンピックと
汚染水海洋放出（案）へと続いている。
新型コロナで延期された聖火リレーが3・25、
大震災から10年の「ヴィレッジ」からスタートした。
民意を無視し、
何がなんでもオリンピックをやろうとするその意味は、
「原発は事故っても大丈夫だ」から。
背景に紛《まぎ》れもなく「核」の戦略があることを遅まきながら実感しています。

（2021年6月9日　くろだ せつこ）

証言●11

村田　弘さん

福島県南相馬市から神奈川県横浜市に避難。

村田 弘さん――インタビュー：2019年11月25日

定年退職後、郷里の南相馬市へ

事故当時のことからお話しさせていただきます。2011年3月11日にはですね。あっ！その前に私は当時、南相馬《みなみそうま》市小高《おだか》区にいたんです。これはカミさんの実家なんですけど、そこで百姓のまねごとみたいな畑仕事をやっていました。

僕の実家は小高から4キロほど離れた北側に行ったところなんですけど、実家の方は弟が継いでいて、僕は高校卒業までは南相馬で育って、早稲田大学に行くために東京に出て、朝日新聞社に入ったものですから、東京はじめ九州をぐるぐる回って、36年間ほど新聞社の仕事をしていました。私は正義感があって新聞社に入ったわけでもなんでもなくて、当時先輩に、「学校の成績の悪いのは、就職試験を受けられるのが3つしかないぞ。推薦がいらない、朝日、毎日、読売の3つしかお前ら受けられないぞ」と言われ、僕は朝日を受けて、まあ、どうにか入れたものだから。

でも、途中でやっぱり僕は新聞の仕事というのはそれなりに意味があると思ったけれども、自分の感覚から言うと、結局、新聞記事とかレポーターというのは自分の足で生活しているのではなくて、人がその必死になって生きたり体験したりしていることの一番いいところとか、つらいところとか、要するに稲穂の頭を刈り採る、それをメシの種にしているんではないかと20代後半には思いはじめてね。できることなら地に足をつけた仕事をしたいと思いつつも、ついズルズルと36年間も定年になるまでも過ごしちゃったものですからね。それで定年になる日を待ちかねていたんです。

カミさんの実家は、戦争で大陸から引き揚げてきた両親が、苦労して畑を買い集めて果樹園をやっていたんですが、カミさんのおふくろさんが亡くなって5、6年経っていて、果樹園は荒れ放題になっていたんです。〝じゃあ、僕が帰って、少し整備しようかな〟と思って、いやがるカミさんを説得して、定年となった2003年に南相馬市に帰ったんですよ。

退職金の半分ほどを注ぎ込んで、昔の百姓家をリフォームしました。果樹園は、おふくろさんが歳をとって果樹ができなくなってね、それで桐の木が植えてあったんですよ。大きくなれば桐の木は使いものになるだろうと思ってか、150本ほどでしたが、それが伸び放題となっていました。僕はそれを真っ先に伐って、草を刈り、耕して、昔の果樹園の姿を取り戻そうと思い、桃の木やリンゴの木を植え、ちょうど8年かかって、だいたい昔の果樹園の姿に近くなって、桃もなりましてね。ところが、桃の裏側をカブトムシが食いはじめていたりしてね。僕は農薬は絶対に使わないことにしておりましたからね。あっはっはっ！　そうして、ちょうど8年目の2011年3月11日に震災がきたわけです。

3月11日

小高町は当時、合併前で、人口も1万2000人くらいの静かなよい町なんです。でもご多分にもれず少子高齢化が進んでいて、町の中も活気が無くなっていた。当時はどこも〝活性化をどうするか〟ということがあって、「少し手伝ってくれないか」と言われて、商工会の人たちと町おこしのようなことの手伝いをしていました。僕は新聞社に勤めていたこともあって、「広報誌を作れ」と言われてね、毎月作って、自分たちで集落ごとにまとめて役場に持っていき、4600戸全部に配布してもらう。これを3年くらいやっていました。

3月11日はちょうどその編集作業日で、午前中にそれをやり、午後に終了し、役場に届けたのが午後1時過ぎでしたね。

僕は子どもが3人いるんですけど、定年になるまで横浜に20年ほど住んでいたものだから、子どもらはみんなそこにいるんです。孫もいるものだから、米とか野菜を送ったりしていました。その日もカミさんに言われて、米を送るために精米しようと国道6号線沿いの大きなスーパーのコイン精米所に寄りました。田舎では玄米でとっておいて、100円入れてコイン精米するんですよ。それで200円ほど精米をして、〝さあ、帰ろうか〟と思った時に、あの地震が起きたんです。

そりゃあ、すごかったですね！　ドーンとなってね、それがズーンとなってね！　立っていられないんですね。それでしょうがないんで、スーパーの入り口まで這《は》っていき、鉄柱につかまっていたんですよ！　4日ほど前にも大きな地震があり、〝いずれおさまるだろう〟と思っていたのに、またズーンと来て、グラグラってですよ。そうしたらスーパーのドアが勝手に開いて、そこから買い物カートがズッ、ズッ、ズッ、と連なって出てきて、その後ろからお客さんが這って出てきたんですよ！　〝こんな事態は経験したことない〟と思いながら、大きな揺れはたぶん4～5分くらいは続いたんじゃないかな。それでやっとおさまったもんだから、〝家に帰ってみなければ〟と車で町の中を通ってね。僕のところは山の方に近いところなんだもんだから、町の中を通って帰るわけですが、小高の町は半分くらいの建物が崩《くず》れちゃっていたんですよ。道路では水道管が破裂して、噴水のようになっていたりしていました。さっき広報誌を届けた商工会議所の前を通ったら、みんなぼう然としているわけですよ。お互いに「大変だね！　大変だね！」と言ったあと、家に帰りついたんです。

家には、カミさんと1歳にもならない子猫がいたんで、〝どうだろうかな〟と思っていたらね、家は7反歩くらい（2000坪ほど）の果樹園があるんですが、その畑の真ん中あたりにカミさんが子猫を抱いて、立ちすくんでいたんですよ。私は「おう、大丈夫か！」と声をかけてやったんです。幸いにして、地盤が固かったみたいで、家の被害はほとんどなかった。ピアノが50センチほどずれていたり、僕の部屋の本棚は全部崩れ落ちていたけど、外壁は少しひびが入ったくらいだったんです。

「これでは大丈夫だね」と言っていたその小1時間ほど後ですね。あの大きな津波がワッーと来たんです。先ほど行ったスーパーの精米所も流され、その前のガソリンスタンドの方が亡くなったりね。海の近くは、軒並み津波でやられました。僕の家から海までは3キロメートルほどでしたが、阿武隈山地《あぶくまさんち》の高台の方はなんでもなかったが、その下の平らなところ、海に近いところは全部津波にやられました。僕のおふくろの実家の萱浜《かいばま》(南相馬市原町区)は、きれいに流されていった。あの日のことは全部、津波のことしか頭になかった。原発のことはあとになって、いろいろな現実がわかったんですけどね。僕の実感では、あの日は完全に津波だけでした。

それで午後4時ころになると、テレビでほら、仙台空港近くがワァッと流される映像とか、津波の映像がどんどんテレビに映し出され、そのうち萱浜に一番近い老人ホームも津波に襲われて十何人かが亡くなったということを知りました。真っ先に犠牲になったんですよ！ そんなこともあって、僕はおふくろの実家が海から1キロ半くらいのところにあったので、まず、そこはどうなったかと心配になったわけです。その日のテレビは、津波のことでいっぱいでしたからね。

3月12日、1号機爆発

12日になって、〝実家の辺りはどうなっているか〟と心配になり、朝行ったところ、もう一面ドロの海でした。柱が残っていただけでした。すべて洗われている状態でした。そこへ行く途中でしたが、馬が倒れていて、まだ息をしているんだけど立ち上がれないで、哀《あわ》れでした。このことが今も目に焼き付いていますよ。あと、若い女性の新聞記者が腕章を付けて、泥の中を歩いていたんで、聞きましたら、産経新聞の記者だと言うんです。まわりには誰一人おりませんでしたが、その先の方では行方不明の肉親を探す人が、棒で泥の中を探しまわっていました。

おふくろの実家にようやく着いたところ、80代の従兄弟《いとこ》の長男と嫁さん、さらにその子ども夫婦が住んでいたんですが、「津波が一気にウォッーと真っ黒になって襲ってきた、家の中にいたけど流されたんだ！　だけど幸いに、助けに来てくれた近所の人がおり、助かったよ！公会堂で震えていたよ！」という話で、〝よかったな〟と思いました。

そのあと、僕の実家に戻って、地震でかなり瓦が壊れて道路に散乱していたので、弟と二人で片付けをして、午後4時くらいに自宅に帰ったんですよ。

そうしたら、NHKが原発のことをやっていて、爆発の映像でしたが、あの映像しか流れていなかった。今でも忘れられないのですが、「何か爆発的事象が起きた」みたいなことと言って、「これは今朝の1号機の映像で、今、新しい映像が入ってきました」と言ってね、「こっちは何もないですね」とか、放送していました。

その時〝大変なことになっているんだ〟と思いました。ちょうど隣の奥さんがリュックサックを背負って駆けてきてね、「くみちゃーん（カミさんの名前）、原発が爆発したっちゅうよ！　私、逃げるからね」と言うので、カミさんが「どこへ逃げるの？」と聞くと、「何がなんだかわからないけど、北の方に逃げろというから、とにかく、先に逃げる」と言って行きました。〝あら！　大変だ〟と思ったけど、僕、呑気なもんだから、「逃げるといったって、どこへ逃げたら良いのかわからないし、様子をみなければダメだね」と言ってテレビを観ていたら、夕方6時半ちょっとかな、民主党政権の枝野《えだの》さんが出てきて、「20キロ圏内は避難して下さい、ただちに健康に影響ある状態ではないが、念のために避難してください」という会見をやっていて、それがテロップでも流れていたんです。

僕のところは福島第一原発から16キロなんですよ。「おれたち逃げなければいけないんだね」とカミさんと話していて、「だけど、どこに逃げたら良いのか、まぁ、そのうち言ってくるだろう」と言いながらテレビを観ていたんですよ。

結局、その晩は家にいて、翌13日の朝に、カミさんが外に出て近所を見に行ったんです。「ここにはもう誰もいないみたいだよ！ シーンとしているよ」と言いながら帰ってきた。それで僕は、「そう言えばテレビで避難しろとか言っていたよなあ」、「車で町の様子を見てくるわ」と言って町に行ってみると、町中ががらんどうになっていた。郵便局、銀行もみんな閉っていた。役場の支所に行ったら、若い人が2、3人いたから、「どうなっているの？」と聞くと、「今ごろ何を言っているの！ あんたは！」とか言われて、「ゆんべ（昨夜）のうちに大パニックでみんな避難したよ！」と言われて、「えー、そんなこと誰も言ってこなかったよ～」と言うと、「そんなことないですよ。みんなに知らせた！」と言う。それで、「どこに逃げたらよいの？」と聞くと、「小高の人たちは、南相馬市の山側の石神《いしがみ》地区の小中学校、幼稚園に避難しているのでそこへ逃げなさい」と言われて、「そんなこと、最初にわかっていたら、そこに逃げたのに～」と嫌みを言いながら家に帰ってきたんです。

「おい、やっぱり逃げなければいけないようだ」と言い、毛布2、3枚を車に積んで、猫はダメだから猫に「おまえ、もう少しがまんしろ」と言って置きっ放しにして、家に連れてきていた弟と3人で石神の中学校へ行ったら、もういっぱいでね。教室はすでに割り振られているし、体育館だけは大きかったけど、そこもいっぱい。2階もいっぱいの人で埋まっていた。

それでも、隣りの人がいてくれたおかげで、毛布1枚敷けるくらい空けてもらい、入れてもらえたんだけど、寒かった、寒かったね！　体育館だから、下は板張りでしょう！

避難所では、情報がまったく入ってこなかったんです。新聞は全部ストップしちまっていましたから。大手新聞は、朝日新聞も仙台には場があるんですが流されてね。地元紙は、福島民報、福島民友があるんですが、それも道路が寸断されたりしているからなかなか入ってこない。1日遅れの記事がトイレに貼ってあったりでね。あとはラジオだけ。僕も車で避難していたので、カーラジオで聞くだけで、テレビも電話も完全に情報は断絶状態でした。避難所にはテレビは無くてね、仕方がないのでラジオのニュース時間にカーラジオをつけて聞いていました。当時は、原発のことより、ほとんどは津波のことばかりで。それを聞いているうちにだんだんガソリンが減ってくるものですから、「つけっぱなしはダメだね」と言いながら聞いていたけど、原発の実情はほとんどわからなかったですよ。

14日くらいになったら避難所にテレビが入ったのかな。その時、南相馬市の桜井《さくらい》勝延《かつのぶ》市長〔注：2010年1月－2017年1月在任〕が「物資がなくて、孤立しているので助けて下さい！」みたいなメッセージをテレビで夕方やっていたのを観たんだから、14日かな。

15日になって携帯電話が鳴って、ようやく携帯電話が通じるようになった。僕の会社の先輩で大阪の本社にいた人で、広島で被爆《ひばく》した人だから、開口一番、「おーい！　お前、何やってんだ！」と怒鳴られたんですよ。「まぁ、避難所におるんですよ」と言うと、「すぐ、逃げろ！」と。「そんなところでボヤボヤしているんじゃないよ」と言われた。「でも、ここには800人ぐらいが避難しているんですよ」、「もう少し、様子を見てから避難するわ」と言っていたんですよ。とはいえ、〝そんなに深刻なのかなぁ〟と、〝そんなに原発の状況が悪くなっているのか！〟とはじめて実感したのは、その時でしたね。

避難所の閉鎖、さらに避難へ

そんな感じでいたら2号機がおかしくなったものだから、15日の夜の9時ごろに、南相馬市の職員がハンドマイクで、「避難所を16日で閉鎖します」と、「明日の朝、7時をもって閉鎖します。残っている方は次の3つから選んで、明朝6時までに決めてください」と言ってきたんです。

その3つというのは、1つ目は新潟県の泉田裕彦《いずみだひろひこ》知事〔注：2004年10月―2016年10月在任〕と桜井市長が話し合って、「新潟県が集団で引き受けますと話がついた。新潟県が県境までバスを出してくれるんで、集団で新潟に避難する人はそのバスに乗ってください」というもの。確か2番目の選択肢は、「自分で親戚などを頼って、避難確保できる人は自分で避難してください。ただし、ガソリンがないので市から1人当り10リットルあげます」というもの。3番目は、「まだ両方の決断がつかない人は、もう少し待ってください。このあと、新たな方法を考えますから」ということでした。「朝の6時まで」と期限を切られたものだから、みんなガヤ、ガヤ、ガヤ、となりました。「ペットを連れては避難できない、だから新潟には行くのはイヤだ」とかね。夜中まで大変でした。800人ぐらいおったのですから。

僕のところは、電話が通じて、子どもたちが「横浜の方へ来いよ、ガソリンが無くなったら途中までガソリンを持って行くから」と言ってくれたので、そうすることにしたんです。ところが2、3日のつもりで避難したものだから、何も持ち合わせていなかった。16日朝の6時までに決めなくてはいけないから、まだ暗い4時ごろに起きて、自宅に必要なものを取りに行こうとしたんですが、警戒線が引かれており、通常の道は入れません。でも山道を知っていたので家に帰り、最低限必要な物とか、お金とか、預金通帳を取りに行きました。置いてきた猫はどうしているかと思っていたら、玄関で待っていたんです。僕の姿を見て、「ニャ〜」と鳴いたんで、連れていくことにしました。何日も風呂に入っていなかったので家内と下着を替えたりしているうちに、〝そうだ、書斎のフィルムケースに500円玉を入れて隠しておいたへソクリが少しある〟と思い出して、探し出して、数えてみたら30個ほどありました。埋蔵金ですよ！　1つに1万円ほど入っていたんです。それを袋に入れ、避難所に戻りました。

しかし、ガソリンをもらうために朝の7時から並んでいたんだけど、結局、お昼までかかったんです。16日のお昼過ぎに飯舘村《いいたて》を通って福島市に出て、4号線を走って。東北自動車道の安達太良《あだたら》サービスエリアで「腹へったね。それではソバでも食うか」と言って。それが震災から1週間目の、はじめての温かい食べ物でした。ソバがこんなにうまいものとは思わなかった。一気に進めないものだから、栃木県の那須《なす》高原でカミさんの姪から「知り合いの別荘があるから、そこに泊めてもらったら」と言われていたので、そこに向かいました。夕方の6時ごろになり、ちょうど計画停電の初日で、真っ暗でした。道路の信号機は全部ストップしているし、街灯はないいし、どこがどこだかさっぱりわからない。そこで、電話して黒磯《くろいそ》まで迎えに来てもらって、その晩はそこにお世話になりました。その時、また、大きな地震があってね。2階の風呂にカミさんが入っており、大きな余震が来たものだから、カミさんがキャー！ と大きな叫び声をあげたりで、驚きましたよ。

翌17日、宇都宮まで子どもたちが迎えに来てくれることになって、そこで合流しようと言われたので山道を通って行ったんだけど、途中でガソリンが無くなっちゃったんですが、山の中のガソリンスタンドの人は親切だったね。農家の人たちがポリタンクを持って買いに来るようなところだからね。僕はかくかくしかじかで避難している途中なんだけど、ガソリンが無くなっちゃってと言ったら、「じゃあいいですよ、入れてあげましょう」と、10リットル入れてもらったんです。まあ、継ぎ足し継ぎ足ししながら宇都宮まで行って、子どもたちとようやく合流して、川崎には18日の午前3時ごろに着いたのかなぁ、そんな顛末《てんまつ》でした。

横浜での生活

長女が川崎にいて、長男は横浜の港南《こうなん》区におり、末娘夫婦が旭《あさひ》区にある神奈川県の住宅供給公社の団地にいました。避難して来て、最初は長女のところ、次は長男のところ、次は末娘のところと3回くらいぐるぐる回ったんですけど、いずれも狭いところに住んでいるものだから、いつまでもいるわけにはいきません。それで、末娘が、「自分の団地で、高齢者の親であったら特別に一部屋借りられるという情報がある」と調べてきてくれて、「一番はずれの5階が空いているから」ということで手続きをして、3月末にカミさんと僕が入りました。だが、「猫はダメだから」ということで、「私が隠しておくから」と娘が猫を預かり、そこに落ち着いたわけです。

子猫は田舎では自由奔放、木登りをしたり、モグラをとったり、ヘビをいじめていたりしていた猫なのに、団地の部屋でジッとしていた。声を出さないいんですよ。鳴かないいんです。猫なりに〝ヤバいな〟と思ったんでしょうね。そのうち、ストレスが溜まったんでしょうね。洗濯機のホースが動くのを見て、キャクッと咬んで水漏れを起こした。娘の部屋は3階でしたから、水漏れで2階、1階が水浸しになっちゃって、謝ったんですが、2回もやっちゃったんですよ。下の人もさすがに怒ってね。「弁償しろ」と言われてしまったので、東電からの賠償金もまだでしたが、有り金をはたいて弁償しました。

「ここにはおれないねぇ」ということになって、その娘夫婦にはたまたま子どもがいないものだから、「じゃあ近くの不動産屋に行って、どこか猫も一緒に住める民家でも探そう」と言ってくれたものだから、近くの不動産屋に行ったら、たまたまね、一軒家を持っているご夫婦で、ちょうど4月から仙台へ転勤になるという人がいて、「入ってくれるなら貸すよ」と言われ、4人と猫一匹で喜んで入ることになりました。「4年くらいは仙台に居るから大丈夫ですよ」と言われて、そのとき僕らも〝4年の間には何とかなるんじゃないか〟と思っていましたね。

結局、4年経っても事態は進展せず、悪くなるばかりで南相馬にも帰れないので、また不動産屋に行ってあちこち探しているうちに、〝ご両親の亡くなった人の家が空き家になっている〟というので借りて、娘夫婦と私夫婦に猫一匹と引っ越して、現在に至っているんです。

現実感が失われた避難生活

僕、避難して来てからですね、ほんとうにね、精神状態が一時期あやしげになっておりました。まず、目の前で起きていることが現実かどうかわからない。こういうのを「離人感・現実感喪失症」というのではないかと思いました。普通の動きと自分の意識の間が切り離され、ロボットと話しているかのようだった。まさに現実感がまったく失われてしまっていましたね。

横浜に避難する前までは、被害のことはほとんどわからなかったじゃないですか。ところが避難すると、テレビで毎日毎日、被害の状況が次々報じられましたよね。それで、たとえば飯舘村なんかで長谷《はせ》川《がわ》健一《けんいち》さん〔注：1953年福島県飯舘村生まれの酪農家。福島第一原発事故後、飯舘村を映像と写真で記録し続け、国内外で村の現状を伝える活動を展開している。著書に『原発に「ふるさと」を奪われて』（宝島社、2012年）、『写真集　飯舘村』（七つ森書館、2013年）、『【証言】奪われた故郷――あの日飯舘村で何が起こったのか』（オフィスエム、2012年）など〕が、毎日牛乳を搾《しぼ》っては捨てたとか、畜産農家の人が「原発さえなかったら」と牛舎の壁に書き残して自殺したとか、毎日報道されていましたね。

僕が一番ショックを受けたのは、原町のおばあさんが、いったん避難して帰って来たけれど、もう1回避難するようなことが起きたからね、「みんなの足手まといになるから、私はお墓に避難します」という遺書を残して自殺したという記事を読んだ時でした。僕の隣近所でも、親戚を含めて、年寄りが避難する中で亡くなったという話がどんどん入って来るようになったんですよ。

もうひとつは、4月の初めにテレビでやっていたんですが、〝福島第一原発2号機のピットから高濃度の放射性物質を含んだ汚染水が海に流出した〟ということが4月2日、3日にあったんですよね。「それを止められないんだ」と、「それをどうしたら止められるんだ」と。それで、用水路に新聞紙を投げ込んだとか、ペットのトイレに使うものを投げ込んだとか、それでも止まらない。最後にはコンクリートと何かを入れたところやっと止まった、というニュースが3日間ほど流れたんですね。それを聞いて、〝絶対事故を起こさないという前提で、日本の科学技術の先端を集めてきたといわれてきた原発の技術の実態というのは、こんなものか〟とものすごく実感したんです。いったん破れれば、〝新聞紙とかペットのトイレ用品を投げ込んで、止めようとしなければならないのか！〟と。原子力安全・保安院の委員長が、1号機が爆発した時に「あじゃあ！」と言って頭を抱えたとかいうのがテレビで流れてきたじゃないですか！　その怖ろしい被害の中で人がね、亡くなっていくということと、その反面、「大丈夫だ！　大丈夫だ！」と言ってきた専門家というのは、これほどもろいものだと、それを今まで隠されてきたということを、実感として強く感じましたね。

そんなことがごちゃごちゃになって、精神状態がかなりあやしげになって、賠償問題など考える余裕はなかったですよ。で、9月の末ぐらいに、東京電力から賠償とはいわず、「補償するから、書式に従って提出しなさい」と言ってきた。分厚いマニュアルをドンッと送ってきたんです。あまりにも立派なマニュアルで、重いんだね。悔しいから、そばの郵便局で測ってもらったら900グラムもありました。細かい字で契約書みたいなやつで、〝こんなものを送って来やがって〟と思いました。怒りの方に火が点いてきてね。よくよく考えてたら加害者が〝俺の言うとおり書いてくれれば銭《ぜに》出してやるよ〟みたいなね。〝こんなことやってるんだ〟と思って、ますます怒りが強くなったですね。

それでもまだ頭の中は混乱しているものだから、カミさんとしょっちゅう口げんかになったり……。まず面白いもんだね、今考えると。面白いというと変なんですが、日常のことがうまくいかないんです。細かいことですが、たとえば台所のゴミを入れる三角コーナーがあるじゃないですか、あれ、キュッとはめてしまえばすぐにできるはずなんだけど、それができなかったね。今ならすぐにできるのに。あれができなかった。30分もかかったりしてね。トイレの便座カバーを替えるのにもどうやったらいいか、まったく日常的なことができなかったんですよ！　そんなふうに過ごしていたんです。

体験記

そんな時でした。岩波書店の『世界』で体験記を募集していたんです。一晩で一気に書いて応募したらね、選に入ったんですよ。当時の気持ちが現れているので、ちょっと読んでみてください〔注：「フクシマ民衆法廷」で裁かれなくてはならぬ」、雑誌『世界』2012年1月増刊別冊掲載〕。

「ほう、そうか。あの揚子江を、な〜。堰き止めたって。二三〇〇メートルの堤防？すごいなぁ。しかし、大丈夫かな。洪水なんか……」

作家・島尾敏雄が眠る南相馬市小高区大井の高台。畑の中の一軒屋の二階で、井島嘉市さんは私の話に目を輝かせていた。

次男夫婦と同居していた嘉市さんは、あと半年で満一〇〇歳。自宅から一キロほど離れた小高川の畔にあるデイサービスセンター「あすなろ」の長寿番付では東の大関だった。傾聴ボランティアとして訪ねていた私に、日中戦争で徴兵され、揚子江（長江）を小舟で渡った時の話を、驚くほどの記憶力で仔細に話してくれた。「戦争は、おっかねぇど〜。人間変わっちまうからな」「オラは土方兵隊（輜重兵）。殺したのは鶏一羽だ」が口癖だった。二年ほど続いた会話は、興味の尽きない大正・昭和史だった。小冊子にまとめて、九月一〇日の誕生日プレゼントにしようと約束していた。

約束はかなわなかった。七月二日深夜、自宅から北へ約三〇キロ離れた相馬市の病院で亡くなった。高濃度の放射能に汚染されているとは知らなかった飯舘村の知人宅、相馬市の親類宅と、原発からの逃避行の途中で起こした肺炎が命取りになった、と家族の話で知った。

私の住んでいた小高区は、人口一万二五〇〇人余の太平洋に面した静かな田舎町だ。地方のどこもがそうであるように、高齢化が進み、市街地はさびしくなっている。

しかし、空気も野菜もコメも魚もうまい。秋になれば阿武隈山脈の裾に広がる山ではイノハナ（コウタケ）、ウシコ（クロカワ）、アミタケ、シメジ、マツタケもとれるきのこの宝庫だ。

（中略）

三月一一日、こんな日常が、ぷっつり切られた。大地震と大津波に呆然とする人々を襲った一二日の原発爆発。二〇キロの圏内にすっぽり入った小高区の人々は、夜道を三〇キロ圏の南相馬市内の避難所に追い立てられた。一五日の二号機爆発で、県内外へ飛散させられ、四月二二日の「警戒区域」指定ですべてが封印された。

（中略）

自ら引き起こしたこの地獄絵に目をそむけ、責任逃れと保身に汲々とする東京電力。露骨な脅し文句を重ねて、利益構造を死守しようとする経済界。恥じらいもなく権力闘争に明け暮れる政治。右往左往するばかりの県や市。耳あたりのいい「正論」ばかりを垂れ流すマスコミ。この国は、つつましく生きる人々を守る意思も仕組みもないのだ。これは事故ではない、災害でもない、れっきとした犯罪だ、と思った。

六月下旬、二ヵ月近く待たされて実現した一時帰宅で、胸まで草に埋もれた自宅と農園を見た。いたたまれなくなって、原町区在住の詩人・若松丈太郎さんを訪ねた。福島原発稼動から四〇年、怒りを秘めた言葉で原発の本質を告発し続けてきた若松さんが、静かに「フクシマ法廷ですかね」と言った。そうだ、この罪を石棺に封じ込めさせてはならない、と思った。九月一九日、東京の明治公園に集まった「さようなら原発　五万人集会」で、「ハイロアクション福島原発四〇年」代表の武藤類子さんは「私たちは静かに怒りを燃やす東北の鬼です」と言った。そうだ。鬼にならねばならぬ、と涙がこぼれた。

「年間積算放射線量、最高五〇八ミリシーベルト。一般人許容被曝線量の五〇〇年分」「土壌汚染最高三〇〇〇万ベクレル（チェルノブイリ強制移住基準値の五四倍）」「廃炉作業に三〇年」……節電騒ぎが終わり、半年が過ぎるのを待っていたかのように、想像を絶する数字が、さりげなく新聞紙面に並んだ。避難準備区域解除、冷温停止一ヵ月前倒し、高濃度汚染区域は国が除染、といったニュースが声高に流される。

夕日を背にくっきりと稜線を描く阿武隈の山々。あの時は牙をむいたけれど、晴れた日にはあくまでも美しく、カツオやヒラメ、ドンコ（エゾアイナメ）、シラスと、四季折々にうまい魚を恵んでくれた海。ヒトメボレ、コシヒカリの穂が重そうに垂れていた田んぼ。畑の土を肥やし、きのこを恵んでくれた山の落ち葉も、底知れぬ放射能に侵され、もはや元の形で私たちのところに戻ることはないだろう。

半減期八日といわれる放射性ヨウ素一三一の被曝検査が三ヵ月も経ってから行われ、「被曝なし」の証明書が発行される。そして終生、がん発症の有無が追跡されるという三六万の福島の子どもたち。餓死した親の乳房にすがっていた仔牛。玄関先で毛皮に成り果てていた子ネコ、いまも人気のない田畑を駆け回り、命を繋ぐブタたち……。

津波にさらわれた家族を捜すことも禁じられ、弔うことさえかなわず、避難所で泣いていた人々。三〇年間打ち込んできた有機農業の夢を絶たれて自死した須賀川の農民。最後に「原発さえなければ」と牛舎の板に書きなぐらねばならなかった相馬市の酪農家。「おはかにひなんします」と遺書を残した南相馬市のお婆さん。計画的避難区域指定の出された翌朝、無言で家族に別れを告げた飯舘村の一〇二歳……自ら命を絶たなければならなかった人々の墓標の列。動乱・辛苦の一世紀を生き抜いて、子どもや孫、ひ孫に囲まれて誕生日を祝う約束を楽しみしていた嘉市さんのように、家族、医師、介護スタッフに見守られながら天寿を全うするはずだったお年寄りたちの無念の死は、数さえ知れない。

犯罪とは「罪を犯すこと」。罪とは「社会の規範・風俗・道徳などに反した、悪行・過失・災禍など。また、その行いによって受ける罰」と広辞苑にある。

原発に「国策」という名の衣を着せ、めくるめくような利権に群がってきた者たち。人間を数と道具としかみない陰謀家たち。保身と野心にまみれ、良心の告発を解っていながら圧殺してきた者たち。貧しさを逆手にとって、つつましく生きてきた田舎人を、カネという名の麻薬漬けにしてきた者たち。そして、この惨状に目を背け、石棺の中に封じ込めようとする者たち。これら、すべてを被告席に座らせなければならない。

惨禍に泣いた人々、怒りを覚えた人々、不安を心に抱える人々、邪悪を許せない人々のすべてが告発人となって、問わなければならない。「日常を破壊した罪」「人が人として生き、弔うことさえ妨げた罪」「自然と人間が共に生きる仕組みを破壊した罪」「物言わぬ生き物たちを虐殺した罪」を。鬼となって追及しなければならない。そのための「フクシマ民衆法廷」を開設しなければならない。

そうしなければ、あの戦争、ヒロシマ・ナガサキ、沖縄、水俣、チェルノブイリに連なる今回の惨劇を繰り返すことになる。

生き残らされて、地獄絵をみている一人として、心底、そう思う。


それから8年後に書いた「いま再び民衆の裁きと闘いを――『破局の後』八年を生きて」〔注：雑誌『世界』２０１9年4月号掲載〕に、8年間の軌跡を大まかに書いていますので、これも読んでみてください。


恐る恐るパソコンの検索キーを押した。三カ月ぶりだ。

「あっ、また一人……」

厚生労働省自殺対策推進室「最新の震災関連自殺者数」。細かいエクセル表の最下段、都道府県別の「平成30年10月」福島県の欄に「1」の数字が立っている。四月に「2」、七月に「1」。

（中略）

郡山市から東京・品川の借り上げ住宅に母子避難した五四歳の母親が、住宅提供の打ち切りなども重なって精神のバランスを崩し、一時入居していた川崎市のシェルター近くの公園で縊死《いし》した。卓上カレンダーには「バイバイ」と走り書きがあったというのだ。

あの大震災、福島第一原発事故から八年。どれだけの人が、どれだけの想いを抱いて亡くなり、亡くなり続けるのだろう。私はパソコンの前で頭を抱えた。

（中略）

（原発事故の）翌一二年二月二五日、東京・芝の機械振興会館でスタートした「原発民衆法廷」で、私は申立人の一人として、「第二次世界大戦で『平和と人道に対する罪』という考え方が生まれたように、『人間と自然の尊厳を破壊する罪』という新たな概念をつくってでも、この前代未聞の罪を裁いていただきたい」と訴えた。そして、多くの人々と共に、民衆法廷や損害補償集団訴訟に参加、被害者の一人としての道を歩んできた。

「原発民衆法廷」は、一年半をかけて福島、大阪、広島、四日市、熊本、札幌などで一〇回の法廷と二回の公聴会を開催。延べ約六五時間にわたった公判廷では、国内外から四〇人の申立人が体験に基づく陳述と告発を行い、市民運動家、医師、技術者、学者ら二五人が証人に立った。

前田朗・東京造形大学教授、鵜飼哲・一橋大学教授、田中利幸・広島市立大学平和研究所教授、岡野八代・同志社大学教授による判事団は、七五にのぼる決定、勧告、判決を出した。その中には、東京電力幹部らを有罪とする判決、大飯《おおい》、高浜、伊方原発の再稼働を差し止める決定などが含まれていた。二〇一三年七月の東京最終法廷では、原発禁止条約、ＩＡＥＡの全面改組、東アジア非原発地帯の創設、原発事故の人道に対する罪の検討など、核兵器と表裏一体の原発に対し国際社会が一丸となって取り組むべきだ、とする二八項目の勧告が出された。

事務局の一員として、資料収集や記録の整理などにあたった一年半、私は民衆と識者の知恵と良識、道義、法の正義などに一条の光を見て、正気を取り戻した。

二〇一二年七月二一日、最終の民衆法廷を終えて帰宅すると、テレビに「参院選自民圧勝」のテロップが流れ、満面の笑みを浮かべて当選者の名前の上にバラの花をつける安倍晋三総裁の姿が映し出されていた。

その後の暗転を予感させる場面だった。

この年の暮れの総選挙で政権復帰を果した安倍首相は、二〇一三年九月七日、ブエノスアイレスで開かれた国際オリンピック招致委員会の総会で、「フクシマの状況はコントロールできている。汚染水は港湾の〇・三平方キロメートルの範囲にブロックされている」と宣言。「健康問題は、今までも、現在も、将来も、全く問題ないと約束できる」と大見得を切った。その時、福島第一原発の建屋からは、一日三〇〇トンもの高濃度汚染水が海に流出、子ども四四人に甲状腺がんが見つかっていたのだ。

一二月二〇日、与党のプロジェクトチームがまとめた「福島復興加速化指針」が閣議決定される。そこでは、①避難住民の全員帰還断念、②個人線量計での被ばく線量把握、③東京電力への資金援助の強化などがうたわれ、二〇二〇年東京オリンピック・パラリンピックをゴールとする「ロードマップ」が描かれていた。

避難指示解除と「帰還政策」が並行して加速する。

二〇一四年四月の田村市都路《みやこじ》地区を皮切りに始まった避難指示解除は、帰還困難区域の双葉、大熊両町を除いて、一七年四月一日の富岡町で完了した。どの市町村でも、形ばかりの住民説明会が開かれただけで、「時期尚早」とする住民の声は無視された。

二〇一五年六月、内堀雅雄福島県知事が、避難指示区域外からの避難者に対する住宅無償提供を一七年三月で打ち切ると発表。八月には安倍政権が、「放射線量は大幅に下がっており、もはや避難する状況にない」とする「子ども・被災者支援法」の基本計画改訂版を閣議決定。事故翌年の一二年六月に超党派の国会議員の賛成で成立、即日施行された支援法は最後の骨を抜かれた。

二〇二〇年の東京オリンピックで、「福島の事故は終わり、日本は復興を遂げた」と宣言したい政権。これに歩調を合わせる福島県知事。そのためには、避難者は邪魔だ。まず避難指定区域外からの避難者を切らなければならない。そして、政府が避難指示の解除を進めれば、同じ手法でことが進む。その第一弾が住宅提供の打ち切りだった。

二〇一七年三月末、内堀知事は予告通り一万二五三九世帯、三万二三一二人の住宅無償提供を打ち切った。福島県は、「自立した」として、これらの人々を避難者の数から除外した。残りの避難指示準備、居住制限区域からの避難者二三三八九世帯に対する提供も、今年三月末限りで打ち切られる。

そればかりか内堀知事は昨年八月末の記者会見で、富岡町、浪江《なみえ》町、葛尾《かつらお》村、飯舘《いいたて》村の帰還困難区域からの避難者に対する住宅提供も、オリンピック前の二〇二〇年三月末で打ち切ると発表した。福島県の資料によると、四月以降に残る住宅提供世帯は全町帰還困難区域の大熊、双葉両町の一六六一世帯。「二〇二〇年、避難者ゼロ」とする国と福島県の目標は、ほぼ完了するという仕掛けである。

会見で内堀知事は、「今後の生活再建の見通しを早い段階から立てていただくためにも、こうした形で進めていくことが重要という判断に至ったものです」とさらりと語った。県民の暮らしを守るはずの県政トップが、政権の進める「被害者切り捨て」政策の先兵役を果している。福島の悲劇がここにある。

いま全国で一万二〇〇〇人を超える避難者・被害者が、国・東京電力の法的責任に基づく損害賠償を求める集団訴訟を展開している。

二〇一七年三月の群馬訴訟を皮切りに、昨年までに七つの判決が出された。千葉地裁を除き前橋、福島、東京、京都の四判決が、津波対策で東京電力に対し規制権限を行使しなかった不作為による国の法的責任を認めた。しかし、損害賠償については、数百万円から一万円までという、信じられない低額で、被害者が立ち上がる手掛かりには程遠い。

　私が団長を務める「かながわ訴訟」も、今年二月二〇日に判決が言い渡された。国・東電の責任は五度認められたが、賠償水準は依然として低く、放射線被ばくによる健康リスクの認定も不十分。「笑顔の戻る判決」とは言い難いものだった。

　住まいの補償も賠償も打ち切られ、追い詰められている被害者が頼る術《すべ》は、それでもなお、「司法の良心」以外に見当たらない。これが、民主主義国家日本の現状なのだ。

　一月中旬、新聞に土砂投入から一カ月を経た辺野古の海の写真が載った。コバルトブルーの海にジワリと広がる茶色の舌。私は、その下で窒息しつつあるサンゴと、知事を先頭に不条理と命がけで闘う沖縄の人々を想った。

　何の罪科《つみとが》もなく突然ふるさとを追われ、八年経ったいまも、七万を超える人々が明日の見えない生活を送っている。この厳然たる事実に蓋をし、原発再稼働を進め、核兵器への依存を断ち切れない地震列島上のこの国。生き物の命と尊厳をものともしない政治の暴力。これらに目を背ける世情。二〇一一年三月一二日、爆発によって醜い骨組みを晒した福島原発一号機の、あの無残な姿がダブって見える。

私は再び訴えたい。第二の犯罪ともいうべきこの八年の経緯も含めて、いまこそ民衆による真の裁きと闘いを、と。

※「原発民衆法廷」については、「さんいちブックレット」001〜003、006（三一書房、二〇一二年）、『証言2013　ヒロシマ・ナガサキの声　第27集』（長崎の証言の会編）参照。

〈追記：2021年6月末現在、23の地裁判決と6つの高裁判決が出ている。争点の一つである国の法的責任については、地裁段階で認めたもの8、認めなかったもの8、高裁段階では（同）2対1で判断が分かれている。賠償水準は若干上積みされたものもあるが、ほぼ変わらない。かながわ訴訟は、放射線による健康被害リスクと避難継続の正当性を主張の主な柱として賠償額の上積みを求め、東京高裁で審理を続けている。〉

裁判で訴える

話が後先になってしまいましたが、南相馬市に若松丈太郎《わかまつじょうたろう》さんという詩人がおり〔注：1935年生まれ、『福島原発難民——南相馬市・一詩人の警告　1971年-2011年』コールサック社、2011年5月他多数、2021年4月21日、腹膜播種《ふくまくはしゅ》で死去。85歳。3月11日に刊行した『夷俘《いふ》の反逆』が最後の詩集となった〕、原発の詩をずっと書いているんですよ。チェルノブイリ原発事故の時も、原発が建設される時も、原発は危険性が高いという原発反対の詩を書いておりました。僕は頭が混乱していたので、お訪ねして話をしてもらっているうちにね、「たぶん原発事故はうやむやにされるだろう。これは国家的犯罪だから、きっちりと裁かれることはないだろう」と言っておられました。「民衆法廷みたいなところで裁かねば、曖昧《あいまい》になってしまうだろう」というような話をしたので、一つにまとめてみようと思ったのです。

原発の最大の問題は、放射能の怖ろしさですね。これを神奈川の裁判では本気になって学習したんです。ほかはそう突っ込んで追及したところはないですが。京都と神奈川の裁判では、本当に被曝《ひばく》の問題に力を入れましたね。神奈川の弁護団の中心になった方は原爆症の認定訴訟をやってきた人たちだから知識が深くて、〝原発も被曝が問題だから、これを認めさせなければいけない〟と、相当力を入れてくれました。そのためにかなりの被害者の方々を訪ねてまわってくれたのは事実なんです。

裁判官も防護服などをまとって現地調査を行ない、真剣なのですが、やっぱり放射線被害の問題となるとね、国側のいわゆる御用学者が何人も勢揃いして、連名で書類を出したりするわけです。そうするとやっぱり裁判官は、〝これは結論の出ない問題だから〟ということで逃げるんですよ。結局、この問題はうやむやということになってしまうわけです。いま、同様の訴訟は30数件あるわけです。ちょうど結審の段階にあります。いままで12判決、出ています。来年（2020年）の半ばくらいには、多くの判決が出るんですが、もうまる8年も経ち、僕らの原告でも、そのうち7人が亡くなっているんです。僕自身も始まった時は70歳だったのに、いま77歳になり、気力も落ちてきています。でも、がんばろうと思ってますよ！

僕がこの8年間で一番感じているのは、〝原発がいったん破壊されたら取り返しのつかない事故であるということを、どうやってわかってもらえるか〟と。それはね、それをわかるのは、被害者、当事者だけですよ。親族を亡くしたり、田や畑が放射能で汚染されたり、帰還できなくなったりの人たちですよ。被害の深さをね、裁判を通じてもですが、〝どうやって人びとに伝えることができるか〟と思うのですが、絶望に近いのではないかとも思います。

今年度（2019年）の文化庁の映画で優秀賞を受賞した土井敏邦《どいとしくに》さんが、『福島が語る』という証言ドキュメンタリー映画〔注：完全版／5時間20分、劇場版／2時間50分〕を創られました。あれを観てもらうと、事故の悲惨さの真相の一部を見事に切り取っていると思うのだけれども、あれでも語り尽くせない。

自然がね、汚染されてしまいましたが、いま、国が大キャンペーンをはじめていますね！「線量が下がったから、大丈夫だ」とね。そんな馬鹿な話はないんだ。これはシロウトが考えたってね、理屈に合いません。小出裕章《こいでひろあき》さんがよく言っておりますが、最小に考えたところで広島の原爆170発分もの放射性物質が放出されて、それが降り注ぎ、地表にとどまった。いまでも放出され続けているわけで、それがどこへも行き場がないのが現実だ。降り積もっているんだよ。除染などをしておりますが、あれは除染なんかではありません。一部の場所を除染したところで、その汚染は解消不可能の問題でしょう！　少なくとも完全に元に戻すには300年とかの単位の時間がかかってしまうわけでしょう！　他にも問題はありますが、放出された放射性物質だけでも途方もない歳月をかけねばならないはずです。重大ですよね。まさに江戸時代に先祖が入植した時からいままでと同じくらい長い時間です。

田舎に帰ったとき、現地に残っていた高校の同級生で、キノコ博士のような人がいてね。南相馬市から飯舘村まで車で1時間くらいで行けるんです。飯舘はキノコの宝庫なんです。以前はいつも9月になると連れて行ってもらいました。秋にはキノコ狩り、春にはタラの芽とか山菜がたくさん採れるものだから、朝4時に起きて行ってたんですよ、楽しいものでした。また、魚釣りなど、ささやかな楽しみがありました。それらすべてダメになり、食べられないんだからね。今はね、大丈夫だからと言って、食べている人もいますが、危ないんだ。それがいまの紛れもない実態なんですよ。これだけの事故が起きてしまったんだから、隠しようなどありません。消すことなどできないんだから。

僕らが立腹しているのは、その現実を認めようとしない、そして誤魔化してオリンピックを煽《あお》り、〝さあ、終わりだ〟という、これがまさしく今の政治ですよね。

オリンピックの虚構と住宅供給の打ち切り

ちょうど僕らが裁判を起こした時に、第2次安倍政権になって、その象徴が2013年9月の〝アンダーコントロール〟発言ですよ！　オリンピック招致のためにね。あの時こそ、ほんとうに腹が立ちました。腸《はらわた》が煮えくりかえるような思いでしたよ。

あの日、東電が第一原発の地上貯蔵タンクから高濃度の放射性物質が漏れていると発表しているのに、「汚染水のコントロールができている」と平然と言っていたわけです。健康問題に関しては、「過去も現在も未来もありません。私が安全を保証します。状況はコントロールされています」と世界に向けて言い放ち、そして〝オ・モ・テ・ナ・シ〟でオリンピックを誘致したわけですよ！　被害を見えなくするために使われていたわけです。

もっと腹立たしいのは被害県である福島県が、足並み揃えて「2020年、東京オリンピックまでには被災者をゼロにする」という計画を2013年に一緒に作っているわけですよ。すべてがね、事故被害をものの見事に隠蔽《いんぺい》して、彼らのスケジュールに沿って、避難指示を解除していく。

僕なんか裁判でやっているけど、住宅提供の問題は、ものすごく大きいです。避難指示区域外の自主避難の人たちに打ち切りをやったのは、2、3年前ですね。あれ以来、福島県と18回の交渉をやってるんですが、相手がだんだん交渉を受けなくなっていますから、今年中(2019年)にもう1回やろうと言っている。

〈追記：その後も交渉を続けている（23回）が、福島県は提供を受けていた国家公務員住宅から退去できないでいる避難者4世帯を被告として提訴した（2020年3月）ばかりでなく、34世帯に対し家賃2倍相当の損害金（罰金）の請求書を送り続け、2020年暮れには親族宅に

◆資料：2013年9月7日、ブエノスアイレスでの国際オリンピック委員会総会での安倍首相の発言

Some may have concerns about Fukushima. Let me assure you, the situation is under control. It has never done and will never do any damage to Tokyo.
——フクシマについて、お案じの向きには、私から保証をいたします。状況は、統御されています。東京には、いかなる悪影響にしろ、これまで及ぼしたことはなく、今後とも、及ぼすことはありません。
——

https://www.kantei.go.jp/jp/96_abe/statement/2013/0907ioc_presentation.html、首相官邸HPより

まで「法的手段に訴える」との通告書を送ったり、県職員が訪問して圧力をかけるという暴挙に出ている。〉

いま、僕らは何をやっているかといえばね、事情によっては住宅を出られない人がいるんじゃないですか。例えば、国家公務員宿舎が東京の江東区東雲《しののめ》にあるんですが、あそこに自主避難の人がたくさん入っていた。「出ろ、出ろ」と言われ、出られる人は出ました。でも出られない人はまだ80世帯も残っている。その人たちに4月以降、「損害金（罰金）として家賃の2倍払え」という請求書を毎月送りつけているんですよ〔注：朝日新聞記事：県は２０１７年３月末、自主避難者ら約1万2千世帯（当時）への住宅の無償提供を打ち切った。宿舎を所有するのは国で、本来は17年春で打ち切りだったが特例で2年間延長したが、春以降も退去しない入居者には、損害金として家賃額の2倍を請求〕。こういう冷酷なことを平然とやっているんだよね。

こんな現実があるのに〝一切関係ない〟と、〝福島にいる人の住宅供給も打ち切り〟だと、〝すべて終わりだ〟とね。福島県は「住宅提供が終了した人は、避難者と数えない」ということです。したがって避難者はゼロになる。だから〝オリンピックの聖火リレーもやります〟、〝ソフトボールもやります〟と。まさに政治の手のひらの上で、現実が潰されてしまう。こんなことがまかり通っているのです。だからこんな政治をやっているかぎり、また同じようなことが起きるということではないですか！　10年経ったが、あれだけの事故を起こしておいて、10年で完全な虚構をもう一度やろうということでしょう。

しかもそれは、裏にはちゃんと国際原子力マフィアがいるわけですよね。去年（２０１８年）

でしたね、福島で言ってましたね。「原発事故が起きても避難させるな！」と。「被曝なんかたいしたことないんだから」と、「どうしようもなければ死ねばいいんだから」と。「死んでいただければ良い」とね。「避難させるな」というのが、チェルノブイリ原発事故後の1991年の会議でもそうだった。それをまさに、福島でも他の原発現地でも実行しようとしているわけです。

そうして、原発の再稼働をどんどん進めているわけです。日本だけではなく、韓国の東海岸で事故が起きたらもう絶望的ですよね。誰が考えてもわかることに完全にフタをして、さらにフタをするために被害者を無き者にする。こんな邪悪な話ってないじゃないですか！　ほんとうに許せないですよ。原発の第一次被害が終わったわけでなく、いま第二次被害が起きており、まさに進行中なんです。その現れが毎年、絶望して自殺する人や、関連死なんですよ。子どもの甲状腺ガンだけではなく、老人の心筋梗塞なんかもだんだん増加しているんですよ。こうした現実にフタをして押さえ込み、無いことにする。こういうのが第二次の被害、というより犯罪だと思うのです。事故を起こしたことが第一次の犯罪だとすれば、第二次の犯罪の方が罪が重いんじゃないでしょうか。

自主規制するマスコミ、御用学者、自治体

マスコミはどうかといえば、この深刻な問題についての報道は、ほどんどなされていません。で、毎年3月11日がくると特集を組んではいるが、一番中心になっている放射線被害の問題をしっかり書いてはいないし、見当たらない、と言ってよい。

僕のいた朝日新聞の記事を読んでいたら、福島県が行なっている子どもの甲状腺ガンの検討結果の話など、単なるベタ記事扱いですね。新聞社が上からの圧力で動いているとは思いたくないが、もっと真剣に扱ってほしい。最も怖いのは記者自身の自主規制ですよ。時代に流されているんですよね。デタラメに慣れっこになっているんです。また、役所も同じです。日本の役所は優秀だといわれてたのに、ひどい有様ですよ。

テレビなんて批判精神を失ってはいますが、なんだかんだと言われながらも観ていますから、影響が大きいですね。だからたとえば、桜を見る会の問題があると、芸能人の麻薬の話などは出したりします。いまの官邸の情報操作ってのはね、僕が観ていても操作が行なわれているのは歴然とわかります。

新聞記者の中には、数は少ないけど骨のある人は残っています。たとえば僕の知り合いの後輩で、ＮＨＫの慰安婦問題で安倍晋三とやり合った彼なんかね、信念を曲げないからね。そうなると会社は弱くて、彼を他の部署に飛ばすわけです。残念ですが、彼は骨があるから自分から、「南相馬市に駐在したい」と志願してがんばっていた。朝日新聞についていえば例の吉田調書事件〔注：福島第一原発事故当時、所長だった吉田昌郎氏から２０１１年７月～11月にかけて聴取した非公開の記録を元に２０１４年５月20日に朝日新聞記者が記事にした件で、朝日新聞社社長が２０１４年９月12日謝罪。しかしこの件について、２０１５年５月に海渡雄一・河合弘之・原発事故情報公開原告団弁護団著『朝日新聞「吉田調書報道」は誤報ではない――隠された原発情報との闘い』彩流社、という書籍も刊行されている」です。ほんとうにだらしない社長が完全に降伏しちゃったわけです。あれでね、骨のある記者たちが辞めたりしましたね。それはどこにでもあることだが、NHKなんかもっとひどいです。

御用学者もひどいですよ。東大の学者の論文もそうだが、どうしようもない原子力村の御用学者は別としても、もっとまともだと思われていた人は口をつぐんでいますよ。口を開いている人は少々あやしげでも、向こう側（国側）の線に沿ったことに同調している。

事故当時、まともな論評を語ったり、書いていた開沼博《かいぬまひろし》なんかもその先端だった。それがちょっと鼻につきすぎて、サンドイッチマンのような感じだから、たよりにならんから、今度は田中俊一《たなかしゅんいち》だ。

元原子力規制委員会委員長の田中俊一は、いま何をやっていると思いますか。飯舘村の復興アドバイザーとなってね、飯舘村の相談役ですよ！　家を提供してもらい、あそこにいることになっています。それで、福島民報主催のシンポジウムで2000人もの人を集めて、「放射能はぜんぜん問題ない」と発言しています。御用学者の山下俊一《やましたしゅんいち》以上ですよね。「放射能なんてものは気持ちの問題なんだから、心を洗うことを考えましょう、残留放射性物質は外に、持って行けないんだから県内で処理するようみんなで考えましょう」みたいな話をドンドンやっているわけです。

福島原発が事故を起こしたあと、僕らは毎週金曜に首相官邸前に抗議行っていたじゃないですか。あのころ原子力規制委員会の委員長を決めるというので、みんなで「田中さんはやめろ！」とシュプレヒコールを叫んだこともありました。僕が田中俊一を許せないと思っているのは、彼が原子力規制委員会委員長時代ですよ、4年前です。子ども・被災者支援法の見直しがあったときです。記者会見の席ですよ。「避難指示が出ていないところから避難した人を公務員宿舎に勝手に入れてたんだ。90パーセント以上の人は逃げないでいるんだ。それを政府が何かと手をさしのべたり、間違えたことをしたから、いま、こんな問題が起きているんだ！」と彼は堂々と言ったんですよ。僕はその発言を聞いたんで、〝こいつは許せない〟と心底思いましたね。この間なんか双葉町の放射線管理委員顧問〔注：2019年、双葉町放射線量等検証委員会委員長に就任〕になるとかね、あの辺を全部仕切るようになったんです。

飯舘村の菅野《かんの》典雄《のりお》村長〔注：1996年～2020年の間6期在任〕は、「飯舘村の長泥《ながどろ》地区の帰還困難区域について、除染したり、お金を出してもらうには、特定復興再生拠点区域に認定されなければダメでしょう」と。「その交換条件で汚染土を実験用にしたり、埋め込んで上に土をかぶせれば良いのではないか。これを呑みなさい、呑まなかったら復興決議を否定しません」と、菅野町長が先頭に立って一軒一軒まわり、説得したんですよ！

僕も知っている人がおります。本当の意味の苦渋の決断をさせられた。首を絞められた。

今年（2019年）も9人も自殺しているんですよ。

これほど政治に痛めつけられているのは、沖縄と福島だと思っています。

でも沖縄は曲がりなりにも〝おかしい〟というのを県知事が先頭に立って言っている。福島の場合は、県知事が政府に追随し、県民を守ろうとしないことですよ。ほんとうにしんどいですね。完全に福島県民である避難者を捨て去ったと言っても過言ではないですね。

僕にとって、唯一の救いは、最後に避難していたとき、4日間ばかり猫を置き去りにしていたんですが、放射性物質が降り注ぐ中で畑を駆け回って虫を食べたりして、待っていた猫です。まだ1歳の猫でしたが、迎えに行くと玄関にチョコンと座っていて、「ニャ〜」と声をかけてきたんです。一緒に避難生活を送ったこの猫には、心の支えになってもらいました。

〈追記：猫は2020年2月、9歳半ばで死んでしまった。被曝が寿命を縮めたのではないかと悔やんでいる。〉

補記：白昼堂々「棄民」がまかり通る国

10年経って、なお万余の避難者。

関連死2320人、自死117人、子ども甲状腺ガン250人超。

国策として進めてきた原発が引き起こした未曽有の被害に蓋をし、

被曝を強要し続ける国。

沈潜した怒りは、やがて爆発するだろう。

（2021年4月5日　むらた　ひろし）

証言●12

木村俊雄さん

福島県大熊町から高知県に避難。

木村俊雄さん——インタビュー：2020年1月23日

3・11前後

3・11の前に、2004年にスマトラ島沖地震〔注：2004年12月26日、インドネシア西部スマトラ島沖でマグニチュード9の大地震が起き、大津波が発生して、死者・行方不明者が23万人にも及んだ〕がありました。その時僕は、福島におりましたが、2000年に東電は辞めていました。スマトラの映像を見て、ふと思ったんです〝原発に津波が来たらメルトダウンする〟というストーリーを。実は1990年に、東電のある上司との会話で想定していたんです。2005年1月にいわき市のミニコミ誌に、「もし原発に巨大津波が来たら」というタイトルで小さなコラムを書いて、「運転中の原子力発電所は全部メルトダウン（炉心溶解）する」ということを寄稿したんです。それがまず僕の頭の中にあって、地震だけだったら何とかなるかも知れないが、〝津波が来たらメルトダウン〟というロジックが僕の頭の中にありました。

僕は東電を辞めて〝自然回帰の道に生活を戻そう〟ということで、原発から5キロくらいの、双葉町《ふたばまち》の知り合いの所に間借りして住んでいました。

2010年の10月には、いろんな、例えばマキの作り方とか、伐採の仕方とか、ちょっとした大工の仕事とか、そういうのを身に付けて大熊町《おおくままち》の山の中に引越していました。山の理想的な場所に膨大な土地を借りて、そこで暮らそうということで住んでいましたが、家がすごく古いものだから、直しながら、マキストーブを入れて、ソーラーで電気を作りながら、生活をはじめたところでした。で、小さな集落だったけど有線放送でケーブルテレビが引かれて観られるようになったんです。それが2011年の3月9日ころでしたが、その当時はテレビを観る生活をほとんどしていなかった。冬はマイナス15℃になるところだったから、3月11日の時は、とにかくマキ作りをしていたんです。

その2週間ほどの間に余震が2回ほど来たんですよ。これはちょっと不穏だということで、2回目の時は夜中で、飛び起きて外に出たんですけど、けっこうな揺れというか、突き上げがありました。3回目が3月11日の14時46分ごろでした。僕がちょうどマキ割りをやめて、マキストーブに火を着けて、コーヒーを飲む用意をしていたら、本震が来たわけです。

〝わっ、これはなんじゃいな！〟というもの凄い地震で、僕は昭和の宮城県沖地震〔注：1978年6月12日発生のマグニチュード7・4の地震〕を思い出していました。そんな比ではないわけです、揺れている長さもね。山の中なんで鳥たちが右往左往していて、ずっと異常な鳴き方をしていました。地鳴りがずっと続いているわけです。〝こりゃこの世も終わりじゃないか〟と思いましたね。まさに〝地球の終末が来たのでは〟と思うほどでした。地震が収まった後も地鳴りが続いていました。家はプレハブに毛が生えたようなものでしたが、まったく大丈夫で、ストーブの煙突がちょっとズッコケたくらいでした。電気もソーラーでしたから困らなかったし、ポンプも何とか動いていたので、水道も困らなくて済みました。たまたまテレビが観られるようになったので、テレビを付けました。〝巨大地震が来た〟ということで、仙台とか青森あたりの津波の状況の映像が流れていました。仙台空港が水浸しになったとか。

極めつけは福島第一原発を背景にして両側から撮った映像で、岸壁が凄い垂直の崖があるじゃないですか。南側の壁に津波がドーンと当たり、垂直に跳ね上がって、数十メートルの倍くらいしぶきが上がっているじゃないですか！　その後ろに原発があるわけじゃないですか！〝こりゃ、もう原発、くらったな（駄目になった）〟と思った。僕は、1990年に予測していたように、〝これは絶対メルトダウンまで行く〟と直感しました。そのストーリーは、電源が喪失したり、給水ポンプがやられたりとか。〝これはメルトダウンまで行くだろう〟ということで、テレビをずっと観ていたんです。

この時パートナー（連れ合い）はちょっと離れたところにいたんです。彼女に「これからメルトダウンがはじまる、炉心が溶けはじめるから」と言ったら、その通りになっていくわけです。ようするに3月12日には、1号機が爆発するわけです。爆発するということは核燃料が融けたから水素が発生して、爆発したわけです。それはすぐわかることです。電源がないから水素を除去するための装置も動かないということが、僕はすぐわかりました。続いて2号機、3号機と続いていき、その中で集落の人たちは逃げはじめましたが、僕は元東電のエンジニアとして、〝このままほったらかしにして逃げるわけにはいかない〟、〝最後まで見届ける〟という気持ちでいました。

けれども、パートナーから電話が来て、「これは逃げなければ駄目だ」と。自衛隊が制止したんだけれども、彼女が迎えに来ました。その時は小さい車だったので、家から何を持ち出そうかということで、チェンソーとオノとガソリン（チェンソー用）さえあれば何とか煮炊きして生きていけると思ったんです。〝ガソリンは絶対になくなる〟と直感的に思いました。それらとあと、米を積んで逃げたんです、

逃避行

最初は、パートナーの実家がある中《なか》通りの田村《たむら》市へ向かいました。トヨタのイストという小さい車でです。そこで、〝大変なことが起きちゃった〟ということで、いったんみんなで落ち着き、次は、パートナーの両親の実家がある「栃木《とちぎ》の那須《なす》へとりあえず逃げよう」という話が出てきたとき、僕は「それはやめよう」と言ったんです。僕は天気予報を見ていましたから、風向きが放射能の拡散を支配するとわかっていたので、「絶対に放射性物質が飛んでくるから栃木はやめて違う所へ行きましょうよ」と言ったんですが、彼女の両親は聞かないわけですよ。だから、〝まあ、しょうがないなあ〟と思って渋々ついて行ったら、たぶん3号機の爆発だけでなく、1号機の爆発分もあったと思いますが、放射性物質が那須にも飛んできたんです。そこでパートナーと僕は具合が悪くなって、僕は鼻血と血痰《けったん》みたいなのが出て、体がだるいんです。パートナーも目がおかしくなって、〝これはこのままここにいてはいけない〟と思

っていました。そのころ各自治体が被災者を受け入れるということをはじめたわけです。

僕はサーフィンをやっていた関係で高知《こうち》に行ったことがありました。高知はものすごく良い波が立つわけです。それで、〝高知県はどうか〟と思っていたら、携帯に「高知も県営住宅を開放する」というニュースが出て、「それじゃ高知に行くぞ」ということになりました。

高速道路が無料開放になったということで、大熊町の避難所に行き、避難証明書をもらい、4月14日に高知に着きました。

僕は元東電の技術者として、〝1号機、2号機、3号機、そして4号機のプールも危機的な状況になっている〟、〝4号機は前の年に定期点検で止まったばかりで、使用中の燃料が使用済みプールに移動されて、まだホットな状態にある〟と、わかるわけですよ。実際に、〝相当活きのいい使用中の燃料〟が使用済み燃料のプールにあるから、かなり崩壊熱が出て、爆発して、建屋が傾き、崩壊しそうな状態になって、ラック（平板歯車）がむき出しになりました。あれを見て、〝これが倒れたら終わりだ〟と思ったんです。それで、知り合いの福島の議員さんに電話をして、「空から使用済み燃料のプールにほう酸を投下すれば、崩壊しても何とか臨界にはならない可能性もあるんじゃないか」と言ったわけです。ラックが崩壊して核燃料が出てもほう酸を袋ごと投下すれば、とりあえず中性子を吸収してくれるんじゃないかと思っていたけれど、議員さんが動いてくれなくて、結局、幸運にも使用済み核燃料プールのラックが首の皮一枚残ったんで、最悪の状況はなくなったんですね。まあ、〝ほっと一安心〟というところでした。

高知に逃げる前に、3月から4月にかけて、大熊町の避難所、田村市の体育館だったと思いますが、そこに行った時に、東電の後輩に会ったんです。運転員をやっていてね、3月の14日に会った時、彼に「溶けた核燃料が臨界になっているのではないか」と話したんです。「もしかしたら、これはヤバイな」ということを話しました。その時、彼は現場に行く直前で、ものすごく悲壮感が漂っていました。それはそうですよね。彼の子どもがお父さんが出掛けるのでと付いて来ていて、子どもの顔も見ましたけど、とても悲しそうな表情をしていました。後輩に言いましたよ、「オレは行けないけど頼むな」という、とても印象的な会話でした。だってね、僕は高知に逃げるわけだからね、つらかったです。

この時、僕は子どもが1人いて、で、高知でまた1人生まれ、元気に育ってくれました。いま、離婚してしまったけれど、子どもは行ったり来たりしています。近くに住んでいますからね。離婚理由はきっと、〝僕がこうしたことに首を突っ込んでいるからだ〟と思っています。〝僕のところに住んでいるより、近くにいた方が危害もないだろう〟とも思います。

水に弱い福島原発

元東電社員ということで、しかも原子力出身だということで、まず最初に高知で、反原発の集会に呼ばれて話したんです。「当面は雨の日は外に出ない方がいいよ」とか話したことが、ユーチューブで多くの人に見られました。それを見たオーストラリアのＡＢＣ放送局の人が来て取材されました。

1990年10月30日に福島原発1号機のタービン建屋の1階で海水の漏洩《ろうえい》があって、非常用電源が使えなくなった時、僕は現場にいて原子炉を止めに行きましたが、その時、直属の上司と話したんです。彼は本店（東電本店）で許認可における原子炉施設の事故解析のセクションの人だったので、「このくらいの海水漏洩で非常用電源が使えなくなるんだったら、津波が来たら運転中の原子炉は相当シビアな状況になるんじゃないか」という会話をしたんです。彼は、「その通りなんだよ、役所対応のやっている許認可の中の想定事故解析で、津波とシビアアクシデントを結び付けるのは、うちの中ではタブーなんだ」と。常に結果が見えているから、それに対する対策をほどこすにはものすごく膨大な労力と時間が掛かるわけじゃないですか、手続きを含めて。だから、「タブーなんです」と。

そういう話をABC放送でしたら、日本のマスコミのTBS「報道特集」とか各テレビ局が取材に殺到して来たんですよ。

僕は、その海水漏洩による非常用電源の機能喪失の前の1983（昭和58）年に入社していて、運転員の研修を受けました。9カ月間のトレーニングです。そのトレーニング中に大雨が降って、タービン建屋のダクトという通気口から雨水が入って、地下に浸水したという経験もありました。

その二度の経験から、〝福島原発は水に弱い〟、〝特に1号機から5号機が弱い〟ということがわかっていながら、対策を取らなかったということはやはり大問題だったと思っています。学習する機会があったのにその学習を踏まえて対策を立て、施工を行なわなかったことが、今回の事故の最も致命的な原因ではないかと思っています。

GE（ゼネラル・エレクトリック）が古い原発を日本に持ってきて、無理矢理置いていって、そのまま日本が受け入れてしまったということから、この悲劇がはじまったということを、当時の所長は気付いていたらしいんですよ。

建設当時の古い歴史を知っている社員によると、「何で地下に非常用電源があるんだ」とね。6号機からは1階以上にあります。原子炉建屋は水密性を持たせていますからね。だから、福島第二原発は助かったんですよ。東海原発、女川原発も。ほんとに悲劇としか言いようがなくて、今回の事故は起こるべくして起こったんです。1990年10月30日の海水漏洩による非常用電源の機能喪失を踏まえて、水密性を持たせれば良かったのですよ。

90年代後半にディーゼル発電機を増設するわけですが、それを高台に持って行けば良かったんです。けれど、社内的にいっせい対策をして、許認可申請を表立ってやると大変なことになるからやらなかった。

日本原子力発電㈱の東海原発が海水ポンプの前に壁を作ったら、あれはものすごく効果がありました。東海原発2号機です。3・11の津波が来る何日か前に完成したんです。東京電力は巨大企業であるがゆえに、非常に脆弱なところが如実に出たと言っていい。

東電は全部津波のせいにしているわけですが、僕は、東電が隠しているデータを出させて事後解析したら、〝地震が来て1分30秒くらいで炉心の中の重要な水の流れが止まっている〟ということがわかったわけです。それが今、民事裁判の争点の一つになっています。僕もこうやって、樋口さんと同じように伝達するということが天命の役割だと思っています。だから、いろいろなところで話をさせてもらっているわけです、

僕は1983年に東電に入社して、約17年間、学校と合わせると約20年間、東電のメシを食ってきたわけですけれども、さっき言ったように、最初福島第一で研修をして、終了したらすぐ新潟県の柏崎刈羽《かしわざきかりわ》原発に行って、1号機の試運転をやったわけです。実際の原子力プラントを使って、試運転をしました。外部電源喪失を模擬して、外部電源を落として非常用ディーゼル発電機がちゃんと起動して、重要な器機を動かすという試験とか、各種試験を担当するセクションにいたわけです。その試験に合格しないと正式に営業運転を開始できないのでね。

PWR（加圧水型炉）であろうがBWR（沸騰水型炉）だろうが、原子炉を起動する時、停止する時、出力を調整する時、あとはさっき言ったような外部電源が喪失してしまった時とか、地震で原子炉が自動停止するような時に、原子炉の冷却水は減っていってしまう。まあ、何が一番問題なのかと言うと、その時に燃料が壊れやすい環境があるかということです。原子炉を起動する時、出力を上げすぎたりして冷却水が足りないと、燃料の温度が上がって燃料が壊れやすいわけです。その壊れ方の規模っていろいろな大きさがあるんです。とにかく発熱と除熱のバランスを保つということが最も大事で、燃料を壊してはいけないことが原子力施設の最重要課題なわけです。

それを、柏崎刈羽1号機の試運転業務という、原子炉施設の異常状態に対する健全性評価を行なうセクションでの重要な経験をしたわけです。その後、福島第一の原子炉の設計管理部

門に行ったりして、そこも、まさに〝燃料を壊さないというためにどういうことをするのか〟ということで、設計管理するセクションへ行ったわけです。

奇しくも僕は東電が原子力で電気を作ることに疑問を早くから抱いてしまって、仕事とは言え、将来にわたって大きなツケを残すような発電方法に荷担してしまうことに嫌気がさして、辞めてしまったわけです。炉心の中のソフトウエア的な設計管理を一定以上マスターして、辞めたのです。

事故の究明

今回の福島第一原発の3・11事故で、各事故調査委員会が事故原因を追求しました。それが2012年~2013年に行なわれて、4つの事故調の報告書が出揃いましたが、僕が着目したのは東電の事故調査報告書なんですけど、その中で地震での影響、プラントへの影響評価というのがものすごく薄いわけです。そこを飛ばしていることに気づいたんです。さらに、炉心の中の冷却水の重要なデータが30~40くらいあるんですが、公開データがそっくり抜け落ちていたんです。

そこに気づいてしまって、〝これは何かあるな〟と。東電は「地震での影響評価、地震による安全機能への影響はまったくない」と言い切っているわけです。たった半ページでね。だけど、冷却水の重要なデータは抜けているわけです。ということを考えた時に、東電は、〝都合が悪く、説明ができないものは隠す〟ということをずっとやってきたわけで、〝これは何かあるな〟ということですよ。彼らのやり方だけでなく、僕もやって来たからね。ですから「隠しているデータを出してください」と、東京で記者会見を開いて、「東電はこういうデータを隠していますす」ということで、プレスセンターで記者会見をやったんです。その直後の2013年7月、東電は「データは全部出しました」と言い、「木村さんは何を言っているのかわからない、僕たちは全部出している」と書面で回答し、言い張ったわけです。

しかしながら、悪いことって出来なくて、汚染水問題がにわかに浮上するわけです。東電は記者会見を毎日午前と午後にやっておりまして、僕を追いかけている記者たちがその都度出席して、「木村俊雄さんが言っているデータをなぜ公開しないんだ」と言ってくれていました。原子力本部が出ている記者会見の時は、「全部公開済み」の一点張りだったけれども、汚染水問題が2013年の7月の末からにわかに出て、8月に当時の広瀬直己《ひろせなおみ》社長が出て来て、彼は何も知らないから、僕を追いかけている記者が、「木村元社員がまだ公開しているデータが欠如していると言っているが、どう思いますか」と言ったら、何も知らない広瀬社長が「そんなのあるのか、じゃあ出すよ」と言ったものだから、僕の求めていたデータが8月に初めて出て来たわけです。

それはものすごく膨大なデータで、3・11の地震が起きる前後5分間、2、300項目のデータを0・01秒周期でずっとサンプリングして、コンピュータ内に記録したデータがあって、それを全部入手できたわけです。

その膨大なデータを解析したところ、本当は停止前の10%くらい残るはずだった炉心の水の流れが、それは核燃料の膨大な残留熱を除去するための重要な水の流れなのですが、それが地震発生後1分30秒で完全になくなっていることがわかったんです。

要するに、燃料の発熱を冷却出来なくなり、燃料が壊れはじめる環境が整った可能性があった。燃料の出力の高い所から。メルトダウンというのはずっと後のことですから、メルトダウンの前の燃料破損開始です。で、原因はわからないけれども、なぜか水の流れが止まっている。〝こりゃもの凄いことが起きているな〟ということは、元炉心管理設計をしていた人間にはすぐにわかるわけです。

事故調査委員会の先生たちには〝炉心屋〟というセクションの人はだれもいなかった。田中三彦《たなかみつひこ》さん〔注：元日立バブコック・原子炉製造技術者、『原発はなぜ危険か――元設計技師の証言』１９９０年、岩波新書など〕や後藤政志《ごとうまさし》先生〔注：元東芝・原子炉格納容器設計者、『「原発をつくった」から言えること』２０１１年、クレヨンハウス・ブックレットなど〕は原子炉格納容器や圧力容器の機械設計の権威だから、僕とはまったく畑が違うんです。彼らはその過渡現象記録装置〔航空機の

炉心流量Ｔ/Ｈ

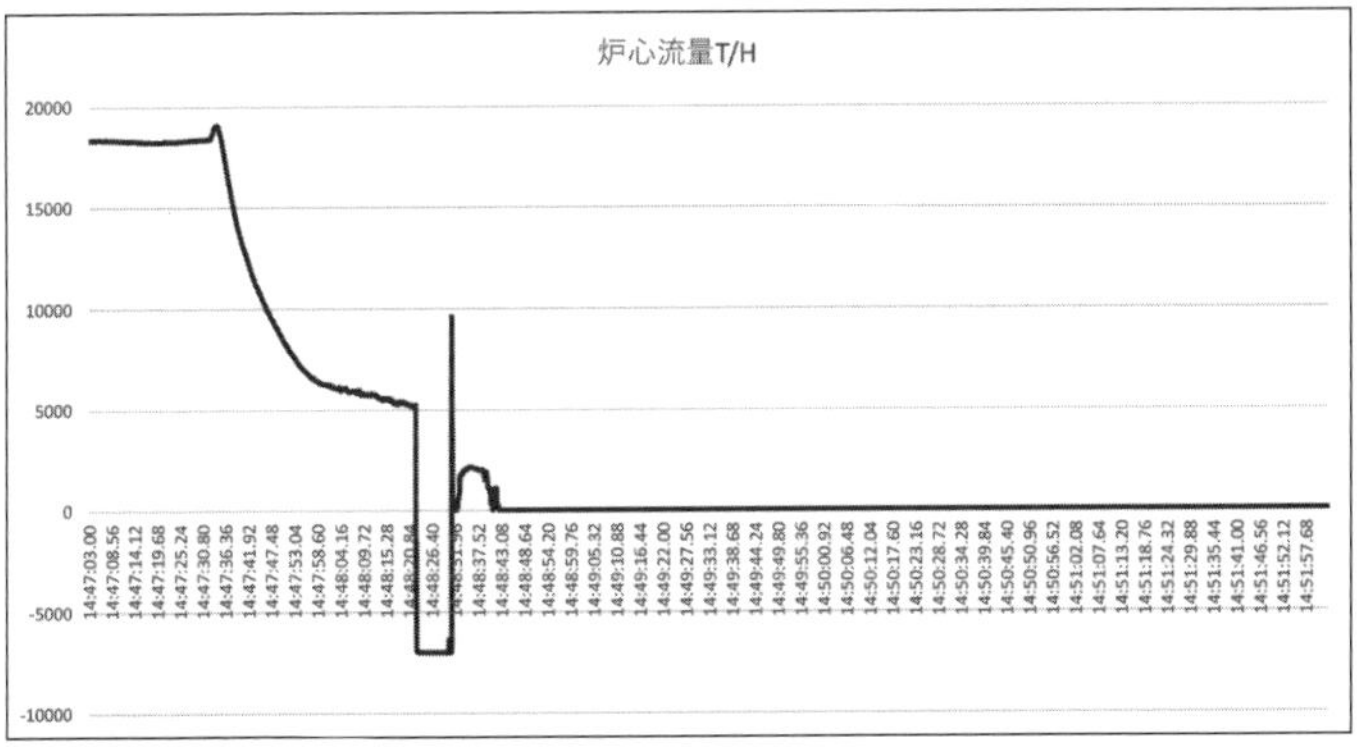

木村俊雄作成

ボイスレコーダーやブラックボックスのようなもの）という膨大なデータを見たんですが、何だかわからなかった。これをどう評価するかという技術を持っていなかった。畑が違うわけですから、彼らに非はないですね。

地震の影響

結局2013年から調査をはじめて、その間に報告書が出揃って、再稼働の基準が足早にできちゃいました。それはもう、〝地震の影響がなかった〟ということを前提に全部作られてしまった。全部〝津波のせい〟になってしまいましたね。

その中で偶然なんですが、僕がそのデータが出ていないことを発見して、事故解析をしたら、実は〝地震の影響が相当あったんではないか〟という痕跡が相当あるわけです。それを見つけたけれども、再稼働ははじまってしまった。基準作りは早かったですね。国会にも原子力規制庁に呼ばれて4回行っているのですが、「規制庁はそんなことはない」の一点張りです。再稼働のひな形はほぼ出来てしまっているので、国家としてそれを白紙に戻すわけにはいきません。

相反した原発行政が無理矢理原発を動かそうとしている間に、僕は淡々と調査を進めて、伊方《いかた》原発の差し止め訴訟や、田村市の自主避難者の民事裁判で2019年ですかね、主尋問をやって、5月の19日に反対尋問をされたわけです。国と東電の代理人から東京地裁の中で、東電が間違って出してきたと思うんですけど、僕の論理を後押しするような証拠を出してくれたんです。「冷却水の流量データはゼロになっているように見えるけれども、それは回路上の話だ」と東電は言い張っていますが、僕は「信号の特性から見ても、そんな回路は入っていないということが如実にわかる」ということを言っていたんです。それを後押しするために僕が解析に使用しているのは、流量ゼロにするという回路が入っていない生のデータで、メーカーの仕様書ですね、それを代理人が出してきてしまったんです。なので、地震が起きて残るべき、「残らなければならない炉心の冷却水の流量がほぼゼロになった」、それが１００パーセント確証されたわけです。

これは何でそうなったかというと、例えば細い配管から圧力が漏れ出して水の流れが全部そっちに行ってしまって、原子炉の中に入らなかったと推定できるけれども、これっていままでそういう知見《ちけん》ってなかったんです。

実はアメリカもヨーロッパも同じようなタイプの原子力発電を使っています。台湾、韓国も同じタイプのものです。だから、ものすごく重要な世界の知見なわけです。細い細管が圧力漏れした場合、何らかの故障で原子炉が停止した場合、水がそこに回らない可能性がある。例えば、特に地震で配管が破断した場合、いままで大きい配管の破断が問題になり、それの対策ばかりしてきたんだけれども、細い配管が抜けて停止後の原子炉を冷却するための水がなくなるという知見がなかったんです。これはきちっと精査し調査して、ＰＷＲ、ＢＷＲも一部関係するところがあるんですけども、原子力施設の地震などによる極小配管の破断時の挙動ということで、世界みんなで共有しなければならない重要な事象なわけです。

もう少し踏み込んでいって、〝どういうことが起きていったか〟ということを、これからしっかりやっていかなければならない問題だと思います。

東電の体質

僕は裁判の場や講演会でお話しさせてもらっています。

僕はなぜか東電に入ってしまって、東電に入ったのは良かったけれど、どうしても馴染まなかった。でも、もの凄く重要なセクションに17年間いたということと、3月11日の地震の時の事故の挙動を、東電を辞めた後にキャリアを使って確証したということです。今も東電にいたら外に向かって言えないわけです。辞めていたから、しかもそういうスキルを持っていたのでできたわけです。これは〝偶然のようで偶然ではないいんじゃないのか〟と毎日考えています。

なかなか辞められなかったんです。炉心の設計って、例えば1号機だと燃料棒を400体確認する仕事があるんです。2号機から5号機まで各号機ごとにあるんです。そのうちの4分の1を定期検査の時に新しいのに取り換えて。4分の3は継続使用して、配置換えするわけです。その配置換えの仕方によって、新しく入れなければならない燃料の本数は、増えたり減ったりするわけで、実は400体だから、ほぼ無限に近い組み合わせがあるんです。

その中で、あるパターンがあって、配置の解析なんですけども、あるパターンで核分裂の仕方を順次うまく移動させると、取り換え本数を4本とか8本とか減らせるという標準的手法を確立させました。4本減らすと約2億円という新品の燃料代です。バックエンドも含めると膨大な金額です。それで発電単価がずっと下がるということで、結構会社から褒められたんです。そのほか運転日誌の重要なデータをコンピュータにアクセスして、書き換えるという仕事をさせられていたわけです。この部門に東電福島の社員は12人いましたけれど、それをやれるのって、たった1人なんです。それで重宝がられていたので、「会社を辞めるな」と言われたのもあったと思うし、あとは親心もあったんでしょう。辞めるのに5年くらいかかったんです。最後は会社に行くのを辞めました。登社拒否でした。

僕は、副社長だった武藤栄《むとうさかえ》さんにものすごく可愛がられていました。彼は東大出です。東電は東大の派閥なんですよ。僕みたいな東電学園出の叩き上げがこういう仕事はなかなかできないのだけれども、武藤さんに抜擢されてやらされていたんです。武藤さんにものすごく買われていて、「燃料の交換システムをより安全により早く、交換期間を短くする」というシステムは武藤さんが進めていて、「木村やれ！」ということで、僕のところに来たんです。

課長や部長を飛び越えて指示が来てますから、彼らは面白くないわけです。僕の直属の課長とか部長も東大出のキャリアなんです。で、燃料交換システムの改訂書類を持って行った時に、なかなか判子を押さないんです。その人はものすごく温厚で、頭も切れるということで、人格者と思われていた人です。なんでこんなにいいシステム、会社も儲かる、しかも燃料交換の仕事もより安全になる、ものすごくいいシステムなのに、何で判を押さないのかと。「僕が経営者だったら絶対押しますよ」と言ったら、「何を言っているんだ、君等、お前みたいな奴は、どんないい仕事したって偉くなれるわけねえだろう」って言ったんです。〝おやっ、本音が出たな〟と思いました。人を見下したんです。

僕は、偉くなろうなんて思って仕事をやっていたわけではありません。原子力施設をいかに安全に、特に定期検査中はお釜（圧力容器）の蓋も開けていて、燃料点検はものすごく危険な仕事だから、一つ手続きを間違えたら、水蒸気爆発を起こす危険作業なわけです。最初、忠誠心を誓って〝安全にしたい〟という思いだけで、しかも〝コストを下げたい〟、そう思って仕事をしているのに、〝偉くなるって！　貴男いつもそんなことを思って仕事しているのか！〟と強烈に思い、〝こりゃ、この会社は駄目だ〟と思い、僕の退職の最終の切り札となったんです。

これも笑い話の一つですが、もう一つ笑い話があるんです。僕は労働組合の仕事もちょっとの間やりましたが、会社の引き留めがあった時に、労働組合の委員長に呼ばれたんです。「君は何でこんないい会社辞めるんだ、こんないい会社辞めたら二度とこういう会社には入れないよ！」と言うわけです。加藤さんという委員長でした。要するに福利厚生ですよ。2000年の春くらいでした。僕はその時委員長に言ったんです。「原子力産業って斜陽産業になると思うんですよね」と。そうしたら温厚な委員長が怒って、「何を言っているんだ、東電の原子力が斜陽になるなんてことがあるわけねえじゃないか！　馬鹿野郎！」と。「お前、気ぃ狂ったな！」とか言われました。「お前みたいな奴は辞めろ！」と言われまして、「はい辞めます」と言って辞めてしまったんです（笑）。これが組合との決別でした。

福島アゲインする前に

3・11の教訓をしっかりと精査して、今後に活かす道をとればよかったんですが、〝細い配管が地震に耐えられるような対策ができない〟という結論になってしまって、〝耐震解析もできない〟し、〝対策も取れない〟ということで、原子力から引いて行く道筋が見えていたはずだったんだけれども、消えかかった原子力行政も電力会社も含めて、そこが非常に悲しい岐路だったような気がするんです。ほんとうはあそこで生まれ変われたんです。

日本のエネルギー政策も含めて大転換して、〝もう駄目だ〟と、〝手に負えないから止《や》めよう〟と、そうしていたら、あの2011年からもっとクリアな10年間になったんです。またずーっと逆戻りさせられちゃったから、また混沌としてしまった。東電ものすごくいいチャンスだったんです。いまでも遅くないんです。まだ福島3・11アゲインしてないんですから……。

この間も国会の立憲民主党に行って、管直人《かんなおと》さん〔注：事故当時の内閣総理大臣〕たちにこの〝地震損傷説〟の話をしてきました。

「3・11の時の旧民主党の原子力災害に対しての避難政策について、どうのこうのと言いたいけれど、俺たち絶対忘れないけれどね。いま、ヒーローになるチャンスなんだ、日本の原発を止《や》めたらね。即位礼の時、天皇が言ったでしょう、〝国民の福利を守ることが大優先だ〟と。先生といわれる国会議員の人たちもそれがテーマじゃないんですか。だから僕は〝れいわ新撰組〟の山本太郎《やまもとたろう》氏が政界に復帰したら、一緒にやろうと思っています」と。

「このテーマ、地震で福島第一原発は致命的な損傷を起こした可能性があるということ、だからとりあえず原発を止《や》めるということを太郎氏とやろうと思っているんだけども、もし立憲民主党がやるんだったら、僕は全面協力するから、そのかわりものすごく勉強しないと東電の連中とやり合えないから」と。

「僕だって命かけてるんだから、あんたたちも命がけでやろうよ」と言ったんだけれど、去年（2019）の10月23日から全然連絡が来ません。きっと困っているんだと思う。

それで、立憲民主党の山崎誠《やまざきまこと》衆議院議員が、この〝地震損傷説〟問題を原子力規制委員会の委員長にぶつけたら、その委員長はすごく冷静でクールな人だそうですが、すごく怒ったそうです。「そんなことあるもんか！」とね。全部、ひっくり返しちゃった。全面的に。

それで立憲民主党の人たちに言ったんですよ。「1号機から3号機まで事故を起こしたんだけど、それは見に行かなくていい」とね。「事故を起こしていない、停まっていた5号機、6号機と福島第二原発、東海、女川に行って、要するに地震をくらった原発全部見に行って、補修履歴を見ればいい」とね。そうしたら書類を見てもわかるからね。それでもわからなかったら、「現場を見に行ったらすぐ配管が新しくなってるからわかる」とね。これが盲点なんですよ。

みんなやってないでしょ。これが調べ方だからね。ここまで僕が手の内をさらしているのに怖くてできないんだ。何とかいう元幹事長やってた人が最後に証人尋問をやろうとした、だけどやれば大変なことになる。それはわかりますよ。「ほんとうにその気があるのか、あるから言ったんで！」と言うと、帰って行きました。共産党もいまひとつなんです。まあ、太郎君しかいません。

これは裁判の資料なんです。裁判で東電の暗合みたいな図面が全部出て来て、まあこういうのを含めて、集英社で古賀茂明《こがしげあき》氏〔注：元通産官僚・政治経済評論家〕と対談した時に、全部見せました。僕の論考は、メーカーの元エンジニアでコンサルタントをやっている人が裁判で見ていて、「木村さんの言っている解析結果は生データで処理されているから、これは十中八九間違いない」と言ってくれました。そういうことでお墨付きを貰ったんです。

２０１３年から足掛け7年くらいやってきて、途中、原子力規制庁のいろんなはぐらかしとか、国会議員の力のなさとかで挫折しそうになりましたが、２０１９年の春から僕のわからなかった部分の本物のメーカー仕様書とかも明らかになったので――東電がわざと出してきたのか、間違って出してきたのかわからないけれど――実は地震損傷説を強力に裏付ける風が、いままた、吹きはじめているので、僕も一緒に、おそれずにひるまず、これからもやっていこうと思います。

はっきり言ってメディアも腰抜けですよ。今回（２０１9年10月23日）の立憲民主党の福島第一原発の地震損傷の勉強でもメディアに声をかけたけれど、どこのメディアもいまのところ記事にしていません。その中で東洋経済新聞だけはなんとか頑張ってくれているけれど、共同通信、朝日新聞、毎日新聞、東京新聞を誘ったけど来ませんでした。当然テレビ局も来ません。東京新聞も途中までは追いかけていたんですが、来なくなったか、途中でストップがかかったんですよ。朝日は、『プロメテウスの罠』〔注：福島第一原子力発電所事故および「原発」をテーマとして2011年10月から2016年3月まで掲載された朝日新聞の調査報道による連載記事。学研パブリッシングから書籍化されている〕を書いていた人は全部いなくなったようですね。何だかメディアが腑抜けになってしまったようです。

補記：考えよう

3・11から10年経ったけど、
いまも日本も世界も混沌としているけど、
いま自分ができることは何かをしっかりと考え、
行動するしかないよね。
まずは、はっきりとした頭で考えるんだよ。
いまも、これからも、ほんとうに原子力がないと
自分たちはもう生きていけないのかを。

（2021年3月28日　きむら としお）

証言●13

佐々木恵美さん

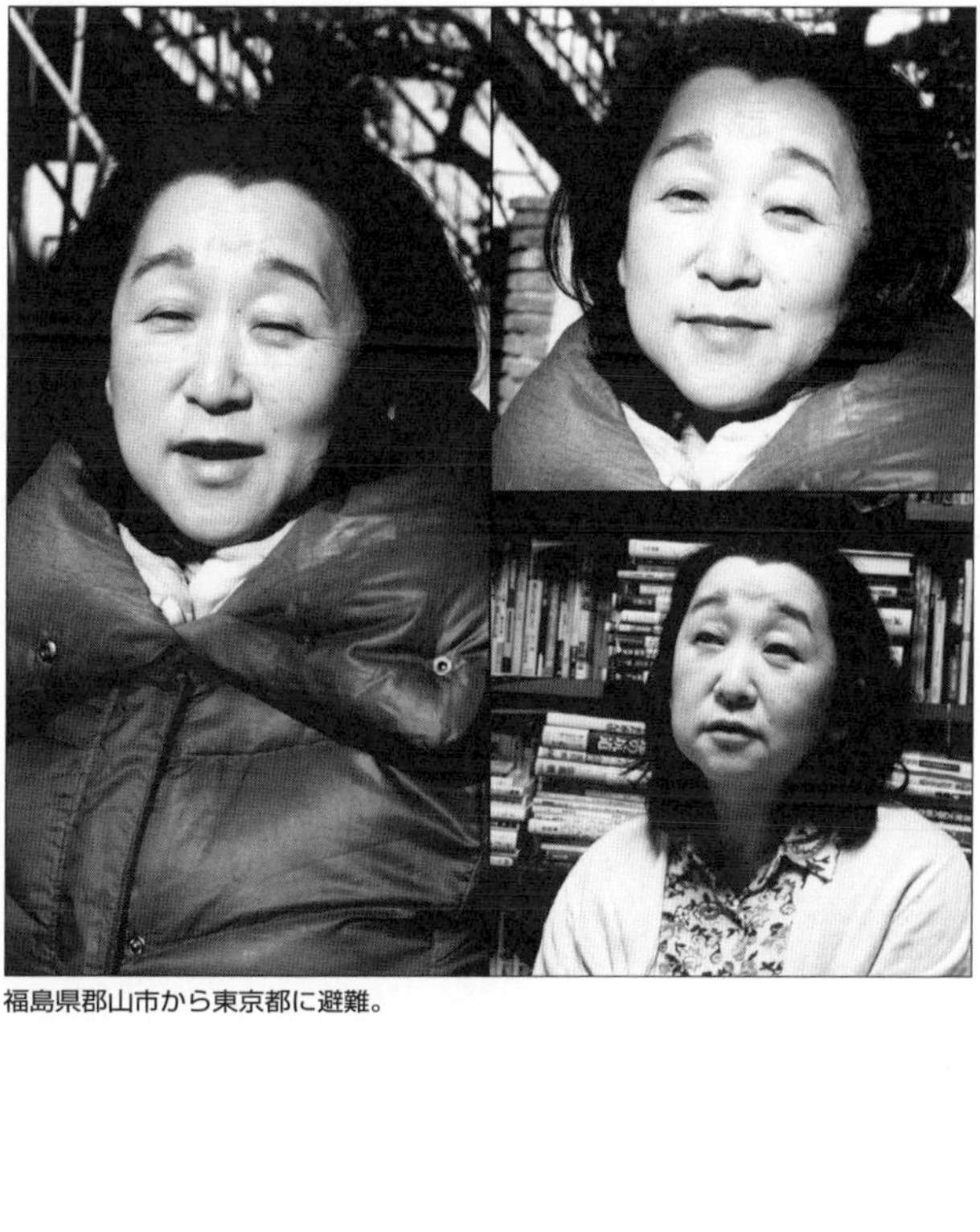

福島県郡山市から東京都に避難。

佐々木恵美さん――インタビュー：2020年2月9日

事故、そして避難

2011年3月11日、私は郡山市《こおりやま》にあったマンションの1階の仕事場であの地震を体験しましたが、それ以前に、そう1カ月くらい前から地震が頻繁《ひんぱん》にありました。ですから、その時も〝それほど大きくないだろう〟と思っていたんですね。ところが揺れがなかなかおさまらないので、窓を開けて、その後すぐに外に出たんです。そうしたら隣が古いベニマル（スーパー）でしたので、見ると結構揺れていて、室外機が落下したり、ひどい状況になっていました。〝これはもしかしたらもっと大きいのかな〟と思いました。フェンスにつかまっていないと立っていられないほどで、室外機が落ちたりしたので、スーパーから人がバラバラと出て来ました。館内放送で「危険だから中にいてください」と放送があったようです。

それでも最初は〝そんなに大きくない〟と思っていたのは、私、あの阪神大震災の時〔1995年1月17日〕、静岡に住んでいたんです。その時と比べたら小さいと思っていたんですよ。なぜかというと、郵便配達の人が地震にも関わらず配達していましたから、驚きましたね。〝なかなかおさまらないなあ〟と思った時でした。〝あっ原発！〟というのが頭に浮かんだんです。原発のことは、東京電力福島第一原発が危ないということは、20年前に聞いて知っていたんです、20年前には東京に住んでいて、いざという時のための備蓄もしており、お米も用意していて、いつでも逃げられるように準備をしていました。だけど故郷に帰ってみると、福島ってほんとに自然が豊かで、のどかなんですね。そうすると、素晴らしい環境でだんだん原発のことを忘れてしまうというか、何か平和な状態にひたりきってしまい、〝うっかりしていたな〟というのが一番最初の思いでした。

それで、原発はどうかなというのがすごく気になってね。その当時は郡山市の県営住宅の4階と5階に住んでいました、夫と子ども（小学2年生）とね。地震のあった夕方は、姑が田《た》村《むら》市の船引町《ふねひきまち》でしたので、夫がそっちを見に行ってくれました。

当時、電気は東北電力からだったので、テレビも映り、インターネットも通じて、大丈夫でしたから、情報は取れたんですね。あの時は外に行ってもしばらく動けない状態で、ずっと地震がおさまらない状態でしたから、原発の心配につながったんです。地震当日は天候が悪く、晴れていたんだけど黒い雲が来て、雪がパラパラ降ったり止んだりで、変な天気でした。そんな異常な日でした。

〝子どもを迎えに学校へ行こう〟と思いましたが、ちょっと様子を見て、小1時間ほどしてから行きました。ちょうど学童の先生が子どもを迎えに来てくれていて、うまく引き取った感じでした。

夜の9時半頃までは、子どもと仕事場にいたんです。私の仕事場は1階でしたから、そんなにひどくなっていませんでした。机が壁から離れてパソコンが倒れているような状態でした。電気はありましたので、買い置きしてあったカップ麺を子どもに食べさせました。それから、〝つぶれる時は1階かなあ〟と思って、子どもと一緒に団地の住まいの方へ戻ったんです。そして、ドアを開けようとしたら、結構力を入れないと開かなかったんです。上の階でしたから揺れがひどくて。食器とかが全部散らばっていました。想像以上のひどさでした。こんな時にカメラの電池がなくて、写真を撮ってないんです。あまりにもすごくて、テレビを観ると、〝これは間近だな〟と思いましたが、原発の状況はわかりません。

次の日3月12日は土曜日だったんですけど、私は県立医大の研究室でデータの管理などの仕事をやっていたので、秘書の方から連絡が来て、「大変なことになっている」と言うんで、〝行こうかな〟と思っていたけど、秘書の方に「道路が通れないので来るのが大変だと思う」と言われました。ずっと余震が続いていて、〝いま、夫と子どもと離れると大変だ〟ということで、親子3人で、それでも出かけることにしたんです。

郡山を出発したのは午前10時ごろでした。郡山体育館の前を通った時に防護服を着た人がいたので、〝これはヤバイんだ！〟と思いました。仕事をしている職場に着き、それから、ひどい状態の片付けをして、休憩していた午後3時ごろ、ワイドショーを観ていた時に、「原発で水蒸気爆発があった」という報道があり、この映像を観た時、〝これはかなりまずいんだ〟と思いましたが、その時はまだ頭の中に〝ガソリンがなくなる〟という考えはありません。帰る時、〝あっ、ガソリンだ〟と思ったんですが、もう遅くてガソリンスタンドはどこも閉まっていました。コンビニもスーパーも開いている所がなくなっていました。

道路は波打ってて、普通のスピードでは走れない。〝3月11日と12日ではこんなに変わるのか〟と、まるで私の小さい頃の田舎の状況なんですよ。次の日は「ガソリンがないので研究室に行けません」と言ってきました。

3月14日、夫が仕事に行かなければならないし、私もちょっと仕事が残っていたので須賀《すか》川《がわ》市の実家の方へ子どもを連れて行ったんです。預かってくれると言ってくれましたが、親戚の家がつぶれちゃったものだから、親戚のみんなが実家に身を寄せていました。その時に「子どもだけお願いします」ということと、「ご飯もお願いしたい」と言いました。実家はヒビが入っていましたが、取りあえずつぶれなかったということと、〝実家の方が放射線量が低いのかなあ〟と思っていましたが、後でデータを見ると、〝実家の方が放射線量は高かったなあ〟と思いました。

私たちの住まいの県営住宅は改修していたので、トイレとお風呂の電気のスイッチと一緒に換気扇が回るようになっていたんですね。夫が「電気は点けないほうがいい」と言うので、私たちはトイレも風呂場も電気は点けずに、お湯だけを使いました。情報はインターネットで入っていたので、必死に情報を収集しました。そうしたら、「原発はただちに問題はありません」という話しかなくて、結局正確な情報が取れないので、海外の情報を見て、〝これはまずい〟と思っていました。

そうしているうちに、私の福島の友人が線量計を持っていて、「数値が上がっている、やばいから逃げろ」とメッセージを送ってくれました。その時〝逃げなければ〟と思ったんですが、ガソリンが足りなくて、ガソリンを入れるために2時間半並んで8リットル入れたんですが、県外に出られないくらいの量でした。〝これでは自分たちの車では逃げられない〟と思ったときに、友達がバスを持っている旅行会社に勤めていることを思い出し、連絡したんです。するとその彼女は高知県出身だったんで、「いまはもう車で高知に着いちゃってる」という返事でした。あっそうなんだと思って、「バスを走らせたい」という話をして、とにかく許認可を出せば、「那須《なす》までは新幹線が走っているから、那須までのピストン輸送のための許認可を急いで会社に出してもらいたい」と話したんです。

その会社が許認可を取ってくれたので、他の会社も習ってくれて、それをツイッターで拡散して、那須まで動けるようになったと思っています。確か3月19日のことだと思いますが、高知にいる彼女のお蔭です。

うちは娘が東京にいたんでそこに行って、それから妹が神奈川県の伊勢原《いせはら》市にいたので神奈川まで、小学2年生の子どもを避難させようと、3月21日のバスのチケットを取りました。移動する前に、静岡と大阪の友だちが「何か必要なものがあるか」と言ってくれたので、「マスクと100円ショップのカッパ」と言い、送ってもらいました。子どもがバスに乗るとき、カッパを着せマスクを着けさせましたが、天気が良く、晴れていたので、子どもは「何で?」と言いました。「予防のためにするのよ」と言い聞かせました。バスに乗るとき、夫に「着ていたカッパを一回捨てさせて、新しいのに取り換えさせるように」と言いました。こうして那須賀川駅から東京まで新幹線で避難させました。

避難した東京で

私は出産の関係の仕事をしていたので、「妊娠中から1歳までの母親に依存する期間のできごとがその後、大人になった時に影響する」というプライマルヘルスという考え方を知っています。イギリスにあるプライマルヘルスリサーチセンターの考え方なんです。そういう観点から見たときに、〝小さいときのリスクは大きいな〟と思っていたので、それを50年経った時に「あのとき何で逃げてくれなかったの？」と言われるのは絶対に良くないというのと、それなら50年経って「何でもなかったね」と言われる方が良いと思うんです。〝とにかく、リスクは回避すべきだ〟と思っていたので、夫婦でもめたときに、夫は割と善良な福島県民なんで「自分で調べるよう」に言ったんです。そうしたら、「ああわかった」という話をして、でもその時、彼は〝しばらくして福島に戻る〟と思っていたらしいんですけど、私は〝戻れないかな〟と思ってました。〝子どもは戻れない〟と。

一緒にいた子は4番目の子だったんですが、上の子たちは大学生だったので、仕送りをしなければいけないとか、貯金もないとか、上の子の学校のこともあったりで、取り合えずこの子を連れて行って、娘の家か妹の家に預けて、学童疎開をするような感じでいました。そして私は一回仕事に福島に戻る、そういう日々を送りました。その時は〝今生の別れになるのか〟と思っていました。〝福島に戻ったら安全が保障されない〟と思っていましたからね。

最初、夫は、「国も県も安全と言っているし、ただちに心配はないと言うから、大丈夫じゃない」と言ったんですが、私はもっと昔に原発は危ないということを聞いていたんです。

原発がまた爆発したとき、〝やっぱり危険だ、本当に200キロ圏内は危ない〟と、確か20年前に聞いていたので、東京に行った時も、〝ヤバイ〟と思っていました。こういう思いの中で、〝子どもだけはとりあえず避難させよう〟と思いました。

3月25日、羽田の方で仕事をしていた娘に、子どもと一緒に「羽田の方に来たら」と言われたので、〝行こう〟と思ったんです。そのときに雨が降っていたんで、少しいやな思いがしたんです。あの広島の原爆を描いた井伏鱒二《いぶせますじ》という作家の『黒い雨』を思い出したんです。あの日、駅まで歩いていく間と、また帰ってきた時と、外にいました。9月になった時に市民科学研究室の人が講演に来た時に、いろいろな情報を持ってきてくれましたが、「3月25日は東京もかなり放射能に汚染されていて、外に出ていた人はかなり被曝《ひばく》しました」という話は驚きでした。〝あのとき、情報をもっと知っておけば〟と、後で思ったんです。

福島第一原発から東京まで約200キロですよ。東京に避難していたのに、〝ここでまた被曝する〟なんて思いもよりませんでした。この時、〝「SPEEDI」(緊急時迅速放射能影響予測ネットワークシステム)の情報が必要だ〟とつくづく思いました。情報が隠されていたんではないですか。本当に国民を馬鹿にしていると思いました。結局それはパニックになるから抑えてしまったんでしょうが、メディアの情報の出し方にも問題があると思います。

もっと早く真実の情報を出していれば、飯舘村《いいたてむら》の人たちは大量の被曝をしないで済んだんですよね。私は、〝国というのは福島県が半分なくなっても平気なんだ〟と思ったんです。「ただちに」という言葉の意味も、〝じゃあ50年後どうなるかについては誰も責任を待たない〟ということだなと考えました。〝自分も、自分の子どもも、自分で守るしかない〟と思わざるを得ませんでした。私は思うんですが、福島の人って人が良すぎるんです。国が安全だと言えば、それに従順に従ってしまう。あまりにも善良なんですよ。疑いを持たない人が多いと、国は切り捨てるのにこれほど都合の良いことはないでしょう。本当だったら子どもは、国の宝のはずでしょう。それを一切守ってきていない国なんだなと思っています。今までのこの国の歴史を見れば、何となくわかります。責任を取る人がいないんです。

賠償問題について

賠償問題で、〝すごく変だな〟と思ったことがあります。

たとえばある家族が、避難ではなくて、2泊3日の旅行に行っても同じ金額で賠償されるんですよ。福島県民ですから避難という名目で出すんで、子どもが40万円、大人が8万円、それが同じような形で出ていましたが、うちは子どもが18歳過ぎて、県外に出ていましたので、子どもは4人いるけど1人分しか出ません。大学生の息子も被災したけれども……。

本当に避難したわけでなく、あのとき福島県からたまたま遊びに行った家族がいて、同じように賠償金を貰ったという話を聞いて、すごく不思議な気がしました。避難させる考えもなく、原発事故も収束してないし、2011年に気晴らしに子どもたちを連れて行ったという話を聞いて、〝なんでこんなに国とかの言うことを信じて行動しているのかな〟と思いました。考え方はそれぞれでいいんですが、あまりにも国の言うことを信じ過ぎているなと思いましたね。それで終わってしまいましたが、その後もＡＤＲ（裁判外紛争解決手続）とかいうのがあったんだけど、〝ＡＤＲを頼ってやる作業をやりたくない〟というのと、うちの夫は〝自分たちで働いて何とか乗り切っていきたい〟という思いもありましたので、していません。

夫は東京に来ています。私の夫は長男ですから、家を守らなければいけない人だったんです。若い頃は研究者だったんですが、仕事を辞めて福島の家に入ったんです。そこまでして家が大事だったわけです。

２０１１年12月に東京の避難者住宅の募集があったときに夫に「どうするの？」と聞いたんですね。「わが子の成長を遠くから見守るのか、それとも東京に来て一緒に時間を過ごすのか」と。結局２０１２年春に東京に来たんです。私は、〝子どもが小さいうちは放射能のことがあるので戻らない〟と決めておりましたが、夫が上京してきて、代わりに私が福島で仕事のオファーがあったものですから、〝私が稼がねば〟と思っていました。夫は半年以上失業状態でした。

避難者の人の話を聞くと、「最初の頃は仕事がいっぱいあったのよ」と言われたけれど、１年経ってからだと、ましてや歳が50歳を越えていましたので、履歴書の段階で全部はねられました。経済危機になり、「履歴書の書き方が悪い」とかもめたりもしました。でもいまは１番下の子どもと一緒に生活をしています。姑は、〝一人だけでは〟と、義姉が福島で引き取りました。上の子たちはそれぞれ生活していますが、いざという時は狭い所でも一緒に住めばいいという思いはあります。1番下の子は当時小学2年生でしたが、いまは高校2年生になりました。まだ18歳未満ですから面倒をみてやらなければなりません。

2011年の夏のこと

2011年の夏に転々と住まいを変えていたころに、息子にたずねたときのことです。

事故の時は子どもの学年の変わり目だったので、クラス替えになる直前にお別れ会のようなのをやって、上履きのままランドセルも置いて震災の日に下校したんですね。おそらく先生もそんなに大変なことになるとは思っていなかったんだと思います。「今度登校するときは上履きを洗ってもって来るように」と伝言があったくらいですから。それが宿題の一つですから、終業式前だったので、クツもランドセルも持たないまま下校してきました、

子どもにしてみれば、〝いつ戻れるか〟ということが大事だったし、仲良しは次々戻ってきたから、「じゃあいつ戻るの」という話がありました。本人も「いつになったら戻れるのかな」という話をしたので、2011年の夏に「放射能はこれくらいなの」という話をして、で、「どっちを選ぶの」と話したんです。うちの息子はインドア派なので、積極的に外で遊ぶという感じではないんですが、それでも、「普通に歩いて空気を吸える環境で生活したい」と言い、「戻らない」という選択を彼が決めたので、避難生活をはじめたわけです。

福島ではクラスの友だちが40人いて、5月の段階で4人が避難したんですが、そのうち福

島に戻ったのが3人で、戻らないのはうちの息子1人という状態になりました。でも、戻った子の親から状況を聞くと、学校の除染は親がしなければいけなかったし、「除染」と言っても中庭の側溝を掃除して、あと屋根の雨樋をホースで洗っただけだということでした。運動会を午前中だけやるとか、あり得ないことだと思いました。いまはもうどこでも普通に外で何事もなかったようにふるまっているといいますから、〝これから一体どうなるのか〟と私は思います。

福島県立医科大学が長崎大学の山下教授をアドバイザーとして呼んでおり、その弟子のドクターが職員のための放射線勉強会というのをやっていたんですね。それである人が「放射線は怖い怖い」と言っていたんだけど、その先生の講座を聞きに行ったら、「大丈夫なんだ」って言うから、その時ちょっと驚いたんですよ。私も実際聞きましたがその時の印象はとてもソフトでね、「原爆（被爆）2世の僕が言っているので間違いないですよ」という話をした後、自然界の放射能の話とかして、話の本質をすり替えていくんです。さらに、「そんなに心配する必要はないのですよ、心配することの方がかえって身体には悪いですよ」という方向にもって行きました。これでは、自分で放射線量などを調査してない素人は引き込まれてしまいますね。

２０１１年の夏に法事で福島に集まった時に、うちの父は「ある程度の放射能は身体にいいんだ」と言ったんです。私はエッと思って、「お父さん何を言っているの」と言い、「どうしてそんな話をしたの」と聞いたんです。父は割と調べている人で、けっこう賢いので、何でそんなことを言うのだろうと思っていたら、老人会に役所から人が来て、秋田県にある玉川温泉岩盤浴の話をして、「ある程度の放射線は身体に良い」（ホルミシス効果のこと）と言って歩いたんですよ。老人会を回って広報活動をしていたんですね。これには驚きました。洗脳ですよね。「大丈夫だから、安心して下さい」と、こんなことを言っていたときに放射線量を測ったらものすごく高くて、草むらなんかには入れませんでした。私は〝山林などの除染はするべきではない〟と思います。１００年か２００年はほっとくべきだと思っています。

「県民健康調査」のデータというのが、避難地区の人に配布されました。避難地区でない場合は秋でした。「その間の情報を書き留めておいてください」と言ってても、〝これは書けないようになっているな〟と思いました。書きにくく、わからないようになっている。〝これって本気でデータを取る気がないな〟と感じました。結局、避難地区のデータはきちっと取ろうと思っているんだけど、その他の地域はどうでもいいということだったと思います。そのデータの回収率は２０１１年で20％に満たなかった。それは正確な数字です。今はどうなっているか、まったくわからなくなっているでしょう。

放射能汚染の中で

最初に福島に入り、原発事故の放射線量を測ったのは木《き》村《むら》真三《しんぞう》さんという方です。この人は放射線衛生学者で、今は獨協医科大学〔注：獨協医科大学国際疫学研究室福島分室長〕で教えているはずです。郡山に移り住んで放射線量を測っているんです。彼のデータを元にすれば。

東北というか「福島のあたりは3年サイクルで、腐葉土《ふようど》からの吸い上げで循環がはじまっている」という話なんです。だから3年ごとに線量って上がるんですね。いくら除染しても山からの吹きおろしがあるので、落ち葉が落ちるじゃないですか。それが腐葉土となって吸い上げて、といった具合にやっぱり上がるんですね、その場所、たとえば谷間の所は、除染しても除染しても上がるようです。地形的に見た時に、ここは高いとか低いとかがわかります。だからそういうところに小さな子どもとか感受性の高い若い人には行って欲しくないですよ。そういうところにこそ美しい光景はありますけどね。

私の夫たちが線量計を作ったんです。2011年の夏でしたが、会津大学で有志が集まってね、「アンドロイドの会」と言います。手始めはガイガーミューラー管（GM管）を完成させることでした。念の為、ロシア製のGM管も入手しておきました。GM管に使うアルゴンガスを送ってもらい、後は近くのホームセンターでエポキシ系接着剤と電気部品のもろもろを入手しました。アルゴンガスは太い注射器に、細い注射器は充填用ですね。ユニバーサル基盤やマイクロスイッチを電池と回路の間に入れ、GM管と回路の接続は、後から変更が可能なようにしました。それで、放射線を検出した時の音をイヤホンで聞くことが可能になったようです。そして、そのイヤホンの音から、いわゆるマクロシーベルトへ変換することが可能なiPadアプリ（Geigen.Bot）を見つけて、それを使って部屋の内外を測定してみました。郡山市安積町《あさかまち》の室内で0・1〜0・2マイクロシーベルト／時間、室外の小屋、雨樋の配水箇所付近で0・5〜1・0マイクロシーベルト／時ということで、ほぼ予想とおりの値となり、それなりに使用可能となったんです。精度は市販のものに劣らないものだったようです。

福島にはおそらく戻れないでしょうが、たまに年末とかに帰ると大変な状態になっているんです。放射線量を測りながらやっていかなければならないし、家は田村市の山奥なんで、松の木の下を測ると、放射線量がとても高いしね。手入れをしなければいけないと思うんですが、できないですね。主要な建物の周りしか除染しないのです。土を削って木を伐っただけで終わっていますから、風が吹くとまた舞い上がります。家そのものが百数十年たっている古民家で、聞こえは良いですが、もう古くてね。ですから、木とかタタミにものすごい吸着がぁり、掃除機をかけてもかけても線量は高いままでした。外の方が低く、家の中の方が高線量でした。

夫の実家にはもう今は住んでいませんが、床が抜け落ちたりの状態です。長男である夫にとっては生まれた家ですから、盆と暮れには必ず行っております。先祖に挨拶をしなければなりませんからね。彼にとっては大事な行事なんです。放射線も高かったときは0・3マイクロシーベルト／時くらいで、今は少し下がって0・2マイクロシーベルト／時くらいだと思います。原発事故がなければ、自然に囲まれた場所で暮らせたんですが。まあ、どうしようもないと思います。

でも放射能の影響は大きいですよ。そのことを証明したのが、ヤマトシジミという蝶の研究をされていた野原千代《のはらちよ》さん（享年60歳）です。彼女は愛知大学の准教授を経て、環境問題に取り組むため沖縄に移住し、琉球大学の大学院生として、蝶について研究されていました。放射能を浴びてない蝶と浴びた蝶の比較について研究されていたんです。福島原発事故で放射線を浴びた蝶や線量の高いエサを与えたものは、まぎれもなく奇形化していました。ただ残念なのは公に発表する前に本人が亡くなっているんです。

甲状腺ガンについてですが、〝学者の人って事故前のデータを持っていないから、事故とは関係ないと言わざるを得ないのかな〟と思うんですけど、ただ、物理的な数字が上がっていること自体、〝調べたから出た〟という話ではないと思うんです。だからやっぱり、最初の調査書が配られていないというのがあるし、契約書類は明らかにわかっているので、それに関して対比的なものを出すことが出来ないのは問題ですよ。

故郷に帰ること

故郷に帰還する件ですが、若い人は帰らないと思いますよ。

解除になって故郷に戻りたいという気持ちは、歳を取れば取るほど強くなりますね。私たちも〝ほんとに戻りたいな〟と思いますね。自然の豊かさは何にもまさるじゃないですか。なので、歳を取った人たちの多くは、故郷へ帰って行きました。50歳を過ぎたら、行政から「もう放射能の影響はないから」と言われて安心したのか、そこに住み、野菜や食物を作って食べていた人がいました。最近、その人たちの中に胃ガンとか肺ガンで亡くなった方を何人も知っています。〝30キロ圏外だから影響はない〟と片付けられていますが、調査もしてないのだから本当のことはわからないでしょう。

それからオリンピックの件ですけれども、安倍さんが「アンダーコントロールできている」と言ったわけだから、あの時なぜ〝東京オリンピック〟ではなく、〝福島オリンピック〟としなかったんでしょう。「復興」といううまい言葉を使って福島県民をあざ笑っているとしか考えられないですよ。東京オリンピックの野球とソフトボールは、福島市の「あづま球場」でやるって言っていますけど、放射線量は高いですよ。それで韓国は「放射能五輪はボイコットする」って言ったじゃないですか。〝他の国々なんかはどうするのだろうかな〟と思います。

関東地区の中学生、高校生のお子さんをもっているお母さんが、〝放射能や被災地の情報を見た方がいい〟と思い、福島に連れてくると言いますが、私は、その時に「やめてください」と言うんですよ。放射能って、崖が崩れているのとかいうのではなくて、〝計測してみて初めてわかる〟ことなんです。そこにわざわざ無用な被曝をしに、若い子を連れて来て欲しくないですよ。

オリンピックの会場だって完全に放射能がないとは言い切れませんからね。大学生なんかが授業の一環としてそんな会場を使用するなんてあり得ないことじゃないですか。放射能って目に見えないし、匂いもないじゃないですか。それだけにあまりにも無知だと思うのです。津波の被害を見学するのとはまったく違うわけです。放射能教育をしっかりやって欲しいですね。

また原発の再稼働をしてしまうのはどういうことなのか、〝何でそんなに原発が必要なのか〟と思いますよ。原発を停止しているときに計画停電をやったじゃないですか。何も問題ありませんでしたよね。その後も計画停電をやらなくても、問題なく、電気は充分あったじゃないですか。それを押してまで再稼働させてしまうのは大きな問題です。原発が危ないとか、日本が危機管理を全然出来ていないのは、考えものだと思いますよ。日本人の良くも悪くも平和ボケしているというところに問題があると思っています。原発をなくして自然エネルギーでやっていく方向性があると思うのですが、原発で潤っている人たちがそれを良しとしないという仕組みが出来ていると、私は思っています。

施政者たちは本当に子どもを守る気があれば、再稼働なんていう政策はないと思います。温暖化問題も遺伝子組み換えの問題もそうだし、経済優先の世界をずうっと守っていくのは、誰のためなんでしょう。世界の未来を残すためには、経済第一主義の政策だけでは駄目だと思うのです。

放射性汚染物をどこに処理するかわからない状態になっていますが、最後は海や空気中に放棄するなんて！　もう海にはチョロチョロと流していますよ。これって、〝どうする？〟っていったときに、〝方法は二つしかない〟って考えるのではなく、〝他にもあるだろう〟と考えるべきだろうと思います。海が汚染されてしまうと、もう日本だけではなく、世界中に影響を与えるでしょう。空気中だって同じだと思います。

空にも海にも国の境界線なんてありません。無理矢理押し通すやり方は止めるべきです。すべては経済効率から発した提案です。私は海も空気も汚染させるのは絶対反対です。

補記：心の痛みは今も消えない

震災時8歳だった息子を放射能の影響で避難させた。
幼子と離れる心の痛みは今も消えない。
心の健康より体への影響を少なくという選択でした。
多くの物を失い、美しい自然・山の恵み、祖父母との触れ合いまでも。
息子は今春、遠くの大学へ、仲良し友達とも別れた。
この10年生きる事、子どもを守ることで精一杯。
経済的・精神的余裕はなかった。

（2021年4月26日　ささき　えみ）

証言●14

城田　空さん

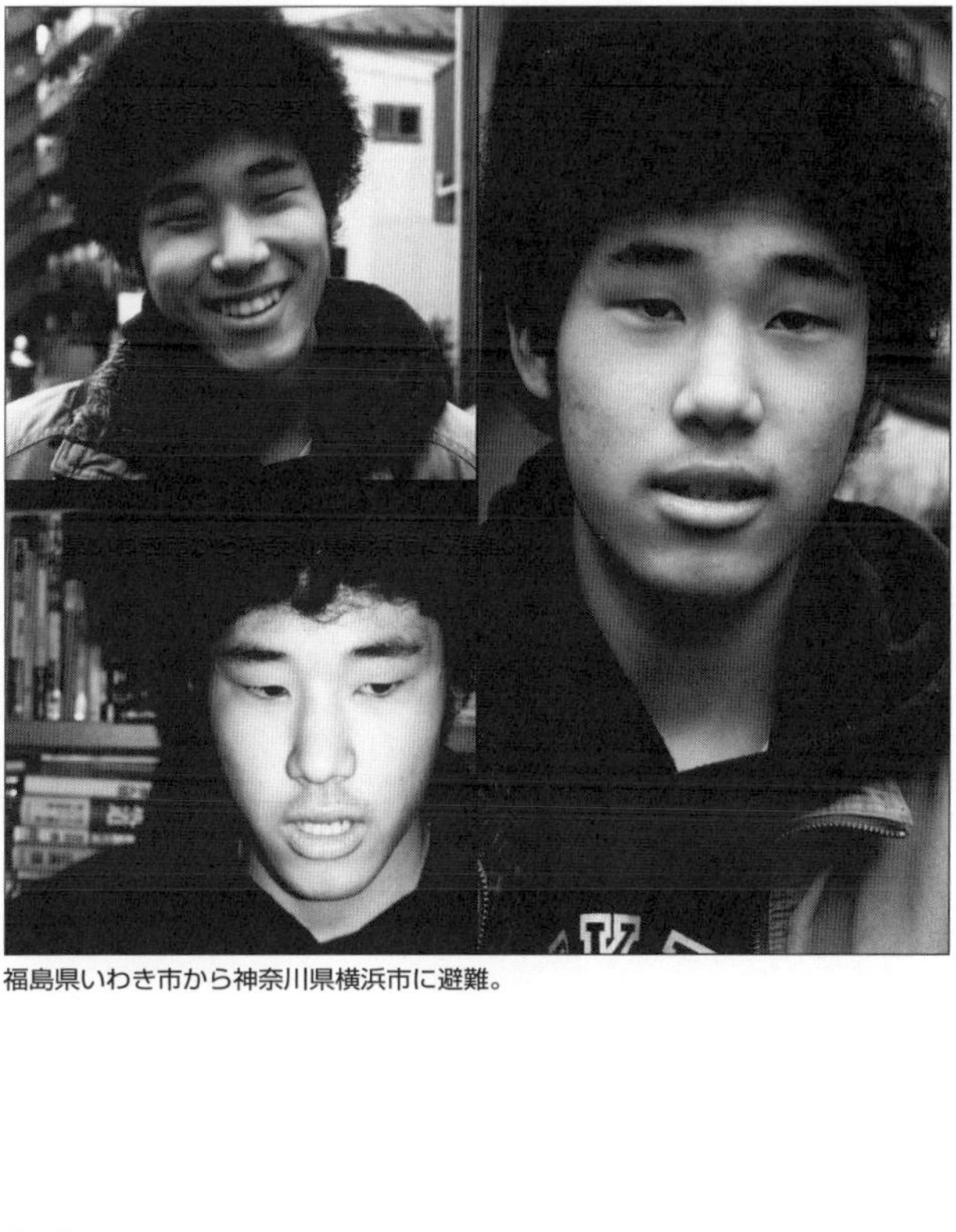

福島県いわき市から神奈川県横浜市に避難。

城田 空さん――インタビュー：2020年2月14日

下校途中だった3月11日

震災の起きた3月11日、ボクは福島県いわき市内郷御厩町《うちごうみまやまち》にいて、小学校2年生でした。小学校から家までだいたい徒歩15分くらいだったんですが、その間にある古い歩道橋の上で地震が起きました。その歩道橋は古いものですから、ボクが足を踏みならしても揺れちゃうんです。ですから毎回、〝揺らしながら遊んで帰る〟というのが日課みたいな感じでした。福島にいたときは登校班というのがあって、男女5、6人の同じ学年の子が一緒に登下校する決まりでした。あの日も、ボクと男子2人と女子が3人で、歩道橋を登って、そこで踏みならしたり、揺らしたりして遊んでいるときに、あの地震が起きたんですよ。

ボクは登校班では、いつも一番後ろだった。ボクの前に男の子や女の子がいて、いつものように遊んでいるうちにだんだん揺れがひどくなって、みんなは手すりにつかまって、揺れに耐えていた。みんなは、ボクが揺らしていると思ったらしいんです。一番後ろでしたからね。ボクは体重がけっこう重かったので、揺らしているのはボクだと思ったようです。だからボクに向かってみんなが「空君やめてよ!!」と言いました。ボクだけが立っていたんです。何が起きているのかわからなかったんですが、やっとみんながボクがやっていないことに気づいてくれた。そのとき、チラッと見たら、電柱がものすごく揺れていて、ほんとうに高い電柱がグルグル回るように揺れてて、自分たちのところに近づいて来るのがわかるように揺れていて、そのとき、ハッと気づき、〝これは地震だ〟と思い、みんなに大声で「地震だよ！　早く降りて！」と言い、前にいる子の背中を押しながら「早く行って！」と言い、階段をバーっと降りたんです。

階段を降りた先にセブンイレブンがあって、そのセブンイレブンのコンビニに、たまたま登校班の女の子のお母さんが働いていて、〝ちょうど帰ってくるころだ〟と外へ出てきてくれていたんです。「みんな、大丈夫？」と言って、ボクたちをまとめてくれました。そのとき、さっきボクらがいた歩道橋がグラグラ揺れているし、そして電柱も揺れているし、車の防犯ブザーも鳴ったりしていました。一番衝撃的だったのは、コンビニの中がグシャグシャになっていて、瓶《びん》とかが置いてあるじゃないですか、あれも全部倒れていて、水浸し状態になっていて、目も当てられない状況になっていて、〝すごいな！　ヤバいな！〟と思いながら友だちを見たら、ひざから崩れ落ちて泣いている子もいれば、ただ呆然《ぼうぜん》とそれを見ているという子もいる。ボクもそんな感じで、何が起きているかわからないまま、ただ見ていました。

しばらくしたら、ボクのお父さんが迎えに来てくれました。それで、家の近くの子どもたちと一緒に帰ったんです。その日は、たまたまボクのお父さんは休みだったんです。ボクのお父さんは、いわき駅近くにある「イタリアンコート」という、イタリアンレストランのシェフをやっていました。お母さんが「最近休みがないから、休みをとってよね」と言って、偶然、3月11日に休みを取ってくれていたんです。お母さんは仕事に行っていて、お父さんが休みでなかったら、ボクは一人だったという状況でした。お父さんと一緒に帰りながら歩いている途中で、マンホールの蓋《ふた》がバンッと音をたてて飛び出したりとか、ブロック塀《べい》も崩れて倒れたりしているし、ボクの友だちの家は木造建築で古い家だったんですけど、ペシャンコになっていていました。

ボクの住んでいるアパートは、おばあちゃんも近くに住んでいて、ボクのイトコも近くに住んでいたんです。ボクはお父さんと一緒に帰り、部屋の中に入ったらけっこういろいろな物が倒れていました。食器棚とかが倒れていたものだから、たしか靴のまま入ったような記憶がありますね。ドアは開きましたが、〝ガラスなんかがあって危ないから〟ということで靴のままだったと思います。

ボクたちは家に帰ったあと〝おばあちゃん、大丈夫かな?〟と思って、お父さんと一緒におばあちゃんの家に行きました。おばあちゃんの家は木造の瓦屋根だったんです。庭にまわってみたら、庭が真っ黒になるほど瓦が落ちていて、ガラガラになっていて、おばあちゃんいわく「家の外に出ようと思ったけど、瓦が雨のようにダーッと流れ落ちてきて、どうにも出られなかった」と。〝そんなことがあるんだ〟と思いながら、〝いろいろ大変だな〟と思っていました。おばあちゃんの家に駐車場があって、その駐車場の向かいに同じ家がある。それもイトコの家なんですけど、その家の瓦も全部バーッと落ちて、電柱も折れていたりとか壊れたりしていて、そんなのがたくさんあったというのが記憶に残っています。

その当日は、水が止まってしまったんです。〝どうしよう〟となったとき、隣りに住んでいたイトコの家とボクの家のアパートは全部同じで、水はタンク式なんですね。たまたま水がタンクに残っていたんですよ。それで〝一カ所の風呂に水を溜めて、交代で入ろう〟ということになったんです。その日は真っ暗だったんですけど、ライトを当てて、ラップを敷いて、ラップの上に料理を置いて、洗わなくても良いようにして、夕食を食べたりして過ごしました。暗かった夜の記憶が残っています。

ボクね、その記憶とか、ほんとうに、いまだから話せるように、映像のように話すことができるんですけど、その〝起きたこと〟に対しての感情は〝無〟なんですね。怖いとか、そういう気持ちはまったく無くて、ただ〝そういうことが起きた〟という事実としてポンと置いてあるだけという感じです。ボクの福島の友だちたちと震災のときの記憶をちょっと話したりすると、みんな一緒なんですよ。起きたときのことはボクが話したように1分1秒でもバーッと映像のようにしゃべれるんですけど、それに対して〝怖いという気持ちは無いんだよね〟というのが、みんな一緒でした。〝それがとても不思議だな〟ということを感じています。その時は〝いろいろありすぎて、覚えていない〟というのが正直な気持ちです。

千葉に避難

ボクたちは、お父さんの実家が千葉にあるので、「そこに避難しましょう」ということになりました。お父さんの車で避難したんですよ。お母さんが前日に自分の軽自動車にガソリンを満タンにしていたので、お父さんの大型の自動車に「ガソリンを入れ替えようか」という話をして、親戚にガソリンの入れ替え機を借りて、ガソリンを軽自動車からお父さんの車に入れ替えて、福島から千葉に避難しました。黒い8人乗りの車です。ボクの下に当時保育園に行っていた妹がいて、妹はまだ小さかったですね。みんなで車に乗っていきました。

車にはテレビがあり、ニュースでヘリコプターから原発の爆発している様子だとかを映し出していました。お父さんが「2回爆発した」という話をしたのを憶えています。ボクはまだ何が起きているのかわからずに、〝そんなにヤバいのかな〟と思っていました。でもお父さんは「これ、ほんとうにヤバいよ！」などとお母さんと、ほんとうにすごい話をしていました。

車で避難している途中、たしか湯本〔注：常磐線の湯本駅は、スパリゾートハワイアンズの最寄り駅〕のところを通って、港の海岸沿いを通って、千葉の方に向かったのですが、サイレンがガーッ！　と鳴っていたんですね。何のサイレンかわからなかったんですが、窓から外を見ていたらいろいろな人たちが逃げまどっていた。〝津波なのかな〟と思っていたのですが、いまだにその時の警報は何だったのかわかりません。〝警報が鳴って怖いな〟と、その時ちょっと感じたことはありました。その後は無事に千葉に到着しました。

お父さんの実家は千葉市の花見川《はなみがわ》にあり、そこに避難して、ボクと妹とお母さんはそこにいて、お父さんは東京方面に仕事を探しに行っていました。

避難してから千葉市立西小中台《にしこなかだい》小学校に通いました。ボクははじめての転校だったので緊張したりしていて、最初はお母さんと一緒に学校に行きました。たしか朝会か何かで、ボクは憶えていないんですが、校長先生がボクのことを「福島から来た小学生です」と言っちゃったんです。だからお母さんが〝めちゃくちゃ怒った〟ということを後から聞きました。

ボクが転校したそのクラスでは、けっこう仲が良かったりして、ボクはドッジボールが好きでね、福島でもクラブみたいのがあったので、そこに入っていて得意だったので、千葉に来てもドッジボールをしてみんなとよく遊んだりしました。千葉ではまったくストレスを感じませんでした。公園にもよく行き、楽しい思い出がありますけど、ケンカはよくしました。ケンカはしましたが、〝福島から来た〟という話では無いはずです。ちょっとした小学生同士のいさかいだと思っています。友だちが怪我をして病院へ行ったりしたとかは憶えています。でも、とても楽しくてね。

たしか半年ぐらい千葉にいました。でも、ずっと千葉にいることはできなくてね。それはおばあちゃんの家には仮住まいだからで、「仕事を探して見つかったら他へ行こう」という話になっていたからです。

千葉からいったん福島に戻ったんですが、福島に戻るときのお別れ会では、みんな泣いてました。ボクも別れがたく、号泣しました。いまでもカードに〝福島に行っても元気でね！〟なんていうのが残っています。千葉は楽しい思い出がたくさんあって、カードを出してみては思い出しています。

いったん福島へ戻り、神奈川へ

ボクは福島県いわき市から千葉へ避難し、千葉からいわき市へ1度帰り、そのあとさらにいわき市から神奈川へ避難しています。

福島に戻ってビックリしたのは、クラスメートの顔が前と全然違っていたことです。ボクは、福島に戻ってきたんで〝みんなに会えるかな〟という気持ちもあったと思うんですよ。ところが、知っている顔はほとんど無くて、逆に知らない顔がめちゃくちゃ増えていて、何だろうな、いま思えば入れ替わりというか、〝こっちから避難して行った人と、避難して来た人と、入れ替わりがあったんだな〟といまはわかるんだけど、その時は知っている友だちもいなくなっていたので、楽しく過ごした憶えはないです。2週間ぐらいしか、福島の小学校にはいなかった。その後には神奈川に行くんですが、2週間の間は〝友だちもいなくなった〟という記憶しかありません。

小学3年生の12月にいわき市から神奈川に引越して、横浜市立荏田《えだ》南小学校に転校しました。ボクの記憶にないのですが、お母さんはそこで〝ボクがいじめられていた〟と言っていました。

ボクはケンカをしたことは、よく憶えています。ボクは毎日のようにケンカをしているような時がありました。小学6年生のときの先生がいい先生で、その先生から「絶対にケンカするな！」と言われ、「しない」という約束をしてからは、ケンカはしませんでした。それまでは、ほんとうによくケンカをしていました。もともとボクは柔道をやっていたりして、力もけっこうあったせいなのかも知れません。イライラが増すと、ボクはコントロールができないんです。常に〝発散したい〟という思いがありましたね。したがってケンカはしていましたが、それ以外は楽しくやっていました。でもお母さんいわく、「はじめ、転校した当時はイジメられていた」と言っていましたね。1回だけだけど、夜、お母さんとめちゃくちゃ泣いたことは、よく憶えています。お母さんと二人で号泣したことは、憶えています。

小学5年生のときのことです。道徳の授業があり、その授業で〝感情のコントロールについて〟の話があり、終わったあとに何かシールをもらうために並んでいて、ジャンケンで順番を決めて、ボクの前にいた子に、「じゃあボクが前だね」と言って前に行ったとき、それを気にくわなかった男の子と言い合いになって、最終的にその子が「福島から来た避難民！」と言い放ったんです。それまでボクの心の中に〝避難民〟という言葉はなかったんです。それで、プッツン！　と切れたような気がし、バカみたいに怒って、ぶん殴っちゃって、それを止めにきた子もぶん殴っちゃって、けっきょくケンカになって、友だちに押さえられながらやめましたが、その男の子のことは〝許さない〟と、ずっと憶えていて、それを中学校まで引きずっていたというか、思い出すと今でも気分は良くない。

そのあと、その子から謝られなかった。先生たちの対応もどうだったのか、先生もただのケンカとして処理していた。小学校時代の一番嫌な思い出ですね。本人からの謝罪は何もなかった。

中学校は、同じ場所にある荏田《えだ》南中学校に1年から3年生までいました。中学校では剣道部に入っていたんですよ。剣道部には、ボクに嫌なことを発した子が入っていました。ボクより小さかったたし、力も弱かったので、そのときはもう前のことは気にしない感じでいましたが、憶えてはいました。

ボクは福島から来たことを隠すタイプじゃなかったのでね、むしろジャンジャン言ってしまう性格でした。〝福島だから何が悪いんだ〟と思っていたので、平気で言っていました。だからまわりも〝あっ、そうなんだ!〟という感じで受け入れてくれて、とくに嫌な思い出はありません。中学校は自分の中で〝よかったな〟という思いがあります。この学校には合唱コンクールがあり、その実行委員をボクは1年生から3年生までやってて、1年生、2年生のときは賞が取れなかったけど、3年生のとき、最後に一番いい賞が取れた、そんないい思い出とかね。

それと、ボクは先生に恵まれていて、つくづく思うのですが、〝人の縁にめぐまれているなあ!〟と。幼稚園からそうですが、いわき市の平《たいら》幼稚園に入っていましたが、その先生もとてもいい先生で、いまのボクの軸になっていたと思うほどですね。根本的な優しさとか、思いやりですよね。幼稚園時代に教えてもらいました。いい幼稚園だった。

小学校もいろいろなところに行ったんだけど。転校もあり、先生としては環境的に難しい生徒だと思うんですよ。でも、ボクがなにも感じずに〝楽しいな〟と思うくらいサポートをしてくれました。そんなんで〝先生に恵まれていたんだな〟と思います。

中学校に関しては、1年生の先生も良かったたし、2年生の先生も良かった。3年生の先生が一番良くて、ボクってみんなをまとめるのが好きで、合唱コンクールでクラスのリーダーみたいなことをやっていたんです。まとめをするということは、それなりにストレスが溜まってきたりしても、その悩みを先生が聞いてくれたりして、〝中学3年生の先生にはすごく恵まれたな〟と思っています。剣道部もそうですし、いまでも後輩とかとは繋がっていて、「今度、ご飯に行こう！」なんて、話をしたりしているほどです。中学生時代はほんとに良かったです。

見地を広げた高校生活

高校は神奈川県立荏田《えだ》高校に入学しました。現在（2020年2月）、2年生です。ここがボクの〝見地《けんち》〟なんですよね！

中学生から高校生まで、福島から避難して来た子どもたちとか、熊本などの震災で神奈川に引越してきた子どもたちに、大学生が勉強を教えてくれる「とどろき・よこはま学習室」というのがあるんです。都留《つる》文科大学（山梨県）の鈴木健大《たけひろ》さん（地域社会学科准教授）という方が主催でやってくれている学習室で、ボクはそこの塾生です。東京大学、早稲田大学、慶應大学、その他の大学からも学生がきて、ボクたちに無償で勉強を教えてくれていて、それがボクにとって大きな支えになっています。少し先輩の学生さんたちが、未来の相談にのってくれたり、OB、OGの社会人もいるので、ボクらの先の話を聞いてくれていて心強いです。

2018年の夏、高校1年生のときに、学習室の鈴木健大さんが紹介してくれた「TO-

MODACHI イニシアティブ」〔注：東日本大震災後の日本の復興支援から生まれ、教育、文化交流、リーダーシップといったプログラムを通して、日米の次世代のリーダーの育成を目指す米日カウンシルと在日米国大使館が主導する官民パートナーシップ〕のプログラムの中の1つに、ボクは参加しました。

ボクが参加した「TOMODACHI サマー 2018 ソフトバンク・リーダーシップ・プログラム」は、ソフトバンクの孫《そん》さんの卒業校であるアメリカのカリフォルニア大学バークレー校で3週間、Y-PLAN!（Youth, Plan, Action, Now!）という町づくりを学ぶプログラムでした。その選考に受かったのが、ボクが高校1年生の夏のことなんです。

アメリカには、福島、宮城、岩手の高校1年生から3年生が100人行ったんです。地域興しなどの Y-PLAN を学んできて、ボクはけっこう変わったんです。それまで町づくりとかについては興味がありませんでした。「TOMODACHI プログラム」を経験したことで、ボクの中で〝将来こういうことをしたい〟と思えるようになったんです。Y-PLAN を学んだことがボクの中で〝今後やりたいことだ〟と思うようになりました。

プログラムの中で、「各県にわかれて、自分たちの地域性について、語り合おう」というのがあって、「アメリカで学んだことを日本に帰って、自分の地域に生かしなさい」というのが目的なので、「自分の県について深めてみよう」というので、ボクは神奈川から参加したんですけど、福島のグループに入ったんです。

話し合いがはじまったと思ったら、まったく話についていけなかったんです。土地勘のこともありますが、それ以上に原発の話だとか、その地域の過疎化がどうだとか、そういう話に

◆参考：避難生徒、夢つかめ　支援８年「とどろき学習室」

東日本大震災後、川崎市で避難生活を送る中高生向けに始めた学習支援プロジェクト「とどろき学習室」が、4月末で開始から丸8年を迎えた。近年は熊本地震や西日本豪雨での避難者にも対象を拡大。プロジェクトに携わる都留文科大准教授の鈴木健大さん（49）は「災害で将来の夢を諦めてほしくない」と今後の活動へ意欲を見せる。

同学習室は震災の翌月、被災者の一時避難場所となった川崎市とどろきアリーナ（同市中原区）で産声を上げた。発起人となったのは当時市職員だった鈴木さん。同アリーナでボランティアとして支援物資の仕分け作業に従事し、良好とは言い難い避難所の学習環境を目の当たりにしてきた。

翌年5月には、県内のより広い地域から通学できるようにと、横浜市西区に「よこはま学習室」を追加で開設した。現在は川崎で週1回、横浜で週2回の学習室を開き、計約25人の中高生が参加。ボランティアの大学生から宿題や受験勉強の手ほどきを受けている。東京電力福島第1原発事故のあった福島県からの避難者が一番多いという。

この8年間で100人を超える中高生が学習室に通い、その多くが大学進学を果たした。学習室で学んだ高校生が大学進学後、教える側に回るなど取り組みは確実に定着しつつある。

家族と共に福島県から避難してきた高校2年生の男子生徒は、とどろき学習室を4年ほど利用。「高校受験の時には、複数の解き方を教えてもらえて助かった」と振り返る。同学習室でリーダーを務める中山香月さん（22）＝横浜市港北区＝は「学習室で学んだ生徒が、大学に入学した時が教える側には一番うれしい瞬間」と笑顔で語る。

一方、年月の経過に伴って新たな課題も浮上してきた。以前は避難者の多くが公営住宅に入居。行政の窓口経由で会のチラシを配布して学習室の周知を図ってきた。しかし、現在は公営住宅を退去し、親戚宅などに身を寄せる中高生が増加。もともと行政が把握していない場所で避難生活を送る人も少なくなく、そうした生徒らにどう情報を届けるのか、対策が求められている。風化により、教える側の大学生ボランティアも減少傾向にあるという。

「本当は勉強したいのに、学習室の存在を知らない生徒がいるとしたら残念」と鈴木さん。課題はあるものの、「避難者の生活はいまだに再建できていないケースも多い。ニーズがある限りは続けていきたい」と力強く語った。

神奈川新聞「カナコロ」2019年5月2日より
https://www.kanaloco.jp/news/life/entry-165025.html

まったくついて行けなくて、〝なに言ってんだろう〟と思っちゃって、ボクとしてはそのとき、自分の中でくやしくて、また惨めだったり、情けなかったりとかが心の中でうずまいていました。

というのも、神奈川って、すごく支援をしてくれるところなんですよ。学習室とか、「かながわ311ネットワーク」とか、いろいろな支援のネットワークがあったりするんです。明日(2020年2月15日)も行くんですけど、「311カフェ」〔注：本書に登場する岡田めぐみさんと鹿目久美さんが呼びかけ人となって、避難者の交流の場として、横浜市青葉区あざみ野にある「NPO法人スペースナナ」で開かれているカフェ〕というのがあって、ここの繋がりがあったのも、その繋がりになったのもそこなんですけど、環境として震災の支援とかも恵まれているんです。

その恵まれている神奈川にいて、勉強とかも大学生に教えてもらい、イジメといったこともある程度あったかも知れないけど、それほど深刻なものでもなかったし、すごくいい思いをしてからアメリカへも行っている。自分はいい思いをして、甘い汁ばかり吸っているのに、ほかのみんなは震災後も自分たちの地域に住んで、ちゃんと見つめて、それでもなおかつ、〝何かしたい〟と思って、アメリカまで来て、こういうことをやっているのに、自分は都会で甘い汁を吸って、アメリカまで来ていることがはずかしいとすごく感じて、なんというか泣いちゃうくらい、ボクの中で〝何やっているんだろうな〟と情けない思いがすごく出て、〝何も知らないな、支援される資格はないな〟ということをアメリカですごく感じました。

でも〝どうにかできないかな〟という思いがあって、じゃあ、「東北に帰って、何か還元《かんげん》しなさい」と言われても、東北を知らないから還元もできないですよね。〝ボクはみんなと違ってスタートラインに立てていない、マイナス状態なんだ〟と思って、じゃあ、〝マイナスをプラスマイナスゼロに変えなければ〟と思って、「日本に帰ったら、福島、宮城、岩手をまわる旅をする」と言って、震災を語る語り部の人とか、その資料館だとかをまわって、ちょっとでも自分の地元のことや東北のことを理解できるような旅を計画したいと思い、アメリカでその計画を練ったんですよ。

それで、アメリカで出会った宮城、福島、岩手の友だちにボクは、「ちょっとこういう思いを抱えているから、手伝ってくれないか」と言ったら、「手伝うよ」と言ってくれました。アメリカで出会った人たちと一緒にいろんなプロジェクトをやったりしていて、いまのボクにつながっているんです。日本に帰ったのは8月10日でした。

それまでは例の剣道部に入っていたんですが、アメリカから帰国した次の日に辞めて、ボクはこちらにシフトすることにしました。

東北を巡る旅

去年(2019)3月26日~30日の間に、福島、宮城、岩手をまわる旅をやりました。「東日本大震災復興支援財団」〔http://minnade-ganbaro.jp〕というソフトバンクがやってくださってる公益財団があるんです〔注:財団の設立は2011年6月、発起人は、孫正義、王貞治、SMAP〕。その財団にボクが「こういう旅をしたいのでお金を出してもらえないか」という申請書を書いて、通してもらって、その金を自分で下ろして、旅をしました。

アメリカでできた友だちを伝《つた》って、地域の町づくりをしている人だとか、語り部の人とかのことを教えてもらいました。南相馬《みなみそうま》の「カリタス南相馬」〔https://caritasms.com/〕というボランティアスタッフの泊まる場所も、友だちに取ってもらったりしました。

宮城県の気《け》仙沼《せんぬま》にも行ったんですけど、その気仙沼の資料館〔注：気仙沼市東日本大震災遺構・伝承館(https://kesennuma-memorial.jp)〕で観た映像がすごい衝撃映像で、津波の映像が流れていたんです。そこはボクが知らない街だし、何の縁もゆかりもない街だけれども、津波で黒くオイルまみれになり、建物がダッーと流されていくのがけっこう怖くて、でもボクは何も知らないんです、街並みとかね。せんぜん知っている人はいないんだけど、いままで感じたことのない怖さを感じて、そのあと写真も見ました。ほんとうに資料館に入った後と前では、街を見る気持ちとかもぜんぜん変わってきたりして、強い衝撃を受けました。

福島に行ったときもそうでしたが、福島に泊まって、原発事故で帰還困難区域になったところへ、バスのリアリティパックで行ったんです。その〝入ってはいけない場所〟にね。そのときはバスガイドの人が「窓を絶対に開けないでください」と注意事項を話していて、〝そういう危険な場所なんだな〟と。ちょっと外を見て写真などを撮ったりしたんですけど、作業している人は市販のマスクをしているし、〝白い防護服を着ているかな〟と思っていたのに、ぜんぜん普通の作業服しか着てないし、〝あれっ？〟と思いました。〝こんなんで仕事をしていて、いいのかな？〟と思っちゃったんです。バスが通った場所はほんとうに時間が止まっている状態で、ダイエーとかのスーパーも、ほんとうに当時のままで、ヒビが入っていて、まるで映画の中で観たような、止まっているような世界をそこに見ました。ファッションのしまむらとかも商品が高く積まれているじゃないですか、あれもバアッとそれもそのまんま残っている。話には聞いていたけど〝こんなところがあるんだ〟と、現実的にあることに衝撃を感じました。

そのときはボクは福島の子と一緒にまわったんです。バスから降りて、次の駅で待っているときは怖かった。さっきまですぐそばの目に見えるところにある帰還困難区域では、「ここは入ってはいけない」「窓も開けるな」と言われたのに、〝そことここは何がちがうんだ〟と思っちゃいました。ボクはその男の子には言いづらかったんだけど、「今ここにいるのが怖いんだけど」と言うと、彼も「ちょっと怖いな」と言いました。どこの駅か思い出せないけど、駅には放射線量が書かれていて、数値的に0・038とかそういう数値でした。〝怖いな〟という思いはすごくありました。〝ほんとうにこれでいいのかな〟と不思議に思いました。

「ピースボートセンターいしのまき」で聞いた話です。ピースボートの「福島子どもプロジェクト」〔注：東日本大震災と原発事故直後、厳しい生活環境を余儀なくされた福島の子どもたちに、ピースボートに乗船してもらって、保養と国際交流体験を提供するプロジェクト〕で、子どもたちを海外の海に連れて行ったときに、「小学校5、6年生の子が海外ではじめて海に入って、はじめて〝しょっぱい〟ということを知ったんだよ」という話を聞かされました。小さいときには福島の沿岸で育ったボクらとしては、〝海の水はしょっぱい〟ということは知っていたし、ごく当たり前、常識なんだけど、〝小学校5、6年生になってはじめて海外へ行ってそれを知る〟いまの福島の子どもたち。いままでは、「放射線は目に見えないから身体に害がある」とか、そういうのを言われても実感がなかった。だけど何も考えない子どもが、「しょっぱいんだね」と言っているそのひと言に、その事実の大きさを知らされたというか、それが怖くて、ボクと一緒に1つ上の友だちも聞いていたんだけど、その後絶句しちゃって、〝えっ〟すらなかった。ほんとうに絶句。

他にも小学校の教員の人に、原発事故の後、充分に運動ができなかった子どもたちの話を聞かせてもらったんです。「仮設住宅に住んでいて、小さいころから放射能があるから〝土を触っちゃいけない〟とか、〝走っちゃいけない〟とか言われ続けて、走ることができない子どもがいるんだよ」と言われ、「どういうことですか?」と聞くと、「走ることができない、動き回ることができない、運動ができない子どもがいる」と聞きました。「放射線障害ではなくて、二次災害のような症状があるんだ」と聞き、とても怖く感じました。「〝走って!〟と言っても、すり足で走ることが全力で走ることだと思っている」と言ったんです。〝ウソだ〟と思ったんですけど、「ほんとうだ」と言われました。常識だと勘違いするということが、すごく怖いことだと思い、〝こんなことがあっていいのだろうか〟と思いました。

将来のこと

ボクは福島におばあちゃんがいるので、年明けなんかに帰ったりしています。故郷と言ったらやっぱり福島ですね。でも、福島に帰るかといわれると、〝うーん〟という感じはあります。いまは神奈川に生活の軸があるので、帰りづらいというのはありますね。両親も妹もこちらにおりますし、ボクも避難してきてこちらの生活の方が長くなってしまっていますからね。ただね、ボクはおばあちゃんが好きだから、〝会いに行きたいな〟とは、いつも思っています。年間のうち、お盆とお正月は行きたいですね。

ボクは地域再生とかいう仕事をやりたいですね。やっぱりボクは、「TOMODACHIプログラム」で学んだことがあるので、〝東北を元気にしたいな〟という思いはあります。将来的には〝東北に何かしら絶対に貢献したい〟と、ボクは強く思っています。〝どう貢献できるかな〟と思ったら、ボクは興味のある〝町づくり〟、〝地域おこし〟を使って福島

◆参考：地酒Barふろんと

東日本大震災、西日本豪雨で被災した気仙沼・福島・岡山真備町の地酒や料理を提供されていた「地酒Barふろんと」が、先週（2019年）12/13（金）で閉店となりました。

地酒Barふろんとは、「守りたいこども未来プロジェクト」副代表であり、元神奈川ユニセフの谷杉事務局長が中心となられ、関内のコミュニティスペースを活用して開かれていました。そして地酒代金の一部は、私たち学習室へ寄付いただいていました。

谷杉様には、公立高校入学説明会の開催、学習室への寄付、イベントでのおやつの差し入れ、宿泊行事でのご飯の調理、保護者・子どもたちの相談、高校生のアルバイトの受入など、これまで本当に多大なご支援を頂きました。

営業最終日、学習室の子ども・保護者・大学生メンバーで地酒Barふろんとを訪れ、これまでの感謝を伝えました。お店は、名残惜しむ多くの人で大変賑やか　私たちも、美味しいお酒、手料理、さらに特別に用意してくださっていたケーキまで、堪能させていただきました。地酒Barふろんとの皆様、これまで本当にお世話になりました。これからも気軽に、とどろき・よこはま学習室へお立ち寄りください。

2019年12月16日「とどろき・よこはま学習室」Face bookより
https://m.facebook.com/front.jizake/about

だったり、東北だったりを〝盛り上げたいな〟と思っています。その中でも〝福島〟と思うのですが、現実的には〝住む、住まない〟とかの迷いはあります。

でも「まちづくり」という分野は、まだ未開拓のところがあるので、がんばってやっていきたいと思います。

ボクの身近な〝地域貢献〟として、さっき言いました「とどろき・よこはま学習室」の夏合宿に、新しく谷杉佐奈美さんという方が来て、ボクが「まちづくり」の話をしたら、「では発信場所として〝地酒Bar〟、もう一回やるよ！」と言ってくれました。地酒Barというのはちょっと前〔注：2014年8月～2018年5月まで〕に谷杉佐奈美さんが、福島の地酒と県産の食材で作ったおつまみを月に2回提供していた場を復活させて、ボクにもやらせてくれることになったんです。横浜の関内《かんない》にあるスペースレンタル「泰生ポーチ」の1階で、ボクは月4回、地域貢献の場として手伝い、そこで谷杉さんにはよくしてもらっております〔注：現在は閉店〕。

ボクがいまやろうとしているのは、ボクの旅とつながっていて、岩手県釜石市の防災はよくできていて、釜石の防災の良さを知りました。ボクのいる神奈川で、高校の防災訓練をやったとき、〝こんなやり方ではダメだ〟と思っちゃったんです。でもボクは神奈川にいるわけだし、〝関東でできることは何だろう〟と思ったとき、福島とか東日本大震災とか、熊本も、北海道も教訓を得ていますよね。その地震が起きたときの教訓とかを、関東で震災が起きたとき、〝それを生かさなければ意味はないな〟と思っています。〝2度とこうした事故は起きてほしくない〟とみんな思ったはずです。多くの人が亡くなったわけですから。ボクはそういう思いを引き継いで〝一人でも死者を出さないような防災とかができたらいいな〟と思って、〝それをやらなければ〟と感じています。

原発に関しては、ボク自身は単純に〝やめたほうがいい〟と思っています。福島であれだけの大きな事故があったから、〝何で同じような事故の起きる可能性のあるものをまた、再稼働させるのかな?〟と素直に思っています。

補記:応援はやめてくれ

震災から10年が経ち、
テレビ番組などさまざまなメディアが
応援のメッセージを発信してくれるのは有難い。
でも、僕はそれをみじめに感じる。
応援されればされるほど、
どうしてもやめてくれと思ってしまう。
言い方は悪いが、応援は応援以上にはならず、
現実の問題は解決しない。

そうして、メディアで発信されている情報を知って、
震災で起きているすべてをわかった気になり、
同情の言葉をかけるのはやめてほしい。

（2021年4月10日　しろた そら）

証言●15

鴨下全生さん

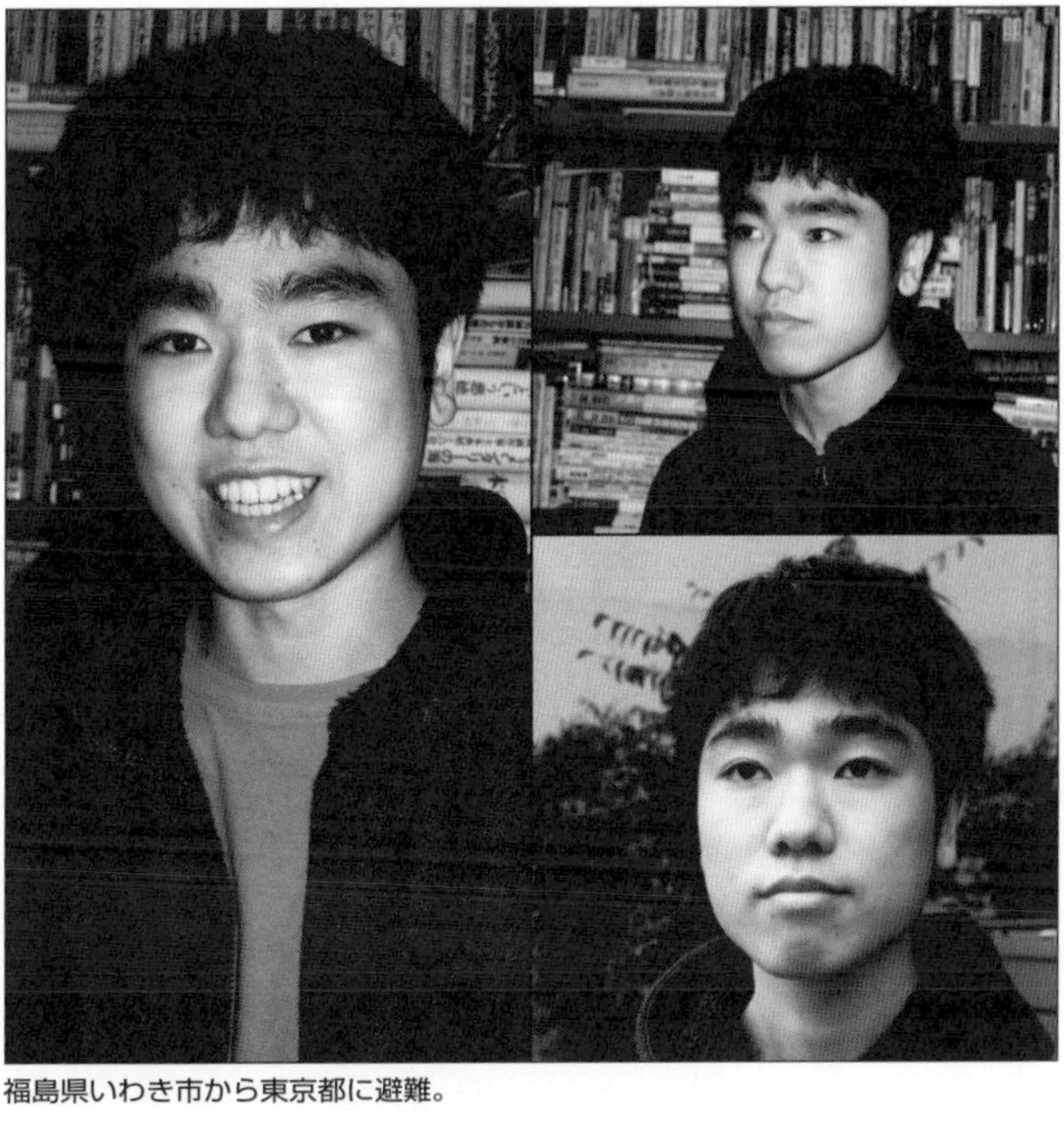

福島県いわき市から東京都に避難。

鴨下全生さん――――――――インタビュー：2020年3月7日

3月11日のその時

9年前のあの日、ボクは小学2年生の8歳でした。ボクは低学年なので学校が早く終わり、家に戻っていました。その日は金曜日のピアノのレッスンがあったので、お母さんの車に乗ろうとしていたところでした。セールスマンが「家のために塗装の塗り直しをしませんか」と偶然来て、「これからレッスンに行くんで無理です」とお母さんが断っているときに地震が来ました。

最初はそれほど〝まずいな〟という気はしなかったけど、どんどん大きくなるような感じで、〝もう歩けない〟、〝立っているのさえ厳しい〟、〝船酔いするような感じ〟、そういう揺れでした。ボクは最初、お母さんとちょっと離れたところにいたんですが、もう動けなくなって、近くにいたお母さんが抱き上げてくれて、それでも船酔い状態でした。セールスマンとお母さんが話していたのは玄関のところだったので、ボクはその近くにいたんだと思います。氷が張ったタンクの辺りにいたんじゃないかな。地震はけっこう長かったですよ。何分ぐらいかは小さかったのでわかりませんでしたが、お母さんに抱きかかえられていたことは覚えています。

セールスマンもそんな状況でしたので、ちゃんと帰ったのかもわかりません。

地震が起きているときに、下校途中の3年生以上の上級生の子がけっこういました。地震がひどいもんだから、走っている子どもに大人が、「走るな！　危ないぞ！」と呼びかけていました。

地震が少しおさまってから、とりあえず家の中がどうなっているか確認しました。家の中は、キッチンに置いてあったアサリの砂抜きをしていたボウルの水がシャバシャバして周りに飛び散っていたりで、キッチンはびしょ濡れになっていました。家具は倒れていました。本棚からは本がかなり落ちていましたので、場合によっては本でふさがれて外に出られない状態になっていたと思います。で、あと、カブト虫の幼虫を入れていたケースが倒れていたけど、どうなっているのかもわからない、ちょっと心配だったけど、どうしようもない状態でした。それと、2階に置いてあったビデオデッキが壊れたんじゃないかな。2階建てだから、ボクが確認したというより、親が確認したんです。

ボクの家も、附近の家も、目立って崩壊したということは無かったんですけど、その日は地震のためにレッスンには行けませんでした。

家の中の確認を終わらせて外に出たら、お母さんがいきなり高級そうなチョコレートを周りの人たちに配りはじめたんです。どこの家でもみんな玄関の前に立っていて呆然《ぼうぜん》としていたんです。お母さんがチョコレートを近所のおばさんたちに配っているのを見て、〝もったいないな〞とボクは思った記憶があります。その意味がわからなかったから。〝こんな時には甘いものがいいんじゃないか〟とお母さんは考えたんだと思います。そのうちに、みんなが「津波が6メートルだ、10メートルだ」と、話をしているのを聞いていたけど、ボクは津波というものがどういうものかさえわからないし、メートルという単位にもまだ慣れていなかったので、まったく理解できていなかったのですけど、たぶん何回も聞いていたので言葉だけは覚えています。

お父さんは職場に行っていて、いませんでした。

弟とおじいちゃんを迎えに

お母さんがチョコレートをひと通り配り終えたあと、弟とおじいちゃん（母方の祖父）を迎えに行きました。弟は家じゃなくて保育園にいたんです。お母さんが、「全員を拾いに行かなければいけない！」とボクを車に乗せて、まず先に保育園に弟を探しに行きました。

ボクは車の中にいたんですけど、お母さんから後で聞いた話では、保育園は古い建物だったので傾いていて、建物の中にいられないから園庭にブルーシートを敷いて、円の中心に1歳児、その周りを2歳児、3歳児というようにして、小さい子に風がこないように囲み、一番外側に6歳児が囲み、さらにその外側には保育士さんたちがブルーシートを持って風を避けていたそうです。名前を言うと、円陣からスポッと子どもを抜いて、「ハイッ！」と渡してくれたようです。当時、雪がチラついていたので、弟の頭の上に白く雪が載っていました。「たくさんの子どもが親が来るのを待っていた」とも聞きました。

おじいちゃんは横浜の家からときどきボクの家に来ていて、あの日はたまたま遺言を書くための講習会に、いわき駅前まで行っていたんです。駅前の「ラトブ」〔注：いわき駅直結の商業施設と公共施設が入った複合ビル〕の6階で講習を受けてたので、「おじいちゃんを迎えに行こう」とお母さんは、ボクと弟を車に乗せて行きました。

お母さんは、駅前が大変な状態になっていると想像がついていたので、周りのビルからガラスが降ってこないかを確かめ、ちょっと駅から離れたところの広い駐車場に車を停めました。そして、ボクと弟にありったけのお菓子とジュースを持たせて、「何が起きても、お母さんが戻るまでは絶対に外に出ないように」と言い、ボクがうなずいたのでお母さんは駅に向かいました。

このこともお母さんから聞いた話ですが、国道6号線は車通りが多いので、お母さんは地下道を通ったそうです。するとガスの臭いがしたそうです。ガス管が破れていたんでしょうね。元に戻れないから、そのまま駅に向かったそうです。すると道路が地割れしていたり、信号が停止したままだったり、車が接触事故を起こしたり、かなりの混乱状態だったそうです。

おじいちゃんがいるはずの駅前のビルも、すでに全員が待避した後で、そのビルの周りに疲れ切ったお年寄りがみんなへたり込んで座っていたそうです。その中にはおじいちゃんの姿がなく、しかたがないから警察に行って搬送された負傷者のリストを見せてもらったそうですが、おじいちゃんの名前はなかったそうです。お母さんは、いわき駅周辺の避難所となったところや小学校の校庭を全部走って回ったようですが、どこにも見当たらなくて1時間半も探し回っていたようです。

ボクは車の中でずっと待っていたんですけど、弟が「トイレに行きたい！」と言いはじめて、でもお母さんには「外に出るな」と言われていたのに、弟が「トイレ！　トイレ！」と言うものだから、しかたなくトイレに連れて行くために車を降りて、お母さんが通った地下道を通ろうとしたんです。けれどももう通れなくなっていて、「ここから先は通ってはいけない」ということで、自分の知っていたトイレはそのラトブの方にある、いつも囲碁の教室に通っていたビルのトイレに行こうとしたところ、そっちも通れないというので、反対側に行って、近くのガソリンスタンドのトイレを貸してもらいました。それからだいぶ経ってからお母さんが戻ってきたんですけど、車から出てしまったことを謝りました。ワンワン泣きながらね。結局、おじいちゃんは見つからなくて、しかたがないので家に帰っていたら、お父さんが帰ってきたのかな？　ボク目線の話で言うと、かなり時間が経って、夜くらいになって、お母さんがおじいちゃんを連れて帰ってきました。

家はオール電化だったものですからストーブも点かなくて、家の中は氷点下ぐらいに下がっていたんですが、ボクと弟は子どもだったのでそれほど問題はありませんでした。でも、おじいちゃんはかなり震えちゃっていたみたいでね、寝るときは弟とボクとでおじいちゃんを挟むようにして寝たんですけど、おじいちゃんはかなり寒かったみたいです。

電気は切れているんで、暗い中で食事をしたんです。残っていたご飯にノリ玉をかけて食べました。寝るときは枕元にローソクを置いて明かりにしました。

3月12日、避難開始

朝、何時かは覚えていないんですが、起きたら「家を出る」と言われて、つまり避難なんですけど、地震は金曜日だったので、土・日があるから〃おじいちゃん、おばあちゃんの家に遊びに行くようなレベル〃だとボクは思っていたんです。そんなに深刻な状況だってことはあえて伝えられていなかったし、テレビも見られなかったし、家もほとんど崩壊していないし、駅前のひどい状況などもボクは直接見ていなかったから、〃一番困ったことは、通行止めになったバイパスだ〃ぐらいにしか考えていませんでした。それ以外は被害を見ていなかったので、〃おじいちゃんの家に遊びに行ける〃くらいにしか思っていませんでした。

でも「荷物の用意を」ということになったんです。〃持って行っていい荷物〃というよりボクたちのオモチャなんですけど、「3つだけ車に積んでいい」と言われました。車の中を見ると、すでに保存食とか衣類とかでパンパンになっていました。元々5人乗りの車なんですけど、ボク、おじいちゃん、弟、お父さんとお母さんで、しかもボクらはチャイルドシートですから、もう隙間がなくていっぱいでした。それでも、〃少しオモチャを持って行かせないと、たぶんうるさくなるだろう〃ということで、3つだけ持って行くことになったんです。ところが、弟は「どうしても4つ持って行きたい」と言い張るので、しかたがないのでボクの権利を1つ弟に譲りました。ボクはゲーム「太鼓の達人」のカッちゃんというキャラクターのお母さん手作りのカバンと、「太鼓の達人」で使うマイバチを持って避難しました。

車に乗ってからどのくらいか、ほとんど寝ていたので時間はよくわからないのですけど、途中で「ベントだ、ベントが行なわれている」〔注：福島第一原発では、3月12日14時半にベント＝格納容器の圧力を逃がす作業が行なわれ、大量の放射性物質が空気中に放出された〕と両親が話しているのを聞きました。で、そのあと海苔をたくさん食べさせられたのを覚えています。栃木県の辺りでコンビニで空いているところがあって、海苔をまだ売っているところがあり、そこでみそ汁とか海苔を買い、みそ汁に海苔をたくさん入れた「海苔みそ汁」のようになったご飯を食べました〔注：悪玉の放射性ヨウ素131を体内に取り込む前に、海藻に含まれるいわば善玉のヨウ素を体内に取り込んで予防しよう、発酵食品であるみそを食べることによって免疫効果を上げさせよう、という親心〕。

お母さんの話だと6号線の橋が津波で30センチぐらい上にずれていたので使えず、山の方へ逃げ、栃木を抜けて埼玉県の加須《かぞ》市に入ったそうです。そこまで16時間くらいかかったそうです。本来ならおじいちゃんの家のある横浜市までは、高速道路で3時間半ぐらいで行けるんです。いわきは、電気とかのライフラインがストップしていたので、お母さんは「もし福島で暮らしていたら、おじいちゃんが寒さで死んじゃう」と思い、避難したわけです。その時のお母さんにとっては、原発のことよりも肉親のことの方が急務だったんだと思います。

おじいちゃんを届けたときはもう午前1時でしたが、やっと避難が終了したんです。いわきを出て19時間もかかりました。

そのあと3日ぐらいして、お母さんはおばあちゃんに、「もうここにはいさせられないので、別の所を捜してほしい」と言われました。元々おばあちゃんは歳ですし、持病も患っていて、

〝これだけの人数は面倒みきれない〟というか、〝身体がもたない〟ということでした。神奈川の方には3日間だけおりました。

次に避難したのがもう一人のおばあちゃん家（父方の祖母）のそばのアパートでした。東京です。それが3月15日でした。ボクは子どもでしたから、そのときもまだ旅行しているようにしか考えませんでしたが、ここもまた、2カ月くらいでしたね。

お母さんは、ここでの生活をはじめるために、洗濯機とか家庭用品とかの買い出しに出ました。お母さんは買い物をしているうちに、ふと周りに子どもがいないことに気がついたらしいんです。東京は普通に学校はやっていたんですよ。〝これでは不良になっちゃう〟、〝子どもを連れて歩いているのはいけない〟、〝義務教育があるのに〟と思ったお母さんは、すぐに役所に申請をしてくれたようですが、ボクはいわき市から住民票を移していないので、そこで一悶着あったようです。でも「特別に入れましょう」ということになった。特例でした。ですから、3月18日からお父さんの持っていそうなパソコンを入れるケースと鉛筆3本だけ持って学校に行きました。

避難生活と学校でのイジメ

東京は登下校が一緒だったので、最初のころは「方向が同じだから一緒に帰ろう」と、近所の子と一緒に帰ったりしました。3月中は嫌な思いもしませんでした。

4月になって3年生になった頃から、イジメがはじまりました。〝バカ〟だとか、〝アホ〟だとか、〝ケチ〟だとかいう、けなすような言葉や、外での鬼ごっこなどでもボクだけが鬼にされたり、タッチしても「タッチされていないよ！　なに言っているんだ、お前！」みたいな言葉が飛んできてね。そんなことが続いたんで、ボクは5月頃から学校に行けなくなったんです。玄関から先に進めなくなってしまったんです。

そのうち学校からお母さんに、ボクが「授業中に奇声を発したり、教室から飛び出したりの異常行動をする」と、連絡があったようです。実は授業中に机の下の先生から見えない場所で、足を鉛筆で刺されたりしたから「痛い！」と言ったのが、〝奇声を発した〟ということになったと思います。ボクは外傷よりも、〝人格を否定されるような行ない〟がとてもつらかったんです。たとえば物が壊れたりすると、「お前が壊したんだろう」と決めつけられたりね。ボクの作った工作作品に悪口を書かれたりもしました。とてもつらかったです。ボクは〝東京の子はみんなそんな人ばかりだ〟と、4年生、5年生になるまで思っていたんです。心の方はかなりダメージを受けました。

そこでの生活は2カ月ほどでした。5月の中旬くらいからは都内の避難所に引っ越したんです。

避難所への入所は、福島原発事故の避難指示区域内の罹災《りさい》証明書〔注：地震・火災・風水害などで被災した家屋や事務所などの被害の程度を証明する書類。市町村が自治事務として現地調査を行ない発行するもの〕を持っている人が優先で、被災証明書〔注：災害によって被害を受けたことを証明する市町村が発行する書類。通常、罹災証明書が対象としない、住家以外の建物や家財・自動車などの動産が対象〕を持っている人は、空きが出たので入れたようです。

それで、ボクは避難所のそばの小学校に〝大丈夫かな〟と思いながら転校しました。避難所にいたのは、2カ月くらいです。

次に避難所から、都内のホテルに移って、それから古い公務員住宅を改装した避難住宅に移りました。2011年8月でしたね。

結局、その時に転校した小学校には6年生までいました。ここでもイジメは続きました。ただ以前よりもイジメが軽くなったというだけでした。具体例ですが、ドッジボールのとき、ボクを集中的に攻撃するやり方とかですね。

同じ学校に行きながら家だけが3回替わったんです。学校はちょっと遠かったので、それもストレスかな。学校側もたぶん「大変なところから来たから、仲良くするように」とは言っていたとは思います。でも「大変だ」ということは伝わっていなかったと思います。ボクは普通にふるまっていたからね。弱々しくしていたら違っていたかも知れませんが。

最初に転校した3月17日に、親が急遽《きゅうきょ》転校手続きをしてくれたんですけど、もしあれが少しでも遅れていたら、ボクは東京にはいなくて、いわきに帰らされたと思います。実はいわき市は4月から学校を再開するということで親の方に、「再開するから帰って来てください」と連絡があった。ボクは転校の手続きをしていたので、そう伝えたら先生が「絶対に帰って来ちゃだめだよ!」と泣きながらお母さんに話してくれたようです。ただ、指示だからしかたなく伝えてきたと思います。

ボクはイジメがあったので〝中学校は遠くの学校へ抜け出したい〟という思いになっていました。それでお母さんが「受験してみたら？」と提案してくれました。1～2年生のころから通信で、田舎にしては親がけっこう勉強を教えてくれていたんですけど、避難してから3～4年生はずっと勉強していなくて、でも5年生くらいから〝受験しよう〟ということで、勉強をはじめました。でも塾でのイジメが一番ひどかった。これも東京です。

それでも受けた学校に合格して、親から「新しい学校では、できるだけ福島のことは話さない方がいいよ」と言われて、最初の自己紹介のときとかも全部隠したんですね。そのためにいままで仲良くというか、いわゆる〝フツウの学校生活〟を送ることができました。一応、福島のことを話さないようにしていたので、〝できるだけ一般人でもたどりつけそうな考えしか話してはいけない〟と思っていました。中学・高校に入ってからは、まあ、安定していたというか、どっちかというと化《ば》かしてクラスにいるというか、そんな感じでした。

第266代ローマ教皇・フランシスコさまへの手紙

そんなふうにボクは、〝そんなに足を突っ込まない〟というか、〝できるだけ、つらいことは話さない〟というふうに決めていたわけです。でも、親に任せておいても〝結局事態は好転しない〟というか、状況でいうと逆にひどい方向へ進んでしまいました。

でも〝せめて自分でしゃべるくらいはして、少しでも良い方へ変えられたらな〟と、〝このまま行くのはイヤだな〟と、〝このまま悪い方向へ進んでいくのを眺めていくのは耐えられない〟と思いはじめていました。原発事故避難者であることを隠しはじめて、中学3年生になったころには、そう思うようになっていました。

それでも、〝やっぱり今の友だちとの関係が続けられなくなる恐れがある〟っていうのが、けっこう怖くて、それで悩んでいたところに、「きらきら星ネット」〔注：震災と原発事故により首都圏などに避難した子どもたちとその家族をサポートするグループ〕の支援者の方に相談したんです。その方は、避難所のころからボクたちを支援してくれていたので、その方に会ったとき、「いまこういうつらいことがある」と話したら、「それならローマ教皇へ手紙を書いたらいいんじゃないか」と言われて、〝そんな方法があるのか〟ということで、ボクは〝書こう〟と決心しました。

書くこと自体つらいんですけど、〝まぁ、それが一番だな〟ということで決断しました。だけど、それを決断するということは、〝もしも教皇様に会うということになったら、さすがに周りの人にバレないということはない〟ので、ボクにとってかなりの決断になりました。それでも書くことに決めて、かなり苦しみながら文章を書いて、支援者の方に渡しました。支援者の方が、バチカンとのやり取りをしてくださったのです。

そうしたら1カ月くらいして、「この日時に謁見があるので、来ませんか」という招待状がバチカンから届いたんです。

2018年の秋に書いたその手紙の全文を紹介します。

フランシスコ教皇様

僕は福島原発事故で東京に避難している鴨下全生《かもしたまつき》といいます。教皇様にぜひお伝えしたいことがあり、この手紙を書きました。どうかご一読ください。

僕がこれから書く事は、他の人からは軽微な悩みに思われるかもしれません。でも、僕にとっては、生きることを諦めたくなる程の苦悩なのです。この問題と向き合うこと自体が非常に苦痛を伴うので、口に出したくなくて、誰にも相談することができませんでした。まして文字に表すことはあまりに受け入れ難く、この手紙を書くと決めてからも、ペンを持つ気力も湧かず、ずっと苦しみ続け、言葉にすることができませんでした。言葉にするということは、自分の現状を振り返り、その理不尽な状況を肯定することになる。それさえも、今の僕は受け入れられないのだとわかりました。でも、このまま自分が壊れていくのが耐え難いので、なんとか綴ったのがこの手紙です。『心が壊れる』こんな言葉は、小説の中の大げさな表現だと思っていました。でも今、僕は現実に、こういう言葉しか思いつかない状態にいます。毎日必死に平静を装って、学校生活をこなしていても、日々刻々と自分が壊れていくのが判ります。自分の命を守るための行動が、同時に自分の心を破壊していく。この苦痛からどう抜け出せば良いのか、もう、僕にはわからないのです。

僕は福島県いわき市で生まれ、両親と5歳離れた弟とともに生活していました。当時は、春になれば、テレビで紹介されるほど桜並木の有名な「夜ノ森公園」でお花見をし、夏は潮干狩りに行き、秋はキノコ狩りをして、冬は雪だるまをつくる。公園や学校の帰りの通学路でツクシをたくさん採って帰って、お母さんに作ってもらうツクシの佃煮が好きでした。家も庭も広く、ブルーベリーやシイタケ、ミニトマトなどは庭で収穫する事が出来ました。学校では友達と昆虫を見つけたり、泥だんごを作ったりして遊んでいました。

しかし、2011年3月11日の福島原発事故を境に、このような生活は全てなくなってしまいました。ぼくは福島を離れて避難し、東京の子になりました。政府は僕の街には避難指示を出さなかったけれど、実際に測定した放射能汚染はとても酷く、避難指示区域よりずっと広い範囲に広がっていたので、被曝《ひばく》を避けるためにいわゆる自主避難者になったのです。毎年お花見をしていた「夜ノ森公園」にも沢山の放射能が降り、泥だんごをつくった庭の土は、7年が過ぎた今でも放射能だらけです。しかし、何よりも一番つらかったのは、転校先でのいじめでした。図工の時間に作った工作品に悪口を書かれていたり、菌扱いされたりしてきました。些細な事で、一方的に暴力をふるわれたり、差別されたりするので、休み時間に外で遊ぶのが怖くなりました。そのようなことが続き、「出来る事なら死んでしまいたい」と常に思うようになりました。9歳頃の願い事には「天国に行きたい」と書いたこともありました。

今思うと、原発事故避難者について良く知らない人たちの目には、僕たちは「家が壊れていないのだから何も被害は無かったのに、多額の賠償金だけもらって東京にタダで住んでいるズルイ人たち」としか思えなかったのでしょう。本当は東京電力や国が、放射能汚染の恐ろしさや、汚染の実態を隠蔽しなければ、そして僕たちのような区域外避難者にはほとんど賠償金が支払われていない事などを、きちんと広く伝えてくれれば、こんな事は起きなかったと思います。同じ時期に転校した避難児童の多くが、程度の差はあれ、いじめを受けていました。親も先生も頑張ってくれたけど、少なくとも僕の場合、差別といじめは小学校を卒業するまでなくなりませんでした。当時の僕は、常に命の危険を感じ、緊張していました。

その生活があまりにも辛かったので、僕は中学生になるときに、今までの学校とは全く違う、遠い中学校に進学し、自分が避難者だということを隠すことにしました。すると、いじめは全く起きませんでした。僕はいじめのない学校生活が、こんなにも平和だったのかと驚きました。初めて出来た友達と過ごす中学校生活は幸せそのものでした。

しかし、2年3年と時が経つうちに、だんだん心が辛くなってきました。自分が避難者であることを隠すということは、自分が福島で生まれたことも、楽しかった幼い頃のことも、本当は広い家が福島にあることも、被曝を避けるために避難していることも、避難住宅に住んでいることも、まだ汚染があって帰れないのに政府からは福島へ帰るように言われていることも、避難生活自体が不安定で本当はすごく辛いということも、何一つ友人に話せないということなのです。それは、僕の大部分を隠して生きるということです。親友を作りたくても、何一つ、自分の事を言えません。少しでも、自分の思いを語ろうとすると、福島のことが足かせになり、語れなくなるのです。友人たちが政治や経済の話をしていると、すごく自分の思いを語りたくなります。でも結局、うわべだけしか話せない。何故、僕が原発政策に反対する気持ちをもっているのか、その裏にある自分自身の苦しみを語ることができません。被曝も汚染も、壊されたコミュニティーも、様々な理不尽が、本当は自分の問題なのに、親友に語ることもできない。保身のために、福島のことは話さない、と自分で決めたのに、それを辛いと思う自分自身が許せなくなり、心が砕け散りそうになります。

学校だけではありません。僕が避難や福島のことを話す時は、いつも匿名です。写真も公開できません。自分を隠さないと、世間から大変な誹謗中傷を浴びてしまうからです。僕らは悪いことをしたわけでもないのに、まるで犯人の様に名前も顔も隠さなければなりません。でも、顔や名前を出せない人の証言を、誰が信じてくれるでしょうか？それもまた、大きなジレンマです。本当は堂々と、人々や友人たちに、自分が遭った本当のことを語りたい。でも、受け入れてもらえなかったら、やっと築いた平和な今の生活をまた失うことになる。それは何よりも恐ろしいことです。ぼくは、一体どうすればこの苦しみから解放されるのでしょうか？　きっと、同じ苦しみを抱えた子どもは、他にも沢山いるはずなのです。

原発によって儲かったのは大人。原発を造ったのも大人だし、原発事故を起こしたのも大人。しかし、家族が離ればなれになるのも「将来、病気になるかも」と不安の中で生きるのも、学校でいじめに怯えて苦しむのも僕たち子どもです。

　残念ながら放射性物質の寿命は、僕たちの寿命より長いのです。被曝の影響が出るのは、10年、20年、40年先になることもあります。だからぼくは、これからも本当に福島が安全になるまで、避難を続けたいと思っています。でも、それを隠しながら生活するのは、もう限界なのです。

　何故、ぼくらは、避難しているというだけで、いじめられるのでしょう。子どもだけではありません。大人達も様々な差別やいじめ、誹謗中傷を受けています。被害に遭ったものが、更にいじめや差別まで受けるのは、何故なのか。それは、原発が国策であり、その被害者の証言は国策を否定するものとなるからです。原発政策をこれからも拡大してゆくために、被害を矮小化し実態を語らせまいとする為政者たちの歪んだ政策やプロパガンダが、大人だけでなく僕たち子どもの世界まで狂わせているのです。

　望むと望まざるとにかかわらず、僕たちはこれから、大人の出した汚染物質とともに生きることになります。一方で、僕らの口を塞ぎ、加害を隠そうとする大人達の多くは、本当の被害を見ないうちに先に寿命が来て死んでしまうでしょう。でもそんな逃げ方が赦されるのでしょうか？　儲けるだけ儲けて、たくさんの嘘をついて、日本だけでなく世界の海を汚したまま、そのつけを全部僕たち子どもに負わせて、先に死んでしまうなんて酷すぎます。

僕の語れない想いは溢れるばかりです。多分、僕の本当の望みは、きっと、ごく普通に隠し事の無い社会で平和に暮らしたい、ということだけなのだと思います。でも、原発事故被害者は、今の日本の社会の中で、何かに目をつぶり、耳を塞ぎ、口を閉ざさなければ安全に生きていけません。こんな歪んだ世界から、どうか、僕たちを助けてください。

ボクが手紙で書いた切なる思いが教皇さまに届き、お目にかかることができたのは2019年3月20日の午前10時のことでした。ボクが16歳の時です。

フランシスコ教皇さまとの謁見《えっけん》は、家族と「きらきら星ネット」のスタッフ8名でした。教皇さまはボクたちの前にわざわざおいでくださって、一人ひとりに握手をしてくださいました。嬉しかったです。ボクが用意していった「お願い」を英語でお伝えして、カードを渡しました。写真も一緒に撮りました。とりわけ、福島の子どもたちのことを心配してくださり、心が温まる思いでした。

教皇さまの来日

それから8カ月後の2019年11月、フランシスコ教皇さまは来日され、11月25日には、東京・ベルサール半蔵門〔注：カトリック中央協議会主催「東日本大震災被災者との集い」〕で再会までできました。この時はもう緊張感もそれほどもなく、お迎えすることができました。その時に教皇さまにスピーチした原稿が次のものです。カソリックの信者さんたちは、教皇さまのことを親しみを込めて〝パパ〟と呼びます。ボクも教皇さまにお目にかかってからは〝パパさま〟と言うようになりました。

親愛なるパパ様

僕は福島県いわき市に生まれました。8歳だったときに原発事故が起きて、被曝を逃れるために東京に避難しました。でも父は、母に僕らを託して、福島へ戻りました。父は教師で、僕らの他にも守るべき生徒たちがいたからです。母は、僕と3歳の弟を連れて、慣れぬ地を転々としながら避難を続けました。弟は寂しさで布団の中で泣きました。僕は避難先でいじめにも遭い、死にたいと思うほどつらい日々が続きました。やがて父も、心と体がボロボロになり、仕事を続けられなくなりました。それでも避難できた僕らは、まだ幸せなのだと思います。

国は、避難住宅の提供さえも打ち切りました。僕は必死に残留しているけれど、多くの人がやむなく汚染した土地に帰っていきました。でも広く東日本一帯に降り注いだ放射性物質は、8年たった今も放射線を放っています。汚染された大地や森が元どおりになるには、僕の寿命の何倍もの歳月が必要です。だからそこで生きていく僕たちに、大人たちは、汚染も被曝も、これから起きる可能性のある被害も、隠さず伝える責任があると思います。嘘をついたまま、認めないまま、先に死なないでほしいのです。

原発は国策です。そのため、それを維持したい政府の思惑に沿って賠償額や避難区域の線引きが決められ、被害者の間で分断が生じました。傷ついた人どうしが互いに隣人を憎み合うように仕向けられてしまいました。

僕たちの苦しみは、とても伝えきれません。だからパパ様、どうかともに祈ってくださ い。僕たちが互いの痛みに気づき、再び隣人を愛せるように。残酷な現実であっても、目を背けない勇気が与えられるように。力をもつ人たちに、悔い改めの勇気が与えられるように。皆でこの被害を乗り越えていけるように。

そして、僕らの未来から被曝の脅威をなくすため、世界中の人が動き出せるように、どうかともに祈ってください。

会場には避難者の方々がたくさん来ていたと思います。ボクが、「それでも避難できたボクらは、まだ幸せなのだと思います」とスピーチしたためだと思いますが、会が終わった直後にその中の一人の青年がボクに対して、「あれはどういう意味だ！　私はいまも福島に住んでいる」とものすごく強く迫ってきたんです。ボクはスピーチを終えたあとなので、ホッとしていたところで、いきなり詰め寄られたので、混乱して言葉を返せずにおりました。親が気づいて、「次に記者会見があるのですみません」と言い、その場をあとにしました。

その人もきっと、つらい気持ちがあったのだと思います。傷ついている人同士が石をぶつけあって、さらに傷ついていく。ほんとうはあの時、ボクは彼の言葉をもっとじっと聞き、その痛みに耳を傾けるべきだったと、いまでも後悔しています。

いま思えばボクは、避難後の数年間に起きたイジメに起因するPTSD（心的外傷後ストレス障害）だけでなく、原発事故により可視化された社会の歪《ゆが》みに対する怒りや、絶望感の中にいました。〝このままオリンピックが終わったら、原発事故は忘れ去られ、汚染も被曝《ひばく》ももう済んだことことにされて、捨てられてしまうのではないか〟と。

パパさまの訪日の4日間は、どれも愛と祈りに溢れていて、同時に論理的でした。パパさまは、ただ被災者に「がんばれ」と言うだけでなく、常に自らを同じ闘いの中に置き、自らが悔い改めることで道を示し、劇的に『いま』を変えていく方だと感じました。

2019年11月25日、安倍首相のいる首相官邸大ホールでパパさまは、

国際社会が被造物〔注：神によって造られたもの〕を守る使命を果たすのは困難だとみなすとき、ますます声を上げ、勇気ある決断を迫るのは若者たちです。若者たちは、地球を搾取のための所有物としてではなく、次の世代に手渡すべき貴重な遺産として見るよう、私たちに迫るのです。私たちは「彼らに対し、空しい言葉によってではなく、誠実に応えなければなりません。まやかしではなく、事実によって応えるのです」

（2019年「被造物を大切にする世界祈願日」教皇メッセージ2より）。

と、述べられました。

また、パパさまは帰路の飛行機の機内での記者会見で、次のように語ったと報じられました。

核兵器の使用のみならず保有も倫理に反すると述べた教皇は、それは、事故や、ひとりの狂気が人類を滅ぼすこともあるからだ、と語った。

原子力発電に関する質問で、教皇は日本が体験したようなトリプル災害（地震・津波・原発事故）はいつでも起きる可能性はあると述べ、原子力使用は完全な安全性を確保するに至っていないという意味で限界がある、と指摘。教皇は、個人的な意見とした上で、安全性の点からその使用に懸念を示された。

（バチカンニュースより）

パパさまが、原発の危険を発信してくださったのは、日本だけではなく、核や原発を持つ世界の国々に対して、大きな警告になったと思います。

ボクらは深い感謝を持って、パパさまの残された多くの言葉を消化し、祈りと血肉にしていきたいと思います。

支えてくださった多くの方々にも、心から感謝しています。

ほんとうにありがとうございました。

補記：闘いは、はじまったばかり

原発事故の真の被害も被曝の害も、
いまはまだ一部しか見えません。
すべてが明らかになるのは、
何十年も先になるでしょう。
核被害に10年の節目などありません。
残念ながら僕たちの闘いは、
まだはじまったばかりなのです。

（2021年4月8日　かもした　まつき）

あとがき

樋口健二

早や10年の歳月が流れ去った。2011年3月11日発生の東日本大震災による原発史上最悪の大事故はまたしても「人災」だった。

21年前の東海村JCO臨界事故の「人災」と同質である。どちらも危機管理のなさが引き起こした大惨事である。

東京電力福島第一原発では地震による津波の高さがわずか5メートルくらいしか想定されていなかった。海岸にテトラポットを少々積み上げた程度の光景を私のカメラが写し出している。また地震の想定もマグニチュード7・8だったと言われていたが、本当か疑問だ。現実には15メートルにも達した津波は緊急用発電機をのみ込み、破壊した。地震はマグニチュード9・0に達した。これを「想定外」と平然と言った御用学者にはあきれ果てた。

自然の力は常に人間の英知を上まわるものである。私はこれまで東電や原発関係者に「大地震が発生したら原発は大丈夫か」と何度か質問した。回答は「国の基準をクリアしており、日本の土木工学は世界一だ」と豪語していた。その土木工学世界一の原発もマグニチュード9・0の前にはなすすべもなかった。

津波が押し寄せる前に、原発内のパイプや土中のパイプは破断か破裂に近い状態になっていたと思われる。冷却装置はことごとく働かず、最悪の事態へと発展していった。

3月12日に至るや、1号機は水素爆発、続いて3号機、2号機はメルトダウンし、4号機も水素爆発を引き起こしていった。原発は無残な姿をさらし、人間の想像をはるかに越えた放射性物質が大量に、しかも至る所へ風に運ばれて降り注いでいった。当時、東電も菅直人民主党政権も嘘で固めた発表を行なったため、福島県民は右往左往する事態となった。避難指示も原発から3キロ、10キロ、20キロ、さらに30キロへと拡大された。チェルノブイリ原発事故を教訓にすれば、最初から30キロにすべきであった。

福島県民の悲劇はまさにここからはじまっていく。放射能禍によって、避難区域内の住民ばかりか避難区域外の住民たちにも放射性物質は容赦なく降り注いでいった。住みなれた故郷を捨てざるを得ない事態となり、県内外へと逃れ行く人たちの姿に胸の締めつけられる思いであった。浪々の旅のはじまりはいつ果てるともなく延々と続くだろうと、その時思ったものだ。それまで築いて来た平和なはずの家庭生活が「平和利用」をうたった原発によって崩壊されたのである。

見知らぬ土地での生活は原発関連死という悲劇に見舞われ、追い打ちを掛けるようにコロナウイルス大禍に襲われ、困窮を極めた人たちもいる。また、子どもたちは苛《いじ》めという差別にも泣いた。肉体的、精神的、経済的にも大きなダメージを負いながら懸命に生きているこの人たちを、私は「原発棄民」と呼ばせていただく。国や県は碌《ろく》な保障をせず、福島県民を棄民化したことに変わりはない。こんな悲劇のさなかにオリンピックを誘致しようと、日本の首相安倍晋三はブエノスアイレスでピエロのような姿で「原発はアンダーコントロール出来ている」と大嘘を世界中に発した。その裏では大量の放射性汚染水を海へ流出していたのである。

ここで横道に逸れさせていただき、48年前（1973年）に遡ってみたい。私が原発問題を本格的に追求しはじめた年である。

翌74年には原発の最大のアキレス腱ともいうべき原発下請け労働者が我が国初の原発被曝裁判を大阪地裁に提訴した。それが「岩佐訴訟」であり、原告の故・岩佐嘉寿幸さんであった。以来、私は、60数万人に及ぶ原発被曝労働者に焦点を当て、闇に消されていく実態を取材して今日に至る。そして、有難い事に原発関連だけで、14冊の写真集（著書含む）を出版していただいた。その介あって原発の樋口と呼ばれたが、反面、国や原発関連企業からは、反社会的写真家のレッテルまで頂戴した。その介あって2011年3月以降、マスコミ・新聞・雑誌・テレビ・共同通信・ワシントンポストやギリシアの「イプシロン」誌等、85社の取材を受けた。その反響で、講演や写真展が全国や海外で行なわれ、当時、絶版となっていた著書7冊が2年間で再版されるという予想外の側面もあった。そして、多くの国民が、隠蔽されていた原発被曝というおぞましい現実を認識してくれたのである。

私はそこで視点を変えて、被曝労働者の取材は次にまわし、避難区域外の人たちを中心に

据えたインタビュー取材を、と思い立ったのである。原発が大爆発を起こせば、放射能は原発

下請け労働者ばかりか一般住民にも襲いかかる。避難を余儀なくされた「原発棄民」ともいう

べき人たちにである。

ところが、私の体調に異変が起きていた。その詳細は後述するとして、医師からドクター

ストップが掛かったのである。残念だが、その企画は諦めざるを得なかった。医師からは「も

う若い人に任せなさいよ」と諭される始末で、無念の思いに打ちひしがれていた。

その時である。私の写真展や講演時にボランティア活動をしてくれていた「ママデモ（Ma-

mademo）グループ」（代表：魚住《うおずみ》ちえこさん）が、「私が協力するから、歴史に残る証言集を作っ

てほしい」と申し出てくれて、有難かった。そして、本来なら私が被害者を訪ねて取材するの

が至極当然なのだが、15人の証言者たちを私の所へ招いてくれたのである。恐縮の限りだっ

た。避難区域外の人を中心に、区域内の人も数人、遠く北海道、高知県、福島県内外の人たち

にご足労願ったのである。感謝以外の何ものでもない。

ここで、前述の通り、私の体調異変について述べなくてはならない。自宅に呼び寄せるな

ど何事か、と誤解が生じてはならないから——。

それは1999年9月30日に発生した東海村JCO臨界事故の翌日（10月1日）に無防備に

近い状態で一日中取材を行なった結果、中性子線を浴び鼻血からはじまり、白血球の激減のた

め、骨髄液検査によって再生不良性貧血（病状が進むと白血病）と告げられていた。こんな有

難くない持病を背負っていたので、「原発棄民」への取材を諦めねばならなかったのである。

さて、棄民とも言うべき避難者たちは、故郷の復興に絶望こそすれ、期待を抱く人は少なかった。全国へ散った避難民（棄民）の76パーセントが故郷に戻るつもりはない、とアンケート調査に答えている。特に子どもを抱えた人たちの多くは、残留放射能の恐怖を身をもって体験したからである。放射線の中には数十日で消滅するものもあるが、セシウム１３７に至っては半減期は30年である。核と人類が共存できないことを為政者《いせいしゃ》たちは真剣に考えるべきであろう。

国は、30キロ圏外の住民には放射性物質が降り注がなかったかのような政策を取ってきた。ここで１９８６年４月26日に発生した旧ソ連のチェルノブイリ原発爆発について触れておきたい。翌８７年９月下旬から10月初旬にかけ、ニューヨークで第１回核被害者世界大会が開催され、故・高木仁三郎（科学者）から日本の原発被曝労働者の放射線被曝実態を報告するよう要請を受け、出席した。最も象徴的だったのはチェルノブイリ原発から２０００キロ離れているスカンジナビア半島の北欧３国の国境地帯に住む少数民族のラップランド人、ポールドウイさんの「我々はトナカイを主食にしている。そのトナカイが高い放射性物質に汚染され、１万８０００頭を殺処分して、地中に埋めた」との報告は集まった人々の心に核の恐ろしさを強烈に植え付けた。この現実を日本のメディアは伝えたのだろうか。30キロ圏内の住民だけが被害を受けたのではないことを肝に銘じるべきである。

この10年を振り返ってみても、復興はおろか、下請け労働者の白血病、ガン死などの病気で労災認定など人的被害も著しい。原発内部には手の付けられない高線量の放射性物質のデブリが880トン、その上放射性汚染水（処理水ではない）は毎日170トンという膨大な量が出ている。2022年にはタンク置き場がなくなるという理由でトリチウムを含む汚染水を海に放流すると閣議決定したが、何とも無謀な暴挙である。当然、近隣諸国ばかりか、漁業関係者の猛反発が起きた。全漁連も福島県漁連も絶対反対の意思を崩していない。東電福島第二原発は廃炉予定だから、その敷地を利用すれば事は済むはずだ。

安倍政権から引き継いだ菅《すが》首相は2050年までには脱炭素化を実現する、と心にもない事を言ってのけた。その裏では原発再稼働と原発建設が目論まれている。そればかりか、改憲で核兵器開発が実現可能となる。今までも原発関連事故（人的も含む）が発生する度に、原発6族である、政・財・官・学・メディアと三権分立していない司法が裏で画策して結論を出すという、この国の病理現象とも言うべき悪政が改まらない限り、国民との乖離《かいり》は延々と続くだろう。福島原発爆発後、ドイツのメルケル首相は2022年に原発廃炉を打ち出したこの決断を、菅も見習うべきだ。

15人の証言者の皆さん、3年を要してしまいましたが、貴重なお話を聞かせていただきました。厳しい生活の中、尊い時間をさいて遠方から来て下さった事、改めて心から感謝申し上げます。

この歴史証言とも言うべき真の心情は後世の人たちの心に深く刻まれ、核の「平和利用」

など有り得ない現実を受け止めていただけると確信しております。

私の協働者であった亡き妻は、魚住さんやママデモの人たちを良く知っていたので、自分の後継が出来たと、草葉の陰でこの出版を喜んでいると思う。

また当初から私の写真活動に共鳴し、写真集のレイアウト、構成を数冊手掛けてくれた竹内敏信さんにも感謝します。

八月書館のお二人には多大の協力をいただき、深謝します。ありがとう。

2021年6月11日

樋口健二　写真集及び著書

[写真集]
『四日市』六月社書房　1972年
『原発』オリジン出版センター　1979年
『最後の丸木舟』（共著）御茶の水書房　1981年
『毒ガス島』三一書房　1983年
『山よろけ　北海道じん肺』三一書房　1992年
『原発　1973年〜1995年』三一書房　1996年
『日本の公害』全6巻の4巻に『四日市』が復刻　日本図書センター　1995年
『原発崩壊　1973年→2011年』合同出版　2011年
『樋口健二報道写真集成　日本列島1966〜2012［増補新版］』こぶし書房　2012年
『増補新版　毒ガスの島』こぶし書房　2015年
『忘れられた皇軍兵士たち』こぶし書房　2017年

[著書]
『闇に消される原発被曝者』三一書房　1981年
『売れない写真家になるには』八月書館　1983年
『原発被曝列島』三一書房　1987年、新装改訂版、2011年
『原発と闘う――岩佐被曝裁判の記録』（共著）八月書館　1988年
『アジアの原発と被曝労働者』八月書館　1991年
『これが原発だ――カメラがとらえた被曝者』岩波ジュニア新書　1991年
『日本破壊列島　1970〜1990』三一書房　1992年
『はじまりの場所　日本の沸点』こぶし書房　2006年
『環境破壊の衝撃　1966〜2007』新風舎文庫　2007年
『闇に消される原発被曝者［増補新版］』八月書館　2011年
『原発被ばく労働を知っていますか？』クレヨンハウス　2012年
『無声慟哭　報道写真家樋口健二自伝』ひょうたん出版　2015年
『慟哭の日本戦後史　ある報道写真家の六十年』こぶし書房　2021年
『フクシマ原発棄民　歴史の証人――終わりなき原発事故』八月書館　2021年

著者略歴

1937年	長野県諏訪郡富士見町生まれ 東京綜合写真専門学校卒業後、同校助手を経て、フリーのフォトジャーナリストとなる。
1969年	四日市公害を7年間に亘り追い続けた写真展『白い霧とのたたかい』を、東京、大阪、四日市、新産業都市で巡回展。
1974年	国連主催世界環境写真コンテスト・プロ部門で『四日市』が入賞。
1981年〜	講演『原発被曝の実態』を全国でおこなう。
1983〜84年	写真展『毒ガス島』（隠された悲劇の島）を東京、大阪、名古屋のキャノンサロン、広島・平和記念資料館他で開催。
1985年〜	写真展『原発』を全国巡回で開催中。
1987年	ニューヨークでの第1回核被害者世界大会で日本の原発被曝実態を報告。スリーマイル島取材。
1987〜88年	写真展『原発』『四日市』を台湾各地で開催。
1987年〜	世界核写真家ギルド展に『原発』を出展。ベルリン、ミュンヘン、モントリオール、トロント、ニューヨーク、フィラデルフィア、シドニー他で開催中。
1990〜93年	日本の報道写真家4人展に『原発』を出展。パリ、ミュンヘン、ハノーバー他で開催。
1995年	イギリスのチャネル4がレポーターに起用、『日本の原発ジプシー』を追うテレビドキュメンタリー番組を制作・放映。
2001年	核廃絶ＮＧＯ『ワールド・ウラニウム・ヒアリング』（本部・ドイツ）創設の『核のない未来賞』の教育部門賞を、日本人として初受賞。
2001年3月2日〜31日	外国特派員協会ロビーとギャラリーで『被曝実態』写真展開催。
2011年	写真集『原発崩壊』が第17回平和・協同ジャーナリスト基金賞の大賞受賞。
2012年	「原発崩壊」写真展をオリンパスギャラリーの東京・大阪で開催
2012年	第13回「ドキュメンタリーフォトフェスティバル宮崎」（宮崎県立美術館）にて「原発崩壊」写真展開催

現在、日本写真芸術専門学校副校長として、フォトジャーナリスト育成に努めている。

日本写真家協会会員、世界核写真家ギルド会員、日本広告写真家協会学術会員。

樋口　健二　八月書館の刊行書

・報道写真家としての第一歩を記した
　『売れない写真家になるには』1983年
・日本最初の被曝裁判を闘った岩佐嘉寿幸さんの行動を追った
　『原発と闘う——岩佐被曝裁判の記録』（共著）1988年
・台湾・フィリピン・マレーシアの原発と被曝労働者を取材した
　『アジアの原発と被曝労働者』1991年
・多くの原発被曝労働者と亡くなった労働者の家族を訪ねた
　『闇に消される原発被曝者［増補新版］』2011年

フクシマ原発棄民　歴史の証人——終わりなき原発事故

発行日　2021年8月6日　第1版第1刷

編著者　樋口　健二（ひぐち　けんじ）

発行所　株式会社八月書館
東京都文京区本郷2-16-12 ストーク森山302
TEL 03-3815-0672　FAX 03-3815-0642
郵便振替 00170-2-34062

装　幀　柊　光紘

印刷所　創栄図書印刷株式会社

ISBN978-4-909269-14-0 定価はカバーに表示してあります